LE DESTIN DE LA TERRE

Jonathan Schell

LE
DESTIN
DE LA
TERRE

Traduit de l'américain par
Lorris Murail et Natalie Zimmermann

Albin Michel

Cette traduction est publiée avec l'autorisation des
Éditions Alfred A. Knopf, Inc., New York,

Traduction française
© Éditions Albin Michel, 1982.
22, rue Huyghens 75014 Paris
ISBN 2-226-01547-7

Sommaire

Sommaire

Je dédie ce livre à ma sœur Suzy,
avec tout mon amour.

1

Une république
d'herbes et d'insectes

D<small>EPUIS</small> le 16 juillet 1945, date à laquelle explosa la première
bombe atomique, au centre d'essai de Trinity, près
d'Alamogordo (Nouveau-Mexique), l'humanité vit avec l'arme
nucléaire. Le nombre des bombes n'a cessé de croître au fil des
années, atteignant aujourd'hui pour l'ensemble de la planète
quelque cinquante mille charges, ce qui équivaut à une
puissance explosive d'environ vingt milliards de tonnes de
T.N.T., soit encore un million six cent mille fois la puissance de
la bombe lâchée par les Etats-Unis sur la ville d'Hiroshima, au
Japon, moins d'un mois après la première expérience d'Alamogordo. Ces bombes furent construites en tant qu' « armes » de
« guerre », mais ce qu'elles impliquent dépasse largement le
concept de guerre, les tenants et les aboutissants de celui-ci.
Nées de l'histoire, elles menacent pourtant de la clore. Conçues
par l'homme, elles menacent pourtant d'annihiler ce dernier.
Ces armes sont un gouffre dans lequel le monde peut basculer
— une Némésis des objectifs, des actes et des espoirs humains.
Seule la vie, qu'elles menacent d'engloutir, peut donner la
mesure de ce qu'elles représentent. Cependant, malgré l'importance incommensurable de l'arme nucléaire, les hommes, dans
l'ensemble, ont préféré l'ignorer. Nous ne sommes pas jusqu'à
présent parvenus à élaborer, à trouver en nous-mêmes, ou à lui
opposer une réponse affective, intellectuelle ou politique. Cette
absence de réponse, par laquelle des centaines de millions de
personnes reconnaissent l'existence d'une menace immédiate et
permanente contre leur vie et celle du monde dans lequel elles

vivent, sans rien faire pour y remédier — absence qui semble marquer la disparition de l'instinct de conservation et de la fraternité — constitue en soi un phénomène frappant que l'on doit considérer comme faisant tout à fait partie du problème nucléaire lui-même tel qu'il s'est présenté jusqu'à aujourd'hui. Des signes très récents indiquent cependant qu'en Europe comme aux Etats-Unis l'opinion publique s'éveille, et que l'homme de la rue commence à se demander comment réagir au péril nucléaire.

J'exposerai dans le présent ouvrage quelques réflexions sur les origines et la portée de ce problème, sur les raisons qui nous ont poussés à refuser si longtemps d'y penser (nous qualifions même l'holocauste nucléaire d' « impensable »), ou de l'affronter, et sur la forme et l'ampleur des choix qu'il exige de nous. Mais je voudrais tout d'abord décrire, dans la mesure du possible, les conséquences pour le monde d'un conflit nucléaire à l'échelle planétaire, en partant de l'armement dont les Etats disposent actuellement. Nous vivons dans l'ombre de l'arme nucléaire depuis plus de trente-six ans et il n'est pas trop tôt pour nous familiariser avec elle — nous habituer à des notions telles que les « effets thermiques », l' « onde de choc » ou les « trois conséquences de la radioactivité ». Il semble nécessaire de décrire ce que serait un conflit à l'échelle mondiale pour la simple — mais fondamentale — raison qu'on ne peut parler de quelque chose sans savoir de quoi il s'agit. Un nombre considérable d'excellents travaux existent sur les divers aspects des ravages que pourraient causer les armes nucléaires, travaux dont la plupart ont été menés au cours des dernières années. Parmi eux, on citera : un rapport intitulé « Les Effets de la Guerre Nucléaire », publié en 1979 par le *Congressional Office of Technology Assessment* et qui traite principalement des conséquences d'une guerre intensive pour les U.S.A. et l'U.R.S.S. ; la dernière édition (1977) du texte de référence indispensable de Samuel Glasstone et Philip J. Dolan « Les Effets des Armes Nucléaires » (que j'appellerai dorénavant le « Glasstone »), publié conjointement par le Ministère de la Défense et le Ministère pour la Recherche et le Développement Energétique, qui reprend les conclusions du gouvernement sur les bombardements d'Hiroshima et de Nagasaki et sur le programme d'essais nucléaires américain pour décrire les caractéristiques et les effets destructeurs des explosions atomiques de toutes sortes ; *Hiroshima et Nagasaki,* étude exhaustive due à un groupe d'éminents scientifiques japonais publiée aux Etats-Unis en 1981, sur les conséquences du bombardement de ces deux villes ; « Les Effets Planétaires à Long Terme d'Explosions Nucléaires Massives », rapport sur les conséquences écologiques globales d'une guerre nucléaire mondiale publié en 1975 par l'Académie des Sciences des Etats-Unis ; un document sur les recherches menées en 1974 et 1975 par le *Department of Transportation's Climatic Impact Assessment Program* sur les conséquences des perturbations dues à l'homme — y compris l'explosion de bombes atomiques — pour l'atmosphère terrestre ; enfin, « L'Agriculture et l'Elevage en cas de Guerre Nucléaire », conclusions d'un symposium tenu en 1970 au Laboratoire National de Brookhaven, à Long Island, à l'initiative du Bureau de la Défense Civile, de la Commission de l'Energie Atomique et du Ministère de l'Agriculture, au cours duquel on traita des effets des retombées radioactives sur les écosystèmes à la fois domestiques et naturels. A partir de ces sources, d'autres documents imprimés, et aussi d'entretiens que m'ont récemment accordés plusieurs scientifiques, j'ai tenté de dresser un tableau des principales conséquences d'un affrontement nucléaire généralisé. Dresser un tel tableau, à la fois technique et effrayant par nature, ne peut être qu'une tâche haïssable, mais si l'on veut éviter de connaître un jour semblable enfer, il nous faut nous le représenter dès aujourd'hui. Les enseignements que nous en tirerons ne pourront à eux seuls nous protéger de l'anéantissement nucléaire, mais ils nous permettront de commencer à prendre les mesures susceptibles de nous sauver et à réfléchir d'une façon adéquate à l'impasse dans laquelle nous nous trouvons engagés.

Les déclarations des dirigeants américains et soviétiques depuis l'invention de l'arme nucléaire reflètent l'idée largement répandue selon laquelle une guerre atomique pourrait d'une manière ou d'une autre conduire à la fin du monde. Ainsi, en 1956, le président Eisenhower écrivit dans une lettre que les deux parties devraient un jour « s'asseoir à la table de conférence en ayant conscience que l'ère de l'armement est terminée, et que la race humaine doit se conformer à cette vérité ou mourir ». Plus récemment — en 1974, lors d'une conférence de presse — le secrétaire d'Etat Henry Kissinger déclara : « Il faut freiner l'accumulation des armes nucléaires, si l'humanité ne veut pas se détruire elle-même. » Et, à l'occasion de son discours d'adieu, Jimmy Carter prédit qu'après un conflit nucléaire « les survivants, s'il y en avait, seraient plongés dans la désolation parmi les ruines empoisonnées d'une civilisation qui se serait suicidée ». Les dirigeants soviétiques ne se sont pas montrés moins catégoriques dans leurs déclarations. Ainsi, fin 1981, le gouvernement soviétique fit paraître un fascicule dans lequel on pouvait lire : « L'Union soviétique considère qu'une guerre nucléaire constituerait un véritable désastre universel et signifierait probablement la fin de la civilisation. Elle pourrait conduire à l'anéantissement de l'humanité tout entière. » Que ce soit dans ces déclarations ou dans d'autres, et l'on pourrait multiplier les exemples à l'infini, les leaders soviétiques et américains ont reconnu l'importance capitale du péril nucléaire. Ils ne se sont cependant pas montrés très précis quant à la nature de la catastrophe à laquelle ils faisaient allusion ; toute une série d'hypothèses, dont l'annihilation des nations belligérantes, la destruction de la civilisation, l'extinction de la race humaine, ont été évoquées indifféremment d'une façon vague et rhétorique. Sans doute ces dirigeants ont-ils préféré rester dans le flou car il est très difficile de donner une certaine crédibilité à des prédictions concernant un événement sans précédent. Il semble cependant important de parvenir, en se fondant sur les informations dont nous disposons, à juger de la plausibilité de ces hypothèses, qui ne sont pas équivalentes. De même, il faudrait probablement une réponse politique différente pour chacune d'entre elles. L'annihilation des nations belligérantes serait une catastrophe sans précédent dans l'histoire, mais ce ne serait pas la fin du monde. La destruction de la civilisation, même sans destruction biologique de l'espèce humaine, pourrait peut-être être considérée à juste titre comme la fin du monde, puisqu'elle signifierait la fin de cet ensemble de réalisations culturelles et de relations humaines qui constitue ce à quoi les gens font référence quand ils parlent du « monde ». La destruction biologique de l'humanité serait bien sûr la fin du monde au sens le plus exact du terme. Quant à l'anéantissement de toute vie sur la planète, il ne représenterait pas seulement la fin de l'homme mais celle de la terre — la mort de la terre. Et, quoique l'annihilation des autres formes de vie ne concernerait plus guère les êtres humains, une fois ceux-ci disparus, cette fin plus radicale de la planète ne nous en afflige pas moins lorsque nous y réfléchissons aujourd'hui, au moment où nous existons encore. Nous ne nous contentons pas de vivre sur la terre, nous faisons partie de celle-ci, et l'idée de sa mort, ou même de sa mutilation, fait vibrer au plus profond de nous-mêmes une corde sensible. Il est à remarquer enfin qu'un certain nombre d'observateurs, particulièrement ces dernières années, ont nié qu'un affrontement puisse rayer de la carte les nations mêmes qui seraient directement visées. S'il en allait ainsi, les armes nucléaires, tout en demeurant effrayantes, ne se distingueraient pas des autres armes de guerre, et une grande partie des problèmes spécifiques du nucléaire ne se poseraient plus. (A en croire certains experts, les attaques nucléaires pourraient paraître presque bénéfiques. Ainsi, un responsable du Bureau de la Défense Civile écrivit voici quelques années que même si une telle affirmation pouvait sembler « friser le macabre », une guerre atomique « serait susceptible de réduire certains des facteurs conduisant aux désordres écologiques actuels et qui sont dus à une concentration excessive des populations et à une forte production industrielle ». Si l'on considère les choses d'un point de vue moins cynique, cette observation ainsi que d'autres tout aussi « joyeuses » qui resurgissent régulièrement dans la littérature font davantage que friser le macabre.)

Quiconque s'interroge sur les effets d'un conflit nucléaire se voit assailli par des émotions puissantes et antagonistes dont la principale sera sans doute une profonde horreur à la pensée des scènes de dévastation, de souffrance et de mort. Il éprouvera outre cette horreur un sentiment d'impuissance et d'échec, dû à l'incapacité de l'âme humaine à concevoir de telles atrocités. L'éventualité d'une guerre atomique, que l'on considère généralement comme « impensable », mais jamais comme impossible, semble nous confronter à un acte que nous pouvons accomplir mais pas véritablement appréhender. A la suite de ces premières réactions, peuvent se produire un mouvement de recul, et la décision, consciente ou non, de ne plus songer à une telle éventualité. (Un semblable désastre ne pouvant se situer que dans le futur, le fait d'y penser est volontaire et nous avons toujours la possibilité de n'en rien faire.) Celui qui s'efforce de considérer le péril nucléaire s'en rend malade alors que s'il repousse cette image, ce qu'il est contraint de faire la plupart du temps car il faut bien vivre, il se sent tout de suite mieux. Mais ce sentiment de bien-être se fonde sur la négation d'une des réalités les plus fondamentales de notre temps, et apparaît donc en soi comme une forme de maladie. Une société qui refuse systématiquement de voir le danger menaçant de façon imminente sa survie, et qui ne sait pas prendre les mesures de protection nécessaires, ne peut être considérée comme psychologiquement saine. En conséquence, que nous pensions aux armes nucléaires ou que nous évitions d'y penser, leur présence parmi nous nous rend malades, et nous ne pouvons pas y faire grand-chose, que ce soit sur un plan mental ou affectif.

Nos difficultés résident peut-être en partie dans le fait que la négation de la réalité prend elle-même sa source dans ce qui est d'une certaine façon un refus d'accepter l'anéantissement nucléaire, c'est-à-dire d'accepter, même en imagination, ce que le docteur Robert Jay Lifton, un des premiers auteurs à avoir étudié la psychologie du problème nucléaire, a appelé fort pertinemment l'« immersion dans la mort ». Si l'on admet l'explication, ce refus peut avoir quelque chose d'intéressant et de respectable. Comme la révolte et la contestation actives contre l'arme nucléaire, la négation de sa réalité peut naître — partiellement du moins — de l'amour de la vie, et que cet amour peut constituer finalement notre principale défense contre la mort, nous ne pouvons nous permettre de rejeter inconsidérément aucune de ses manifestations. Si la négation est une forme d'autoprotection, ne serait-ce que contre des pensées et des sentiments angoissants, et si elle recèle quelque chose d'utile et peut-être même, d'une certaine façon, de nécessaire à la vie, quiconque invite les gens à écarter le voile pour regarder le danger en face court le risque de violer des inhibitions qui font partie intégrante de la nature humaine. Je m'efforcerai autant qu'il est possible de respecter dans cet ouvrage toute forme de refus d'accepter la perspective monstrueuse et horrifiante d'un cataclysme nucléaire.

Quand des hommes ont pour la première fois réalisé la fission du noyau de l'atome, ils ont libéré dans la nature terrestre une énergie de base de l'univers — énergie existant à l'état latent dans la masse — qui jusqu'alors ne s'était jamais manifestée sur la terre de façon spectaculaire. Cette énergie est essentiellement retenue à l'intérieur du noyau par une force que les physiciens appellent interaction forte, qui assure la cohésion du noyau de l'atome, et constitue de loin la plus puissante des quatre forces fondamentales déterminant le comportement de toute matière dans l'univers. Le noyau doit sa stabilité principalement aux interactions fortes et a ce qu'on nomme les interactions faibles. Les deux autres forces qui, puisqu'elles agissent à l'extérieur du noyau, ont dirigé toute vie et tout mouvement sur la terre depuis sa formation, il y a quatre milliards et demi d'années, sont la force électromagnétique, dont dépendent, entre autres choses, toutes les liaisons chimiques, et la force gravitationnelle, qui est une force d'attraction entre les masses. C'est notamment parce que les processus d'interaction forte, au cours desquels l'énergie contenue dans la masse est libérée, sont pratiquement absents des phénomènes terrestres naturels (l'une des rares exceptions étant une réaction nucléaire en chaîne spontanée qui s'est produite dans un gisement d'uranium d'Afrique occidentale), et parce que les processus d'interaction faible (qui se manifestent au cours de la décroissance radioactive sont suffisamment peu importants pour qu'on ait pu ne pas les remarquer, que les deux grands principes de conservation de la physique du dix-neuvième siècle — le principe de conservation de l'énergie et le principe de conservation de la masse — apparaissaient satisfaisants aux yeux des physiciens de l'époque. Selon ces scientifiques, la masse et l'énergie formaient des systèmes isolés, dans lesquels la quantité de l'une ou de l'autre demeurait perpétuellement constante, quelles que soient les transformations que la masse ou l'énergie pouvait subir. Ce n'est que lorsque les physiciens du vingtième siècle, poursuivant leurs recherches dans le domaine de l'infiniment petit et de l'infiniment grand, étudièrent les propriétés de l'énergie, de la masse, du temps et de l'espace au niveau subatomique et cosmique, qu'on découvrit que la masse et l'énergie étaient des entités interchangeables. Cette nouvelle relation a été établie par les théories de la relativité d'Einstein et par la théorie des quanta, celles-ci pouvant être décrites — sans trop entrer dans les détails —

19

comme des lois physiques générales de l'univers dont les principes newtonniens se sont révélés n'être que des cas limités (la nécessité de découvrir des lois plus adaptées ne se fit sentir qu'à notre siècle car la quasi-totalité des phénomènes observables directement par l'homme se trouvent compris dans les limites de la physique newtonnienne).

D'une façon générale, la physique newtonienne était une physique à l'échelle humaine ou terrestre, applicable aux mouvements et aux volumes auxquels sont couramment confrontés les sens humains, tandis que les théories de la relativité et des quanta forment une physique universelle, applicable à tous les phénomènes. (La capacité de la physique moderne d'inquiéter en violant le sens commun — avec, par exemple, la notion d' « espace courbe » — tient en partie à la puissance apparemment insaisissable et donc « irréelle » de l'arme nucléaire, dont la conception se fonde sur ces nouvelles théories.) De plus, les principes de conservation de la masse et de l'énergie valaient alors, avec un degré d'approximation élevé, pour les énergies, les masses et les vitesses observables sur la terre, mais cessaient de s'appliquer aux énergies, masses et vitesses de l'univers subatomique. Einstein remarqua : « Il s'avéra que l'inertie d'un système dépend nécessairement de l'énergie qu'il contient, et ceci mena tout droit à l'idée que la masse inerte n'est que de l'énergie à l'état latent. Le principe de conservation de la masse perdit son indépendance et se fondit avec celui de conservation de l'énergie. » Parlant de la matière terrestre, c'est-à-dire de la masse presque inerte et ne dégageant que très peu d'énergie, Einstein ajoutait : « C'est comme si un homme fabuleusement riche (la masse) ne devait jamais dépenser ou donner un seul centime (son énergie) ; personne ne pourrait rien savoir de sa richesse. » Einstein expliquait ainsi que ses prédécesseurs du dix-neuvième siècle n'aient pas remarqué ce qu'il appelait l' « énergie formidable » de la masse. Si on la compare aux formes d'énergie qui se sont manifestées sur la terre pendant quatre milliards et demi d'années, la quantité d'énergie existant à l'état latent dans la masse était en effet formidable. Le taux de conversion de la masse en énergie est exprimé par la formule d'Einstein $E = mc^2$, soit l'énergie égale la masse multipliée par le carré de la vitesse de la lumière, — formule qui a gagné une place bien méritée

20

dans le folklore populaire, si l'on considère son importance fatidique pour la survie du genre humain. La vitesse de la lumière étant de près de trois cent mille kilomètres seconde — vitesse la plus élevée qui puisse être atteinte dans l'univers — la quantité d'énergie obtenue par la transformation de masses même très faibles est considérable. Ainsi, la masse nécessaire à la destruction d'Hiroshima équivalait à peu près à un gramme. (La bombe elle-même, machine très complexe, pesait quatre tonnes.) Il aurait fallu employer douze mille cinq cents tonnes de T.N.T. pour libérer la même quantité d'énergie. On pourrait dire que l'énergie produite par l'application de la physique universelle du vingtième siècle excède l'énergie produite par la physique terrestre ou planétaire du dix-neuvième siècle comme le cosmos dépasse la terre. Ce fut pourtant à l'intérieur de l'écosphère terrestre, si fragile et minuscule, que l'homme libéra cette énergie cosmique récemment captée. Ces points énoncés, le président Harry Truman s'exprima donc avec pertinence le jour où, annonçant que les Etats-Unis venaient de lâcher une bombe atomique sur Hiroshima, il informa le monde que son pays avait fait de « la force fondamentale de l'univers » un instrument de guerre et que l'on avait lancé « contre les fauteurs de guerre de l'Extrême-Orient la force même d'où le soleil tire son énergie ». La disproportion énorme — monstrueuse — entre « la force fondamentale de l'univers » et les pauvres créatures terrestres par qui et contre qui celle-ci fut dirigée sous le coup de l'affolement, exprime bien le terrible problème que le monde a tenté, mais en vain, de résoudre depuis lors.

C'est une chance que la vie sur terre ait pu s'épanouir protégée des interactions fortes et des énergies nucléaires qu'elles libèrent; en fait, il est peu probable que la vie eût seulement pu se développer si elle avait été soumise d'une façon ou d'une autre à de continuelles interactions fortes. Ces dernières libèrent de gigantesques dégagements d'énergie mais déclenchent également une émission prolongée d'énergie due à l'autre force nucléaire — l'interaction faible — sous forme de radioactivité. Quand on procède à la fission de l'atome, libérant ainsi de l'énergie, on produit divers isotopes instables, et ces nouveaux noyaux, soumis à l'influence des interactions faibles, se désintègrent en émettant de la radioactivité dans l'environnement. La majeure partie de la radioactivité existant à l'état naturel sur la terre est émise par des isotopes radioactifs créés par des réactions nucléaires qui se produisirent avant la formation de la planète — dans la supernovae initiale ou au commencement de l'univers, quand les atomes prenaient forme — et par de nouveaux isotopes instables qui sont les produits de cette radioactivité. (Les rayons cosmiques qui bombardent la terre engendrent continuellement des quantités inférieures de radioactivité.) Les isotopes radioactifs des origines sont comme des horloges qu'on aurait remontées une seule fois et qui n'auraient plus depuis cessé de fonctionner. Leur nombre a décru à mesure que leurs noyaux se sont désintégrés et sont devenus stables, chacun ayant une période de décroissance radioactive différente et précise. Sans l'intervention de l'homme, la radioactivité existant sur la planète aurait continué de diminuer pendant des milliards d'années. Mais quand les scientifiques se sont mis à procéder à la fission de l'atome, dans des bombes et des réacteurs nucléaires, ils ont créé de nouveaux stocks de matière radioactive qui, telle une horloge qu'on vient de remonter, s'est mise à émettre de nouvelles radiations, tout en commençant de se désagréger pour un jour devenir stable. (Les expériences dans l'atmosphère ont été interdites par le traité de 1963 — la France et la Chine refusèrent de le signer et procédèrent par la suite à des essais de ce type — mais, avant sa signature, on avait eu le temps d'augmenter le taux de radioactivité terrestre. En conséquence, l'actuel taux annuel d'irradiation par personne aux Etats-Unis est de quatre et demi pour cent supérieur à ce qu'il devrait normalement être dans ce pays.) En ordre de grandeur général, l'énergie des émissions radioactives excède largement la puissance des liaisons chimiques qui assurent la cohésion des particules vivantes. La vulnérabilité, notamment du matériel génétique, à la radioactivité est bien connue. Il n'est peut-être pas étonnant que le fait de lâcher à la surface d'une petite planète des énergies relevant de l'ordre du cosmos soit à l'origine de destructions considérables. Einstein, parmi d'autres hommes lucides, prédit les conséquences de ce déséquilibre fondamental des forces; en 1950, après avoir étudié l'explosion d'un engin semblable à la bombe à hydrogène — ou thermonucléaire — (la première véritable bombe H américaine n'explosa qu'en automne 1952), il déclara : « L'empoisonnement de l'atmosphère par la radioactivité et, par conséquent, l'anéantissement de toute vie sur terre, comptent désormais au nombre des possibilités techniques. »

Il a fallu plusieurs décennies pour parcourir le chemin de la découverte scientifique qui part en 1905 de l'équation d'Einstein sur la conversion de la masse en énergie et aboutit à la libération de l'énergie nucléaire à laquelle procède l'homme aujourd'hui — entre-temps, les principes de la mécanique quantique ont dû être développés et les structures fondamentales de la matière découvertes. Au début des années trente encore, la plupart des scientifiques les plus éminents n'imaginaient même pas qu'une chose comme la fission du noyau de l'atome fût possible. Mais, en 1938, deux physiciens autrichiens, Lise Meitner et Otto Frisch, interprétant correctement les résultats de certaines expériences antérieures, annoncèrent que, si l'on bombardait des atomes d'uranium avec des neutrons, une fission du noyau en parties à peu près égales se produirait, ce qui donnerait de nouveaux éléments tout en convertissant une fraction de leur masse en énergie, fraction calculable grâce à la célèbre équation d'Einstein. Afin de tirer de la matière une énergie utilisable, l'étape suivante serait de déclencher une fission en chaîne d'atomes d'uranium, ce qui fut entrepris à l'initiative du gouvernement américain en 1939, d'abord sous l'égide d'un comité consultatif sur l'uranium puis au cours d'un programme secret d'un coût de plusieurs milliards de dollars, le Projet Manhattan, qui avait pour objectif la construction d'une bombe atomique devant renforcer l'arsenal des alliés pendant la Seconde Guerre mondiale. Quand un noyau d'uranium est fissionné, plusieurs neutrons sont éjectés à haute vitesse. Dans une réaction en chaîne, les neutrons éjectés fissionnent d'autres noyaux, qui à leur tour propulsent un certain nombre de neutrons et ainsi de suite... en une série qui ne prend fin que quand tout le combustible disponible est utilisé ou dispersé. Dans certaines substances, tel l'uranium 235 ou le plutonium 239, une réaction en chaîne spontanée commence lorsqu'une quantité suffisante de combustible — ou masse critique — est rassemblée en un seul volume. Mais une réaction en chaîne ne donne pas forcément une bombe. Pour qu'une explosion se produise, il faut que la réaction se prolonge suffisamment longtemps pour que les énergies explosives se constituent avant que l'expansion extraordinairement rapide du matériau fissile, provoquée par l'énergie que libère la réaction en chaîne, n'interrompe le phénomène. On peut obtenir la prolongation nécessaire en comprimant brusquement et jusqu'à une très haute densité le matériau fissile. Alors, les neutrons, évoluant parmi les atomes comprimés, engendrent un nombre supérieur de « générations » d'atomes fissionnés, avant que la réaction en chaîne ne soit stoppée par la dispersion. Le nombre des fissions croissant de façon exponentielle à chaque génération, une quantité colossale d'énergie est très rapidement créée, lors des dernières générations de la réaction. D'après le Glasstone, pour libérer une énergie équivalant à cent mille tonnes de T.N.T., il faudrait produire cinquante-huit générations avant la fin de la réaction, et quatre-vingt-dix-neuf virgule neuf pour cent de cette énergie serait dégagée au cours des sept dernières générations. Comme chaque génération n'exigerait pas plus d'un cent millionième de seconde, cette dernière quantité d'énergie serait libérée en moins d'un dix millionième de seconde. (« A l'évidence, remarque le Glasstone, la quasi-totalité de l'énergie de fission est libérée en une période de temps extrêmement brève. »)

Dans une réaction de fission, c'est la perte de masse qui dégage de l'énergie. Il existe dans chaque atome un équilibre des forces et des énergies. A l'intérieur du noyau, les forces nucléaires assurant la cohésion des particules du noyau — les protons et les neutrons — préservent l' « énergie formidable » latente dans la masse. Cependant, les interactions fortes sont combattues dans le noyau par les charges électriques positives des protons qui, sans cette force nucléaire, se disperseraient. Les noyaux des atomes les plus lourds, tels l'uranium ou le plutonium, sont les moins stables car ils contiennent le plus grand nombre de protons et sont donc soumis à des forces de répulsion plus puissantes entre les charges positives. (En fait, la présence de la puissance désintégratrice de la force électrique à l'intérieur du noyau, qui augmente avec le nombre des protons, fixe une limite à la taille du noyau ; il existe un point au-delà duquel les protons ne peuvent plus cohabiter.) Les noyaux les plus lourds sont ceux qui se prêtent le mieux à la fission en raison de la fragilité relative de leurs forces de cohésion. Quand le noyau d'un atome d'uranium 235 est bombardé par un neutron, l'emprise des interactions fortes se relâche, les forces de répulsion électriques prennent le dessus, le noyau se scinde, et ses fragments s'éparpillent en produisant une énergie cinétique qui, selon l'équation d'Einstein, est égale à la masse perdue multipliée par le carré de la vitesse de la lumière.

On peut aussi libérer de l'énergie par la fusion, ce qui constitue le principe de la bombe à hydrogène. Pour réaliser la fusion, il faut précipiter deux noyaux l'un contre l'autre avec une vitesse telle que les barrières de répulsion électrique s'interposant entre leurs protons respectifs soient franchies et que les forces nucléaires puissent les réunir en un nouveau noyau. Les noyaux qui se prêtent le mieux à la fusion sont les plus légers — ceux de l'hydrogène, de ses isotopes et des éléments d'une masse approchante — car, n'ayant qu'un minimum de protons, ils ont la barrière de potentiel électrostatique la plus faible. Le docteur Henry Kendall, qui enseigne la physique et dirige des recherches sur les particules à l'Institut de Technologie du Massachusetts et qui, en tant que président de l'*Union of Concerned Scientists,* a depuis des années consacré beaucoup de temps et d'attention au problème nucléaire sous tous ses aspects, m'a récemment expliqué ce qui se produit lors d'une réaction de fusion. « Admettons que le noyau soit une petite dépression incurvée — ou puits, pour employer le terme consacré — creusée dans un plan horizontal et que la particule soit représentée par une bille d'acier d'un diamètre nettement inférieur, commença-t-il. Si vous faites rouler la bille en direction de la dépression, elle dévalera l'une des parois du puits, gravira l'autre puis ressortira. Cependant, si vous faites partir la bille d'un point situé à mi-chemin de la pente, elle s'arrêtera à une hauteur équivalente sur le versant opposé, reviendra à son point de départ et, si l'on exclut l'intervention de toute autre force, continuera d'osciller ainsi indéfiniment. Ceci illustre bien le comportement de la particule à l'intérieur du noyau. Dans la fusion, le problème est d'introduire la bille d'acier à l'intérieur du puits depuis l'extérieur et de l'y faire rester sans qu'elle puisse ressortir de l'autre côté. La particule ne peut y parvenir qu'en *libérant* d'une certaine façon de

25

l'énergie. Nous appelons " énergie de liaison " la quantité d'énergie que doit libérer la particule venant de l'extérieur pour demeurer emprisonnée dans le puits. Un bon exemple de cette perte d'énergie est celle qui se produit lors de la fusion du deutérium et du tritium, deux isotopes de l'hydrogène. Le noyau de tritium contient un proton et deux neutrons, le noyau de deutérium contient un proton et un neutron, pour un total de cinq particules. Dans la fusion de ces isotopes, quatre des particules — deux neutrons et deux protons — s'unissent très étroitement, pour éjecter avec une incroyable violence le neutron restant, se débarrassant ainsi de la quantité requise d'énergie. C'est donc là l'énergie que dégage une réaction de fusion. Ceci fait, les quatre autres particules peuvent évoluer tranquillement dans leur trou. Mais pour parvenir à ce résultat ou à n'importe quelle réaction de fusion, il faut que les deux noyaux soient extrêmement rapprochés. Seul ce rapprochement permet aux interactions fortes de détendre leurs bras courts mais puissants en une gigantesque accolade qui fond les noyaux ensemble et dégage l'énergie explosive de la bombe à hydrogène. »

La fission et la fusion peuvent revêtir un grand nombre de formes mais il y a toujours perte de masse, l'emprise des interactions fortes se resserre sur les produits de la réaction et de l'énergie est libérée. La bombe à hydrogène classique est un dispositif à quatre niveaux. Dans une première étape, on déclenche une explosion de type conventionnel; au deuxième stade, cette explosion engendre une réaction de fission qui constitue en fait une bombe atomique; troisièmement, la chaleur dégagée par la bombe atomique provoque une réaction de fusion; enfin, les neutrons issus de la réaction de fusion donnent naissance à une nouvelle fission, mais beaucoup plus importante que la première, car entourée d'une couverture de matériau fissile. Lors de notre entretien, le docteur Kendall m'a décrit d'une façon plus détaillée l'explosion d'une bombe à hydrogène de type courant. « Le détonateur est constitué par une sphère de plutonium sous-critique contenant une source de neutrons et entourée par une gaine agissant comme réflecteur de neutrons. Le processus commence lorsque les explosifs chimiques disposés à la périphérie du réflecteur explosent — aussi simultanément que la structure de l'engin le permet. A ce moment-là, le réflecteur explose à son tour et envoie vers le cœur sous forme de sphères concentriques, une onde de choc qui gagne en puissance et en température. Quand cette onde touche le cœur de plutonium, on assiste à une brusque augmentation de la pression qui comprime le plutonium de façon parfaitement homogène. La pression fait passer le plutonium d'un état sous-critique à un état supercritique. A ce stade, le neutron incident part et la réaction en chaîne se déclenche. L'important est de comprimer le plutonium au maximum et le plus vite possible car, alors, un plus grand nombre de générations de noyaux sera fissionné, et davantage d'énergie sera libérée, avant que l'explosion proprement dite se produise. A ce point, toute l'énergie du détonateur, le plutonium, aura été libérée, et des particules qui auront perdu leur identité atomique bouilliront et rayonneront sous la forme d'une sphère en expansion dont la température excède celle des étoiles. Des températures aussi élevées ne peuvent se rencontrer dans l'univers qu'au cours d'un phénomène aussi passager que l'explosion d'une supernovae. Maintenant, la fusion — qu'on appelle réaction thermonucléaire à cause de la chaleur extrême nécessaire à son déclenchement — peut commencer. Les matériaux fusibles — le lithium et les isotopes de l'hydrogène — s'agitent à une vitesse telle qu'ils peuvent s'entrechoquer et fusionner tout en éjectant des particules nucléaires. Il ne s'agit pas là d'une réaction en chaîne mais, une fois encore, l'explosion est interrompue par l'expansion causée par sa propre chaleur. Cependant, la dernière étape — la fission, par les neutrons propulsés à la fois par la fission initiale et par la réaction de fusion, de la couverture de matériau fissile, qui peut être constitué d'uranium 238 — est en route. Il n'y a en principe aucune limite à la taille ou à la puissance d'une arme thermonucléaire. La seule limite à l'action destructrice de la bombe est la capacité de la terre à absorber le choc. »

Si les bombes de type conventionnel n'ont qu'un seul effet destructeur — l'onde de choc — les armes nucléaires en engendrent, elles, de nombreux. Au moment de l'explosion, quand la température des composants de l'arme, instantanément plasmifiés, dépasse celle des étoiles, la pression est plusieurs millions de fois supérieure à la pression atmosphérique normale. Immédiatement, des radiations, composées prin-

27

cipalement de rayons gamma, forme de radiation électromagnétique à très haute énergie, commencent à se répandre dans
l'environnement. Ce phénomène, qu'on nomme la « radiation
nucléaire initiale » est le premier des effets destructeurs d'une
explosion atomique. Lors de l'explosion atmosphérique d'une
bombe d'une mégatonne — une bombe d'une puissance
explosive d'un million de tonnes de T.N.T., soit une arme de
taille moyenne dans l'arsenal nucléaire d'aujourd'hui — la
radiation initiale peut tuer des êtres humains non protégés dans
une zone d'environ dix kilomètres carrés. Constituant le second
effet destructeur de l'explosion, et de façon quasi simultanée,
les intenses radiations gamma qui se propagent dans l'air
engendrent un rayonnement électromagnétique. A la suite
d'une explosion en haute altitude, le rayonnement peut mettre
hors service les installations électriques de toute une région en
provoquant une violente et brusque surtension dans les divers
conducteurs, tels les antennes, les lignes à haute tension, et les
rails de chemin de fer. En 1977, la *Defense Department's Civil
Preparedness Agency* affirma que l'explosion d'une seule bombe
atomique de plusieurs kilotonnes à deux cents kilomètres au-
dessus d'Omaha, Nebraska, pourrait engendrer un rayonnement électromagnétique suffisamment puissant pour endom-
mager des moteurs électriques sur l'ensemble des Etats-Unis, et
dans certaines régions du Mexique et du Canada, menaçant ainsi
de paralyser l'économie de ces pays. Lorsque les réactions de
fusion et de fission se sont produites, se forme la boule de feu.
Tandis qu'elle se développe, l'énergie est absorbée par l'air
sous forme de rayons X, puis l'atmosphère renvoie une partie
de cette énergie dans l'environnement, ce qui constitue le
rayonnement thermique — une vague de lumière aveuglante et
de chaleur intense —, c'est-à-dire le troisième effet destructeur
de l'explosion atomique. (Si l'explosion a lieu à faible altitude,
la boule de feu touche le sol, soufflant ou calcinant tout ce
qu'elle enveloppe.) Le rayonnement thermique d'une bombe
d'une mégatonne dure environ dix secondes et peut causer des
brûlures au second degré à des êtres humains non protégés se
trouvant à une distance de quinze kilomètres, c'est-à-dire dans
une zone de quelque sept cent vingt-cinq kilomètres carrés ;
celui d'une bombe de vingt mégatonnes (une arme puissante
dans l'arsenal moderne) dure à peu près vingt secondes et peut

produire les mêmes effets dans un rayon de quarante-cinq kilomètres, c'est-à-dire dans une zone de près de six mille quatre cents kilomètres carrés. Tandis qu'elle se dilate, la boule de feu envoie une onde de choc dans toutes les directions, ce qui constitue le quatrième effet destructeur de l'explosion. Ne résisteraient dans un rayon de sept kilomètres à l'onde de choc engendrée par l'explosion aérienne d'une bombe d'une mégatonne que les bâtiments les plus solides ; une bombe de vingt mégatonnes aurait les mêmes conséquences dans un rayon de vingt kilomètres. Tout en se consumant, la boule de feu s'élève, condensant l'eau de l'atmosphère environnante pour former le champignon nucléaire à l'aspect caractéristique. Si l'on fait exploser la bombe au sol, ou suffisamment près pour que la boule de feu en touche la surface, un cratère se formera et des tonnes de poussière et de débris se mêleront aux produits de fission hautement radioactifs puis seront aspirés par le champignon. Ce mélange se redéposera sur la terre sous forme de retombées radioactives, principalement constituées de fines cendres : c'est le cinquième effet destructeur de l'explosion. Selon la nature de la cible, quarante à soixante-dix pour cent de ces retombées — qu'on pourra appeler les retombées « initiales » ou « locales » — redescendent sur le sol dans un délai d'environ vingt-quatre heures, à proximité de l'explosion et en fonction de la direction du vent, contaminant les êtres humains, ce qui peut leur être fatal si la radiation est intense. Les explosions aériennes peuvent également produire des retombées locales mais en quantités bien inférieures. La nocivité des retombées locales dépend d'un certain nombre de circonstances, dont les conditions climatiques ; mais, d'après l'*Office of Technology Assessment,* l'explosion au sol d'une bombe d'une mégatonne répandrait en moyenne des radiations mortelles sur une zone de plus de deux mille six cents kilomètres carrés. (Par convention, on entend par dose létale la quantité de radiations susceptible de tuer en une courte période de temps la moitié des adultes jeunes et en bonne santé.)

Seront donc qualifiés d'effets primaires locaux de l'arme atomique la radiation nucléaire initiale, le rayonnement électromagnétique, le rayonnement thermique, l'onde de choc et les retombées locales. Bien entendu, lorsque l'on fait exploser plusieurs bombes, l'étendue de ces effets s'accroît en consé-

29

quence. Mais ces effets primaires produisent de surcroît d'innombrables effets secondaires sur la société et son environnement naturel, effets qui peuvent parfois se révéler plus redoutables encore que les premiers. Pour ne donner qu'un exemple, les armes nucléaires, en rasant et en embrasant d'immenses régions fortement urbanisées, déclenchent de gigantesques incendies qui peuvent se montrer plus meurtriers que l'onde de choc et le rayonnement thermique originels. De plus — distincts à la fois des effets primaires locaux des bombes isolées et de leurs effets secondaires — existent des effets primaires globaux, que l'on ne pourrait constater qu'à condition de faire exploser des milliers de bombes à la surface du globe. Et ces effets primaires globaux entraîneraient d'innombrables effets secondaires spécifiques dans l'écosystème de l'ensemble de la planète. En effet, un holocauste mondial donnerait un résultat supérieur à la somme des explosions locales qui le composent ; ce serait également une violente agression contre l'écosphère. En ce sens, un tel holocauste aurait les mêmes conséquences pour la terre qu'une seule bombe pour une ville. On a jusqu'à présent envisagé trois graves effets globaux directs. Le premier est constitué par les retombées « à retardement » ou « à échelle planétaire ». A la suite d'explosions supérieures à cent kilotonnes, une partie des retombées, au lieu de descendre jusqu'au sol à proximité de la cible, s'élève très haut dans la troposphère puis dans la stratosphère et circule autour de la terre pour enfin, au bout de plusieurs mois voire de plusieurs années, se déposer en contaminant toute la surface du globe — quoique avec des doses radioactives bien inférieures à celles émises par les retombées locales. Les produits de la fission nucléaire comprennent quelque trois cents isotopes radioactifs et quoique certains d'entre eux aient une décroissance radioactive très rapide, de l'ordre de quelques heures, minutes ou même secondes, d'autres continuent à émettre des radiations pendant des millions d'années. Les isotopes à période brève sont les principaux responsables des effets mortels des retombées locales, tandis que ceux à période longue sont responsables de la contamination de la terre par les retombées stratosphériques. L'énergie que libèrent toutes les retombées d'une explosion thermonucléaire correspond à environ cinq pour cent de l'énergie totale. Par convention, on exclut cette énergie dans le calcul de la puissance d'une arme, bien que dans une attaque de dix mille mégatonnes, l'équivalent de cinq cents mégatonnes d'énergie explosive, soit quarante mille fois la puissance de la bombe d'Hiroshima, serait libéré sous forme de radioactivité. On peut considérer ce dégagement d'énergie comme un effet à retardement, qui se disperse sur la terre, dans l'air et dans la mer, ainsi que dans les tissus, les os, les racines, les tiges et les feuilles de tout le monde vivant, et qui continue d'agir presque indéfiniment après l'explosion. Le second de ces effets globaux est constitué par la montée jusqu'à la stratosphère de millions de tonnes de poussière arrachées au sol par les explosions ; ce phénomène pourrait être à l'origine d'un refroidissement général de l'atmosphère terrestre. Le troisième effet global serait la destruction partielle de la couche d'ozone qui ceinture la terre au niveau de la stratosphère. En brûlant l'azote contenue dans l'air, la boule de feu produit de grandes quantités de monoxyde d'azote que la chaleur de l'explosion entraîne dans la stratosphère où, à la suite d'une série de réactions chimiques, elles provoquent une détérioration de la couche d'ozone. Une telle détérioration pourrait se poursuivre pendant des années. L'Académie des Sciences des Etats-Unis a estimé, dans son rapport publié en 1975, que si l'on faisait exploser dix mille mégatonnes dans l'hémisphère nord, l'ozone de l'atmosphère y serait détruit à soixante-dix pour cent et à quarante pour cent dans l'hémisphère sud, et que la reconstitution de la couche d'ozone pourrait ensuite nécessiter une trentaine d'années. La couche d'ozone est indispensable à la vie sur terre : elle filtre la lumière solaire en absorbant certains rayons ultraviolets nocifs. « Si la plupart des rayons solaires ultraviolets n'étaient pas absorbés par l'ozone, peut-on lire dans le Glasstone, la vie telle que nous la connaissons n'existerait pas, sinon peut-être dans les océans. » Sans ce bouclier d'ozone, le soleil, source de toute vie, en deviendrait l'exterminateur. Quand on évalue les conséquences globales d'un holocauste, la question primordiale n'est donc pas de savoir combien de personnes seraient irradiées, brûlées ou pulvérisées par les effets immédiats des bombes mais comment l'écosphère, en tant qu'entité vivante homogène, dont dépend la survie de tous les êtres vivants, supporterait cette agression. L'habitabilité de la terre est en jeu ; c'est dans ce contexte, et non dans celui de l'extermination, par les effets locaux, de centaines de millions de personnes que se pose le problème de la survie de l'humanité.

Habituellement, on attend pour décrire une situation qu'elle se soit déjà produite. (La futurologie ne s'est jamais montrée un champ d'investigation très valable.) Mais, comme nous ne pouvons en aucun cas nous permettre de laisser éclater un conflit nucléaire, nous sommes en l'occurrence contraints de nous faire les historiens du futur — de consigner dans la chronique et de confier à la mémoire collective un événement que nous n'avons jamais connu et que nous ne devons jamais connaître. Cette entreprise unique, où le prophète doit faire œuvre d'historien, soulève bien des difficultés. Une différence fondamentale, trop souvent négligée, existe entre le fait de vouloir décrire un événement qui s'est déjà produit (qu'il s'agisse de l'invasion de la Russie par Napoléon ou de la pollution de l'environnement par des pluies acides) et celui de vouloir en décrire un qui ne s'est pas encore passé — et pour lequel il n'y a de plus aucun précédent, ou même équivalent, dans l'histoire. Faute d'expériences susceptibles de guider nos réflexions et d'influencer nos sentiments, nous avons recours à la spéculation. Mais la spéculation, aussi brillante soit-elle, ne sera jamais qu'un pauvre substitut de l'expérience qui nous livre des faits, alors que la spéculation pure nous renvoie à la théorie, qui n'a jamais été un éclaireur très sûr quant aux événements futurs. En outre, l'expérience grave ses enseignements dans notre cœur, au travers de la souffrance et de ses autres conséquences sur notre vie ; la spéculation, elle, ne marque pas notre existence et nous laisse libres de rejeter ses conclusions, aussi convaincantes soient-elles. (Dans le domaine de la stratégie militaire, en particulier, les spécialistes s'efforcent de transposer des situations observées en un éventuel cataclysme nucléaire, en sorte que les généraux et les hommes d'Etat puissent se préparer à agir au cas où le pire surviendrait, et ces stratèges ont parfois une déplorable tendance à prendre la théorie pure pour la réalité, croyant avoir accès à une connaissance de l'avenir qu'il n'est pas donné aux êtres humains de posséder.) Notre connaissance des effets primaires locaux de la bombe, reposant à la fois sur les principes physiques qui ont permis sa construction et sur l'expérience tirée des essais ainsi que des bombardements d'Hiroshima et de

Nagasaki, est assez complète. Il en va de même pour celle de l'extension des effets primaires locaux de plusieurs bombes explosant simultanément, car il suffit pour l'évaluer d'utiliser une table de multiplication : sachant que le rayonnement thermique d'une bombe de vingt mégatonnes peut causer des brûlures au second degré dans une zone de près de six mille quatre cents kilomètres carrés, on peut aisément calculer que le rayonnement d'une centaine de bombes de même puissance aurait les mêmes effets dans une région de près de six cent quarante mille kilomètres carrés. Néanmoins, il se peut que même notre connaissance des effets primaires soit encore incomplète, car nous en découvrons de nouveaux lors de chaque programme d'essais. Citons par exemple le rayonnement électromagnétique, dont l'importance ne fut reconnue que vers 1960, quand, après plus de dix ans d'essais, les scientifiques se rendirent compte que cet effet expliquait les défaillances électriques inattendues qui perturbaient le fonctionnement des équipements autour des sites. Le ministère de la Défense ne s'est penché que récemment sur les possibilités stratégiques qu'implique cette étonnante capacité d'une seule bombe à mettre hors service l'équipement technique de tout un continent.

Lorsque nous inférons des effets locaux d'explosions isolées les effets conjugués de milliers d'entre elles sur la société et l'environnement, la représentation perd en netteté car notre connaissance de la physique et notre maigre expérience ne nous suffisent plus : nous devons alors nous mesurer hypothétiquement avec l'être humain et la biosphère dans toute leur complexité. Si l'on envisage toutes ses conséquences, on peut dire qu'un holocauste nucléaire attaquerait la vie humaine sur trois plans : celui de l'individu, celui de la société et celui de l'environnement naturel — y compris l'environnement de toute la planète. A aucun de ces trois niveaux il n'est pas possible d'évaluer le pouvoir destructeur des bombes atomiques en seul terme de puissance explosive. A chacun d'eux, la vie possède à la fois un exceptionnel pouvoir de recouvrement, susceptible de la reconstituer même après les pires ravages, et des points d'immense vulnérabilité, qui font craindre son effondrement soudain et définitif alors que le coup porté est comparativement très faible. Tout comme une machine peut tomber en panne si on la prive d'une petite pièce, de même qu'un homme peut mourir si une seule de ses artères ou de ses veines se bouche, une société technologique moderne risque d'être paralysée par une simple interruption de ses approvisionnements en pétrole, et un écosystème risque de s'effondrer à la suite de la dégradation de la couche d'ozone. L'arme nucléaire ne se contente donc pas de tuer directement, par la violence considérable qu'elle déploie ; elle tue aussi de façon indirecte, en détruisant les sytèmes naturel et artificiel dont dépend la vie de tous les hommes. Les êtres humains exigent une sécurité et une protection constantes, que leur fournissent à la fois la société et l'environnement naturel, et si l'un de ces deux éléments vient à faillir, les hommes seront tués aussi sûrement que par des balles tirées à bout portant. Les armes nucléaires présentent la particularité unique de s'attaquer à chaque niveau des systèmes garantissant la vie. Or ces systèmes ne sont pas isolés les uns des autres mais font partie d'un tout : une catastrophe écologique suffisamment importante entraînera un effondrement social qui à son tour provoquera la mort d'individus. En outre, les conséquences destructrices d'une attaque nucléaire dépendraient dans une très large mesure de l'hypothèse vraisemblable selon laquelle la plupart des bombes exploseraient en l'espace de quelques heures, en un gigantesque et unique pilonnage. En temps normal, une localité dévastée par une catastrophe, qu'elle soit d'origine naturelle ou humaine, recevra tôt ou tard l'aide de régions épargnées, comme ce fut le cas pour Hiroshima et Nagasaki après leur bombardement ; mais un holocauste nucléaire n'épargnerait aucune région, abandonnant les victimes à elles-mêmes dans une société et un environnement anéantis. Et ce qui est vrai pour chaque ville l'est également à l'échelle de la planète : un monde dévasté ne peut guère espérer d'aide « extérieure ». La terre étant le plus vaste des systèmes propices à la vie, sa mutilation consitue la plus grande menace représentée par l'arme nucléaire.

L'extraordinaire complexité de tous ces effets, de leurs multiples actions et interactions, interdit toute représentation détaillée et précise des événements qui surviendraient lors d'un holocauste. Nous devons inévitablement nous contenter d'approximations, de probabilités, voire de conjectures. Cependant, il est important de souligner que l'interrogation ne porte pas sur l'*éventualité* de l'interaction de ces effets, interaction qui multiplie leur puissance destructrice, mais uniquement sur le *comment* du processus. Ajoutons à cela que, liée à l'incapacité de l'esprit humain à évaluer l'avenir, nous avons une tendance presque innée à sous-estimer le mal. Il n'est peut-être pas impossible de craindre les conséquences d'interactions que nous ne pouvons prédire, ni même imaginer, mais c'est en tout cas extrêmement difficile. Examinons par exemple quelques-unes des façons dont une personne située dans un pays cible peut périr. Elle peut être calcinée par l'explosion proprement dite ou par le rayonnement thermique. Elle peut être mortellement irradiée par la radiation nucléaire initiale. Elle peut être écrasée par l'onde de choc ou broyée sous les décombres. Elle peut encore être mortellement irradiée par les retombées radioactives locales, ou brûlée dans un gigantesque sinistre. Elle peut être frappée par l'un ou l'autre de ces effets et mourir de ses blessures avant d'avoir eu le temps de fuir la zone touchée. Elle peut mourir de faim, parce que l'économie s'est effondrée et qu'il n'y a plus ni production ni distribution de nourriture, ou que les cultures locales ont été ravagées par les radiations, ou que l'écosystème local a été anéanti, ou encore que l'écosphère de la planète est en train de disparaître. Elle peut mourir de froid, faute de chauffage et de vêtements, ou par suite des intempéries, faute d'abri. Elle peut être tuée par des gens cherchant à lui arracher la nourriture ou l'abri qu'elle a réussi à se procurer. Elle peut être victime d'une épidémie. Elle peut être tuée par les rayons du soleil si elle reste trop longtemps dehors alors que la couche d'ozone a été sérieusement détériorée. Elle peut enfin succomber à l'action conjuguée de plusieurs de ces périls. Il existe une infinité de façons de périr pendant ou après une attaque nucléaire, mais chaque homme n'a qu'une seule vie à perdre : celui qui a été tué par le rayonnement thermique ne peut l'être à nouveau par une épidémie. Ainsi, quiconque voudrait décrire un holocauste nucléaire courrait immanquablement le risque de dépeindre des scènes de ravages qui n'auraient aucune chance de se produire dans la réalité car la plupart des acteurs auraient déjà péri au cours d'une phase précédente. Les facteurs de mort et de destruction n'agissent pas véritablement de façon indépendante, mais empiètent au contraire les uns sur les autres, finissant par se confondre, ce qui complique encore la tâche. En conséquence, si un conflit nucléaire devait rendre la terre inhabitable pour les êtres humains, toutes les formes de mort plus immédiates ne seraient rien d'autre que des préliminaires superflus, conduisant à l'annihilation de l'espèce tout entière par un environnement hostile. Pour donner une image, disons que si un avion est mitraillé et vient à s'écraser, causant la perte de tous ses passagers, il importe relativement peu que les balles aient tué quelques-uns d'entre eux avant la catastrophe finale. Par contre, si les conséquences globales, plus difficiles à prédire que les conséquences locales, n'intervenaient pas, ces dernières reprendraient toute leur importance.

Confrontés à des incertitudes de cet ordre, certains spécialistes de la question nucléaire ont eu recours à la fiction, confiant à l'imagination la tâche que la recherche scientifique est incapable d'accomplir. Mais on aboutit alors au résultat prévisible : de la pure fiction. Il serait plus approprié de considérer la part d'incertitude comme un facteur intrinsèque et extrêmement important de l'étude d'un éventuel conflit. Une guerre atomique est un événement qui reste flou car il se situe dans le futur, et l'incertitude, dont on doit tenir compte dans toute prévision, occupe une place prépondérante dans l'évaluation d'un holocauste nucléaire : il s'agit là d'une situation dont nous voulons à tout prix repousser indéfiniment la perspective. Vous pourriez arguer que l'incertitude, au même titre que le rayonnement thermique ou l'onde de choc, compte au nombre des caractéristiques d'un tel cataclysme. Nous ne devrions donc pas rechercher une précision à laquelle nous ne pouvons prétendre mais examiner grossièrement, et dans la mesure où il nous est possible de les évaluer, les différentes hypothèses, pour ensuite nous demander à la lumière de ces probabilités quelle est notre responsabilité politique. Adopter une attitude humble — admettre notre impuissance à prédire avec exactitude les conséquences d'une guerre atomique — traduirait notre répugnance à nous autodétruire.

Il existe deux autres aspects d'un holocauste qui, même s'ils ne rendent pas plus confuse encore la représentation des faits, n'en contrarient pas moins notre compréhension de l'événement. Tout d'abord, même s'il nous est possible d'imaginer une vision globale de la catastrophe, nous demandant combien survivraient et combien périraient, comment réagirait l'environnement selon la puissance des attaques, accumulant les statistiques sur le nombre de kilomètres carrés dangereusement contaminés, sur le pourcentage de brûlures au premier, second ou troisième degré, sur la quantité de personnes emprisonnées dans les décombres de leur maison en flammes ou yant été mortellement irradiées, aucune des victimes effectives du bombardement ne serait en mesure d'avoir une telle vision d'ensemble. Les informations nécessaires à la reconstitution d'un semblable tableau viendraient immédiatement à manquer, et chaque survivant, désorienté par la perte de son univers, hébété par la douleur, le traumatisme, la stupéfaction et la colère, ne verrait plus que les scènes de chaos et d'horreur qui l'entourent directement. Des abstractions comme l' « industrie », la « société » ou l' « environnement » ne seraient pas les seules à disparaître au cours d'une guerre atomique ; celle-ci marquerait surtout la fin de la multitude d'objets chers, de paysages familiers, et de personnes aimées qui constituent l'essentiel de la vie de chacun.

Le second aspect qui dépasse notre entendement est qu'en essayant de dépeindre une telle scène d'apocalypse nous avons tendance à oublier que la plupart des gens, si ce n'est tous, ne seraient plus là pour la voir. Vouloir décrire le tableau comme il apparaîtrait aux vivants est donc une falsification, et plus le nombre de victimes serait élevé, plus la falsification serait grande. Le seul témoignage recevable serait celui d'un cadavre mais, bien sûr, il n'y aurait pas grand-chose à espérer d'un tel témoin.

Il semble évidemment impossible de prévoir avec précision quel enchaînement d'événements pourrait nous conduire à une guerre, mais examinons cependant certaines hypothèses de base. Soit par exemple une attaque totalement accidentelle, déclenchée par une erreur humaine ou une défaillance mécanique. Par trois fois au cours des deux dernières années, la force de frappe américaine a été mise en état d'alerte primaire : deux fois à cause du mauvais fonctionnement d'un microprocesseur d'ordinateur dans le système d'alerte du *North American Air Defense Command,* et une fois par introduction erronée dans le système d'une bande simulant l'attaque d'un missile. Le principal danger que présente l'erreur commise par un ordinateur ou tout autre faute d'origine mécanique est qu'elle peut à elle seule déclencher une réaction en chaîne d'alertes de plus en plus graves entre les divers centres de commandement et, éventuellement, aboutir à une attaque. Si, en pleine crise, un Pays A, trompé par ses ordinateurs, croit qu'un Pays B se prépare à l'offensive, il risque de mettre ses forces en état d'alerte. Remarquant ces préparatifs, le Pays B pourra alors l'imiter. Le Pays A, constatant maintenant de façon certaine la mobilisation du Pays B, déduira probablement qu'en fin de compte ses ordinateurs l'ont bien informé, et gravira un degré supplémentaire dans l'échelle des alertes. Ces mouvements ne passeront pas inaperçus du Pays B qui, à son tour, intensifiera sa mobilisation, et ainsi de suite, jusqu'à ce que l'erreur soit découverte ou une attaque lancée.

Un holocauste pourrait également avoir pour origine une guerre conventionnelle ou nucléaire entre petits Etats entraînant derrière eux les grandes puissances.

Autre possibilité, l'attaque-surprise délibérée d'un camp contre l'autre. La plupart des observateurs considèrent ce type d'agression comme hautement improbable, mais la logique de la stratégie nucléaire actuelle contraint les deux parties à préparer d'éventuelles représailles, car toute la stratégie nucléaire repose sur l'axiome selon lequel un camp s'interdira de se lancer dans une offensive à outrance seulement s'il sait que, même en ce cas, l'adversaire conservera suffisamment de forces pour pouvoir riposter de façon dévastatrice. Pour beaucoup, l'hypothèse la plus vraisemblable est celle d'une escalade des hostilités dans le cadre d'une crise internationale. Ni vraiment programmée (au sens d'une agression préméditée, lancée par surprise et de sang-froid) ni tout à fait accidentelle (due à une défaillance technique), une telle attaque serait précipitée par une combinaison, dans l'un des camps ou dans les deux à la fois, d'agressivité, d'inconséquences, d'erreurs de jugement et de crainte que l'autre ne frappe le premier. Cette dernière crainte est devenue depuis quelques années un élément de risque croissant. Les armes modernes, comme les SS-18 et SS-19 soviétiques, ou les missiles Minutemen III améliorés et les futurs missiles MX américains, ont été tout particulièrement conçues pour détruire les missiles ennemis dans leurs silos, incitant ainsi chacune des parties à frapper la première. Le danger est que, lors d'une crise, l'un des camps, redoutant de perdre l'avantage de l'initiative, ne prenne les devants et n'ordonne le premier bombardement.

Jamais apparemment le monde ne fut plus près d'un conflit nucléaire que lors de la crise de Cuba, en 1962. Au cours de ces tensions internationales, et peut-être en cette unique occasion, la peur d'une apocalypse atomique devint sensible non seulement pour les gouvernements mais aussi, dans le monde entier, pour l'homme de la rue. On rapporte qu'au plus fort de la crise, le président Kennedy estimait que les probabilités d'une guerre atomique se situaient entre trente et cinquante pour cent. Dans ses mémoires intitulés « Treize Jours », Robert Kennedy alors Attorney Géneral, qui conseilla son frère pendant la crise, raconte les moments cruciaux de l'affaire. Le président Kennedy avait ordonné un blocus maritime de Cuba où les services de renseignements américains avaient découvert que les Soviétiques installaient des missiles pouvant être équipés de têtes nucléaires. L'arsenal nucléaire américain avait été placé en état d'alerte maximal. Le 24 octobre au matin, quelques minutes après dix heures, deux navires soviétiques, escortés par un sous-marin, s'approchèrent à quelques milles du blocus. Robert Kennedy écrit à ce sujet :

Je pense que le président a traversé là ses moments de plus profonde inquiétude. Le monde était-il au bord de l'holocauste ? Avions-nous commis une erreur ? Etait-ce notre faute ? Avions-nous négligé une solution ? Etions-nous allés trop loin ? Il porta la main à son visage et s'en masqua la bouche. Il serrait et ouvrait le poing. Il avait les traits tirés, le regard douloureux, presque gris. Nous nous dévisageâmes par-dessus la table. L'espace de quelques fugitives secondes, on eût pu croire que personne d'autre ne se trouvait là et qu'il n'était plus le président.
Inexplicablement je me souvins de lui lors de sa maladie, quand il avait failli mourir ; lors de la mort de son enfant ; du moment où nous avons appris que notre frère aîné venait d'être tué ; je songeai aux épreuves que nous avions traversées ensemble... L'heure était venue de prendre la

décision finale... Le précipice s'ouvrait devant nous et il n'y avait pas d'échappatoire. Cette fois-ci, il fallait trancher, maintenant, — pas la semaine prochaine — ni demain, pas de « nous déciderons lors d'une autre réunion », ni dans huit heures, pas de « envoyons un nouveau message à Khrouchtchev pour essayer de lui faire entendre raison ». Non, rien de tout cela n'était possible. A quinze cents kilomètres de là, dans les immensités de l'océan Atlantique, il faudrait que l'ultime décision soit prise dans les minutes qui suivraient. Le président Kennedy avait mis les événements en marche mais, désormais, ils lui échappaient.

On pourrait décrire un nombre incalculable de crises susceptibles d'aboutir à une attaque, mais je préfère m'en tenir à une seule catégorie qui me paraît particulièrement redoutable. En théorie, pourvu de forces de dissuasion équivalentes, chaque camp devrait pouvoir décourager une agression, quel qu'en soit le niveau. Ainsi, des forces conventionnelles devraient dissuader une attaque conventionnelle, des forces tactiques dissuader une attaque tactique, des forces stratégiques dissuader une agression stratégique. L'avantage théorique de cette confrontation graduelle des forces est que les hypothétiques mouvements initiaux d'hostilités ne conduiraient pas automatiquement à une escalade — contraignant par exemple le camp ayant les forces conventionnelles les plus faibles à répondre à une attaque conventionnelle par l'arme nucléaire. Cependant, les configurations géographiques interdisent un équilibre dissuasif aussi parfait. La proximité de l'Europe de l'ouest et du Moyen-Orient assure à l'Union soviétique un avantage considérable sur le plan conventionnel dans ces régions du monde. En conséquence, la politique américaine depuis la fin de la guerre a été de protéger l'Europe de la force conventionnelle soviétique en faisant peser le menace de ses armes tactiques nucléaires. Et, en janvier 1980, le président Carter a décidé d'étendre cette politique aux pays du golfe Persique. En 1980, dans son message sur l'état de l'Union, Carter déclarait : « Toute tentative extérieure visant à s'assurer par la force le contrôle de la région du golfe Persique sera considérée comme une agression contre les intérêts vitaux des

Etats-Unis d'Amérique. Une telle agression sera repoussée par tous les moyens nécessaires, y compris militaires. » Les Etats-Unis ne pouvant de toute évidence pas compter sur une puissance conventionnelle suffisante pour repousser une attaque soviétique dans une région située aussi près de l'U.R.S.S., l'expression « par tous les moyens » ne pouvait se référer qu'à l'arme nucléaire. Peu après cette déclaration, l'idée fut reprise tout à fait explicitement dans un article du *New York Times* — sans doute une fuite de l'Administration — concernant une « étude » réalisée en 1979 par le ministère de la Défense, étude qui affirmait, d'après le *N. Y. Times,* que les forces conventionnelles américaines seraient incapables de stopper une intrusion soviétique dans le nord de l'Iran et que « pour faire tourner un scénario iranien à notre avantage, il faudrait avoir recours à la menace où même à l'utilisation de nos armes tactiques nucléaires. » Le contenu de cette étude nous a rappelé que, si l'on a envisagé l'emploi de l'arme nucléaire au cours des crises passées, ce péril reste d'actualité.

Il est possible de décrire une attaque nucléaire de n'importe quel type ou intensité. Lors d'une offensive, l'agresseur peut utiliser la totalité ou une fraction de son arsenal atomique. Il peut prendre pour cible des objectifs militaires, industriels, civils, ou une quelconque combinaison des trois. Il peut s'agir principalement d'explosions aériennes, ayant pour effet d'augmenter les ravages causés par les ondes de choc ; il peut s'agir essentiellement d'explosions au sol, dans le but de détruire des objectifs difficiles, tels que rampes de lancement de missiles nucléaires ou centres de commandement, ou dans celui de provoquer le maximum de retombées radioactives ; il peut s'agir enfin d'une combinaison d'explosions aériennes et d'explosions au sol. L'attaque peut être lancée de jour ou de nuit, en été ou en hiver, avec ou sans avertissement. Les événements qui succéderaient à l'ouverture des hostilités ne sont pas moins aléatoires. D'une part, on peut tout à fait envisager que les dirigeants d'une nation venant de subir une attaque nucléaire modèrent leur riposte, l'ajustant à des objectifs politiques au lieu de se laisser aller au désir vengeur de balayer la société dont les responsables ont déclenché l'agression. D'autre part, ils peuvent comme ils menacent aujourd'hui de le faire, exercer des représailles à l'aide de tous les moyens dont ils disposent. Les deux belligérants peuvent encore procéder par ripostes graduelles, en une succession d' « échanges » adaptés, décidés à l'aveuglette dans un climat de désarroi intellectuel et moral. La décision pourra être prise dans le calme et la lucidité, la haine, l'hébétude, l'hystérie, ou même la folie la plus complète. Les responsables pourront aussi suivre à la lettre des scénarios de destruction préétablis et choisir froidement de s'exterminer mutuellement. Ou encore, après avoir tout d'abord résolu de se conformer jusqu'au bout à un scénario, ils pourront faire marche arrière et entreprendre des négociations avant d'avoir achevé leur œuvre destructrice. Ne possédant pas la moindre expérience de la façon dont les êtres humains réagiraient en cas de guerre nucléaire mondiale, il faut avouer que, tout simplement, nous ignorons ce qui se passerait.

On remarquera sans surprise que les prédictions concernant le déroulement d'une attaque éventuelle sont sujettes à des modes intellectuelles. Ainsi, dans les années soixante, on pensait généralement devoir craindre surtout une attaque nucléaire massive ; en revanche, depuis quelques années, on a plutôt tendance à envisager un « conflit limité ». (Le concept de guerre atomique limitée avait déjà connu une certaine vogue dans les années cinquante, à une époque où quelques stratèges recherchaient une solution de remplacement à la politique de « représailles massives » du secrétaire d'Etat John Foster Dulles.) La théorie du conflit limité repose sur l'idée que l'on peut interrompre les hostilités nucléaires lorsqu'un nouvel équilibre des forces est atteint, et avant le déclenchement d'une attaque totale. A ce sujet, les spécialistes ont récemment émis l'avis que l'Union soviétique était désormais en mesure de détruire d'emblée les rampes de lancement et les bombardiers américains, contraignant ainsi les Etats-Unis à un choix délicat entre utiliser les missiles moins précis de leurs sous-marins contre la population soviétique — et risquer de ce fait des représailles directes contre leur population — et ne pas riposter. On suppose donc que les dirigeants américains pourraient s'incliner dès la première offensive soviétique pour ne pas risquer l'anéantissement des deux nations. Mais il paraît quelque peu délirant et fantastique d'imaginer une guerre

nucléaire à sens unique qui, sans ôter à l'agressé la capacité
d'écraser la nation adverse, n'en permettrait pas moins à
l'agresseur de dicter sa loi. Cependant à moins de supposer
l'assaillant pris de démence (auquel cas le meilleur scénario ne
pourrait nous sauver), cette hypothèse semble négliger le
fait qu'on n'entreprend jamais une action militaire sans but
précis, par exemple celui de conquérir un territoire particulier. A
elle seule, cette première offensive supposée n'aboutirait à rien
et, au moment où l'Union soviétique tenterait d'en retirer un
avantage concret — par exemple en entrant au Moyen-Orient
pour prendre possession de ses gisements de pétrole — deux ou
trois bombes atomiques parmi les milliers que comprend
l'arsenal américain suffiraient à enrayer rapidement l'entreprise. En outre, si les Etats-Unis ripostaient ne serait-ce qu'en
lançant dix bombes sur des villes soviétiques, l'U.R.S.S.
subirait des pertes sans précédent mais n'aurait rien gagné
dans l'affaire. En d'autres termes, dans ce scénario, — comme
en fait, dans tout autre scénario de « conflit nucléaire limité »
— la stratégie théorique semble appartenir à un monde
singulier où les armes règleraient leurs propres querelles sans
tenir compte des desseins humains. En général, la stratégie
nucléaire théorique, fort élaborée mais négligeant souvent le
facteur humain, a tendance à oublier que le déclenchement
d'hostilités atomiques suppose l'effondrement des barrières de
la raison et de la conscience. Une fois le massacre commencé,
les scrupules, ou même le souci de leurs propres intérêts, qui en
temps normal maintiennent les agissements des nations à
l'intérieur de certaines limites, auront par définition été balayés
et ne garantiront probablement plus la protection de qui que ce
soit. Dans l'état mental et spirituel inconcevable où se trouverait
alors le monde, on imagine difficilement sur quelles forces il faudrait compter pour préserver la planète de l'anéantissement total.

Il serait cependant fallacieux de prétendre que l'emploi
d'une seule bombe atomique conduirait obligatoirement à
l'utilisation de tout l'arsenal. En réalité, lorsque la catastrophe
jugée aujourd'hui « impensable » aurait effectivement commencé, les gens réagiraient d'une façon que les théoriciens —
et, à plus forte raison, les futurs acteurs eux-mêmes — ne
peuvent prévoir. Prédire l'intensité et le type d'un holocauste
nucléaire revient à vouloir prédire des décisions humaines, dont

on sait qu'elles sont impossibles à évaluer à l'avance — notamment quand les décisions en question doivent être prises au milieu d'un massacre inimaginable. Le ministre de la Défense Robert McNamara prononça sans doute des paroles définitives à ce sujet quand, abordant en 1963 devant le *House Armed Services Committee* le problème soulevé par la Défense de l'Europe, il déclara qu'une fois lâchée la première bombe tactique, le monde serait plongé dans « l'inconnu le plus total ». Je ne m'aventurerai pas à faire des pronostics sur le type et l'intensité d'une éventuelle attaque soviétique contre les Etats-Unis, pour la bonne raison que je ne crois pas en notre pouvoir de procéder à ces calculs. Je me contenterai plutôt de choisir deux hypothèses de base — étant entendu qu'il s'agit là de postulats et non de prédictions. La première de ces hypothèses est que l'Union soviétique utiliserait la plus grande partie de ses forces stratégiques dans l'offensive, et la seconde que l'attaque viserait les centres militaires, industriels et urbains des Etats-Unis. J'ai retenu ces hypothèses non parce que je « prédis » une attaque de cet ordre, — la plus dévastatrice de celles qui se puissent produire — mais parce qu'en l'absence de toute certitude et, en particulier, de toute garantie que l'agression resterait « limitée », ce sont les seules qui donnent la pleine mesure du péril encouru. Tout au moins peut-on affirmer qu'elles ne sont pas improbables. On pourrait citer de nombreuses déclarations émanant des dirigeants des deux camps à l'appui de la première hypothèse. Le gouvernement soviétique qui est, bien sûr, l'un des premiers intéressés, a fréquemment émis l'opinion que des hostilités nucléaires ne pouvaient rester limitées, et, en 1977, le ministre de la Défense Harold Brown a tenu à peu près le même discours. En ce qui concerne la seconde hypothèse, l'argument décisif est que la logique fondamentale de la stratégie des deux camps consiste, selon les propres termes de McNamara, à prendre en otage non seulement les forces militaires de l'adversaire mais aussi « sa société tout entière ». On ignore comment les statèges des deux nations ont pu en arriver là, mais il paraît douteux que l'une ou l'autre population puisse compter sur la pitié de l'armée ennemie.

Une autre série d'hypothèses, portant sur une possible défense civile, est susceptible de modifier notre vision des conséquences d'un conflit. Ces hypothèses dépendent en partie de certaines circonstances imprévisibles, comme de savoir si l'offensive se produira de jour ou de nuit, mais également d'autres circonstances plus ou moins inhérentes à la situation, et qu'il est en conséquence possible de prévoir. On peut supposer que la défense civile reposerait principalement sur l'évacuation et la descente dans les abris. En cas de crise prolongée, un pays peut chercher à protéger sa population en faisant évacuer les zones urbaines avant qu'une attaque ait été lancée ; mais, pour diverses raisons, un tel plan semble impraticable ou vain. Tout d'abord, un ennemi résolu à prendre la population pour cible peut reprogrammer ses missiles de façon à viser les lieux de refuge. De plus, pendant la période d'évacuation, les gens seraient plus vulnérables encore qu'ils ne l'étaient dans les villes. Cette politique d'évacuation présenterait de surcroît l'inconvénient d'offrir à l'ennemi un moyen de démanteler la société par la seule menace, du fait qu'un peuple en fuite cesserait de remplir les fonctions d'une société à part entière. Le recours aux abris ne semble guère plus sûr. Les missiles soviétiques les plus proches des Etats-Unis, qui se trouvent à bord de sous-marins naviguant à quelques centaines de milles de nos rivages, peuvent faire exploser leurs têtes nucléaires sur des cibles côtières environ dix minutes après la mise à feu, et sur des cibles continentales quelques minutes plus tard. Les missiles balistiques intercontinentaux, lancés depuis le territoire soviétique, exigeraient de quinze à vingt minutes supplémentaires. Il faudrait aux bombardiers plusieurs heures pour arriver. Mais, d'après la *Arms Control and Disarmament Agency,* les premiers avertissements à la population ne seraient donnés qu'un quart d'heure après le lancement des missiles. Même en supposant — avec beaucoup d'optimisme, me semble-t-il — qu'il suffirait d'un autre quart d'heure pour que les gens soient touchés par l'alerte et se rendent en nombre dans les abris, une attaque-suprise surprendrait effectivement la majeure partie de la population.

Cependant, pour la plupart des gens, le fait de ne pouvoir accéder aux abris, en admettant qu'il y en ait, n'aurait aucune importance, pour la bonne raison que ces refuges ne leur seraient d'aucune utilité. On s'accorde aujourd'hui à estimer que les abris financièrement envisageables n'offrent pas une protection suffisante contre le souffle, la chaleur, les radiations intenses, et les gigantesques incendies qui ne manqueraient pas d'éclater dans les régions à forte densité de population — de tels abris ne sauveraient des vies humaines qu'en des endroits où l'on n'aurait à redouter que de faibles retombées radioactives. De plus, on peut se demander si ceux qui auraient réussi à gagner les abris et à s'y cloîtrer pendant plusieurs semaines voire plusieurs mois, auraient une chance de survivre à long terme. Enfin il semble bon de souligner que, quelle que soit la valeur potentielle de ces refuges, la plupart de ceux qui existent déjà sont soit particulièrement mal situés (par exemple dans les grandes agglomérations), soit dépourvus, totalement ou partiellement, des équipements nécessaires : bouclier efficace contre les radiations ; filtres à air capables d'arrêter les particules radioactives ; eau et vivres en quantité suffisante pour pouvoir tenir plusieurs mois ; système de chauffage autonome dans les régions où les hivers sont rudes ; matériel médical pour les blessés, les malades et les mourants, qui seraient sans doute en majorité dans les abris ; compteurs de particules pour mesurer le niveau de la radioactivité à l'extérieur, afin que les réfugiés puissent choisir le moment où ils quitteront l'abri en toute sécurité et savoir si leur eau et leur nourriture sont contaminés ; système d'incinération aménagé à l'intérieur de l'abri, pour faire disparaître les corps des blessés et des malades ayant péri au cours de leur période de réclusion.

On présente souvent la mise au point de procédures d'évacuation et d'abri comme des mesures humanitaires visant à épargner des vies humaines en cas d'agression nucléaire. Pourtant, en dernière analyse, la question de la défense civile relève du domaine stratégique et non du domaine humanitaire. Dans la logique de la stratégie atomique de l'Union soviétique comme des Etats-Unis, il est primordial que chacune des deux nations conserve la capacité de décimer la population adverse, même après avoir essuyé la première frappe la plus violente que l'agresseur puisse lui asséner. En conséquence, toute tentative véritable de l'un ou l'autre camp de protéger sa population d'une attaque nucléaire — en supposant pour le moment que ce soit possible — reviendrait probablement à inciter la partie adverse à un rééquilibrage stratégique, qui se traduirait sans doute par le renforcement de son armement. L'extraordinaire puissance des armes modernes facilitant considérablement un tel rééquilibrage, on peut affirmer sans risque que la population de chaque camp restera, du moins dans un avenir prévisible, exactement aussi vulnérable que la nation adverse le désirera.

L'étalon permettant d'évaluer les ravages que causeraient des armes de puissances différentes nous est fourni par les bombardements d'Hiroshima et de Nagasaki, ainsi que par les essais nucléaires américains au cours desquels on a pu déterminer les effets de bombes à hydrogène ayant jusqu'à mille six cents fois la force explosive de celle d'Hiroshima. Les données rassemblées à partir de ces faits observés permettent de calculer aisément à quelles distances de l'explosion — et avec quelle intensité — se feraient sentir les différents effets d'une bombe. Au dos du livre de Glasstone et Dolan, se trouve un petit cadran qu'il suffit de tourner pour obtenir l'information désirée. Ainsi, si vous voulez savoir quelle sera la profondeur du cratère creusé en terrain humide par une explosion au sol de vingt mégatonnes, vous n'aurez qu'à vous reporter à l'indication vingt mégatonnes : vous lirez par la petite fenêtre correspondante que la profondeur du cratère en question sera de cent quatre-vingts mètres — c'est-à-dire un trou suffisant pour engloutir un gratte-ciel de belle taille. Pourtant, ce petit cadran, même s'il vous dit tout, en quelques mots et chiffres, de l'anéantissement de chacune des villes de la terre, ne peut rien vous révéler de la réalité humaine d'une catastrophe nucléaire. L'horreur que l'on éprouve à l'idée d'un holocauste atomique réside en partie dans le fait que cela nous entraîne dans un monde où l'humain disparaît au profit de la statistique ; nous sommes en quête d'une vérité humaine et nous nous trouvons confrontés à une montagne de chiffres. Seuls nous laissent entrevoir cette vérité humaine les témoignages des survivants d'Hiroshima et de Nagasaki. Comme l'enquête concernant le bombardement d'Hiroshima a été plus approfondie que celle portant sur Nagasaki, et que l'on possède en conséquence davantage d'informations à son sujet, je m'en tiendrai à une rapide description de cette catastrophe.

Le 6 août 1945, à huit heures seize du matin, une bombe atomique d'une puissance de douze kilotonnes et demi explo-

sait à environ six cents mètres au-dessus du centre d'Hiroshima.
Selon les standards actuels, il s'agissait d'une petite bombe
que l'on rangerait dans les arsenaux modernes parmi les armes
tactiques. Elle fut néanmoins assez puissante pour transformer
en l'espace de quelques secondes une ville de quelque trois cent
quarante mille habitants en un véritable enfer. « Il n'est pas
excessif d'affirmer, nous disent les auteurs de *Hiroshima et
Nagasaki,* que la ville tout entière fut détruite instantanément. » En une seconde, des dizaines de milliers de personnes
périrent brûlées, déchiquetées ou broyées. Des dizaines de
milliers d'autres subirent toutes les mutilations possibles ou
furent condamnées à mourir, rongées par les radiations. Le
centre d'Hiroshima fut soufflé et aucun des quartiers de la ville
ne fut épargné. Les troncs des bambous furent calcinés dans un
rayon de huit kilomètres autour du point zéro — le point
situé directement au-dessous du cœur de l'explosion. Près
de la moitié des arbres se trouvant dans un rayon de deux kilomètres furent abattus et toutes les fenêtres brisées dans un rayon
de vingt-huit kilomètres. Une demi-heure après l'explosion, les
feux provoqués par le rayonnement thermique et l'effondrement des immeubles se fondirent en un gigantesque incendie
qui fit rage pendant six heures. De neuf heures du matin jusque
tard dans l'après-midi, une « pluie noire » due à la bombe
(alors que la journée était belle) tomba sur la partie ouest de la
ville, ramenant au sol les particules radioactives. Pendant
quatre heures, en début d'après-midi, une violente tornade, née
des étranges conditions météorologiques créées par l'explosion,
acheva de dévaster la ville. On estime à cent trente mille le
nombre des victimes qui furent tuées sur le coup ou qui
succombèrent à leurs blessures dans un délai de trois mois.
Soixante-huit pour cent des constructions furent soit totalement
détruites soit irrémédiablement endommagées, et le centre de la
cité fut transformé en un terrain vague jonché de moellons d'où
n'émergeaient plus que les ruines des immeubles les plus
résistants.

Dans les minutes qui suivirent l'explosion, le ciel s'assom-
brit tandis que de lourds nuages de poussière et de fumée
emplissaient l'air. En un instant toute une ville avait sombré et
son peuple se retrouvait prisonnier de ses ruines. La plupart des
survivants étaient blessés : brûlés ou estropiés, quand ce n'était

pas les deux à la fois. Ceux qui se trouvaient à moins de deux kilomètres du point zéro avaient également été soumis à d'intenses radiations nucléaires, souvent à des doses létales. Lorsque les gens eurent repris suffisamment leurs esprits pour se rendre compte de ce qui se passait autour d'eux, ils découvrirent que, là où, une seconde auparavant, une ville entière se préparait à entamer une journée de travail par une belle et tranquille matinée d'août, ne subsistait plus qu'un amas de débris et de cadavres, la masse hébétée d'une humanité mutilée. Mais, tout d'abord, revenant à eux et essayant de s'orienter dans l'obscurité qui les engloutissait, ils furent nombreux à se croire seuls et coupés du monde. Les effets du bombardement ont été rendus par des dessins aussi bien que par des textes dans un recueil de témoignages récemment publié sous le titre *Le Feu inoubliable.* Mme Haruko Ogasawara, qui était à l'époque une toute jeune fille, se rappelle qu'elle a d'abord perdu connaissance. Elle poursuit ainsi son récit :

> Je ne saurais dire combien de secondes ou de minutes s'étaient écoulées mais, en reprenant conscience, je me retrouvai allongée sur le sol, couverte de morceaux de bois. Lorsque, dans un effort désespéré, je me levai pour regarder autour de moi, je ne vis que ténèbres. Terrifiée, je me dis que j'étais seule dans un monde de mort, et avançai à tâtons en quête de lumière. Ma peur était si grande que je n'imaginais pas que quiconque puisse comprendre ce qui se passait. Quand la lucidité me fut revenue, je m'aperçus que mes vêtements étaient en lambeaux et que j'avais perdu mes sandales de bois.

Bientôt retentirent les cris de douleur et les appels à l'aide des blessés. Chacun reconnaissait dans l'obscurité la voix d'un parent, d'un ami. Mme Ogasawara raconte :

> Je me demandai soudain ce qu'il était advenu de ma mère et de ma sœur. Ma mère avait alors quarante-cinq ans et ma petite sœur cinq. Quand l'obscurité s'estompa, je découvris qu'il ne subsistait plus rien autour de moi. Ma maison, celle du voisin, la suivante, toutes avaient dis-

paru. Je me trouvais au milieu des ruines de ma maison. Je ne vis personne. Tout était calme, si calme — un moment irréel. J'aperçus ma mère gisant dans un bac à eau. Elle s'était évanouie. Tout en criant « Maman, maman », je la secouai pour la ramener à elle. Ayant repris connaissance, ma mère se mit à hurler avec angoisse le nom de ma sœur : « Eiko ! Eiko ! »

Je ne sais combien de temps s'écoula avant que ne retentissent les appels. Les enfants criaient le nom de leurs parents, et ceux-ci le nom de leurs enfants. Nous appelions désespérément ma sœur et guettions le son de sa voix tout en la cherchant du regard. Tout à coup, ma mère s'écria : « Oh ! Eiko ! » A quatre ou cinq mètres de là apparaissait la tête de ma petite sœur, appelant ma mère. Ma mère et moi nous précipitâmes et dégageâmes à grand peine son corps de l'amas de plâtre et de poutres. Des hématomes violaçaient sa peau et son bras présentait une telle blessure que j'aurais pu y enfoncer deux doigts.

D'autres eurent moins de chance dans leurs recherches et leurs tentatives de sauvetage. Dans *Le Feu inoubliable,* une femme décrit une scène dont elle fut témoin :

Une mère cherchait son enfant en hurlant son nom, folle d'inquiétude. Enfin, elle le découvrit. Le visage de l'enfant évoquait une seiche bouille. Ses yeux étaient a demi clos, sa bouche était blanche, plissée et boursouflée.

Dans toute la ville, des parents découvrirent leurs enfants morts ou blessés ; des enfants retrouvèrent leurs parents, morts ou blessés. Kikumo Segawa se souvient avoir vu une petite fille auprès du cadavre de sa mère :

Une femme, qui paraissait enceinte, gisait, morte. Près d'elle, une fillette d'environ trois ans apportait de l'eau dans une boîte vide qu'elle avait trouvée. L'enfant essayait de faire boire sa mère.

Ce spectacle de gens aux confins de la souffrance se répétait inlassablement. Kinzo Nishida raconte :

Alors que je portais ma femme, grièvement blessée, jusqu'à la rive, près de la colline de Nakahiromachi, j'aperçus avec horreur un homme, debout, entièrement nu sous la pluie, tenant son œil dans le creux de sa main. Il semblait souffrir énormément mais je ne pouvais rien pour lui.

Cette brusque disparition du monde habituel pétrifia la plupart des gens. L'écrivain Yoko Ota relate :

Je ne parvenais simplement pas à comprendre comment notre environnement avait pu se métamorphoser ainsi en un instant... Je songeai qu'il devait s'agir de quelque chose qui n'avait rien à voir avec la guerre... la fin du monde telle qu'on la décrivait dans les livres de mon enfance.

Et un professeur d'histoire qui contempla la ville après l'explosion écrivit plus tard : « Je vis qu'Hiroshima avait disparu. »

Lorsque les feux éclatèrent dans les décombres, nombreux furent ceux qui, ayant retrouvé des parents ou des amis blessés, furent contraints de les abandonner aux flammes ou de périr eux-mêmes dans l'incendie. Ceux qui laissèrent mourir carbonisés femmes, enfants, maris, amis ou inconnus affirmèrent par la suite que de toutes les épreuves celle-ci avait été la pire. Mikio Inoue raconte comment un homme, un professeur, dut se résoudre à abandonner sa femme :

Ce fut en traversant le pont Miyuki que j'aperçus le professeur Takenaka, qui se trouvait à l'autre bout. Il était presque nu, seulement vêtu d'un short, et tenait une boule de riz dans sa main droite. De l'autre côté de la voie de tramways, la partie nord de la ville n'était plus qu'une étendue de flammes rougeâtres se découpant contre le ciel. Bien au-delà, Ote-machi n'était plus lui aussi qu'un océan de feu.
Ce jour-là, le professeur Takenaka ne s'était pas rendu à l'université d'Hiroshima, et il se trouvait donc chez lui lorsque la bombe A explosa. Il tenta de secourir sa femme,

51

qui était prise sous une poutre mais tous ses efforts restèrent vains. Le feu se rapprochait dangereusement. Sa femme le supplia. « Fuis, mon amour ! » Il dut abandonner sa femme pour échapper aux flammes. Et il se tenait maintenant au pied du pont Miyuki.

Mais je me demande bien comment cette boule de riz avait pu arriver entre ses mains. Cette silhouette nue se dressant devant les flammes et cette boule de riz m'apparurent comme un symbole des modestes espoirs de l'humanité.

Dans *Hiroshima,* John Hersey décrit la fuite d'un groupe de prêtres allemands et de religieux japonais à travers un quartier incendié de la ville :

La rue disparaissait sous les décombres des maisons, sous les poteaux et les fils télégraphiques. Toutes les deux ou trois maisons, on entendait les voix des malheureux ensevelis et abandonnés qui, invariablement, criaient sans rien perdre de leur politesse coutumière : « *Tasukete kure !* S'il vous plaît, au secours ! » Les prêtres reconnurent plusieurs fois, dans ces ruines d'où montaient les plaintes, la maison d'un ami, mais l'incendie faisait rage et il était trop tard pour agir.

Ainsi, il advint que tous les liens d'affection et de respect qui unissent les êtres humains entre eux, furent déchirés et balayés par l'incendie qui ravageait Hiroshima. Bientôt, des processions d'estropiés — processions telles que l'histoire n'en avait jamais connu — commencèrent à défiler du centre de la ville vers les banlieues. La plupart des gens souffraient de brûlures, qui souvent avaient noirci leur peau, quand elle ne l'avaient pas rongée. Un épicier, qui s'était joint à l'une de ces processions, raconte ses souvenirs dans un entretien accordé à Robert Jay Lifton qui le reproduit dans son livre *Death in Life :*

Leurs bras pendaient... et leur peau — non seulement sur leurs mains mais aussi sur leur visage et sur tout leur corps — leur peau s'affaissait... S'ils n'avaient été que deux ou trois... peut-être l'effet produit n'aurait-il pas été aussi fort. Mais où que j'aille, je croisais ces malheureux... Beaucoup tombaient, morts, le long de la route. Je les revois encore — avançant comme des fantômes. Ils ne paraissaient pas de ce monde.

L'épicier se rappelle encore qu'à cause de leurs blessures « on ne savait jamais si on regardait ces gens de dos ou de face ». Il devenait impossible d'identifier les blessés. Une femme qui, alors agée de treize ans, eut le visage défiguré par les brûlures, témoigne : « J'avais le visage tellement abimé, déformé, que les autres ne me reconnaissaient plus. Au bout d'un moment, je parvins à prononcer leurs noms mais eux ne savaient toujours pas qui j'étais. » En plus de leurs blessures, de nombreuses victimes furent prises de vomissements — l'un des premiers effets des radiations. Les images irréelles et terrifiantes se précipitaient en un véritable chaos. Dans *Le Feu inoubliable*, Torako Hironaka énumère certains des détails qui se sont fixés dans sa mémoire :

1. Des vêtements de travail carbonisés.
2. Des gens appelant à l'aide, la tête, les épaules ou la plante des pieds meurtries par des tessons de verre. Des fragments de vitres brisées jonchaient les rues.
3. (Une femme) en pleurs, répétant : « Aigo ! Aigo ! » (mot coréen exprimant le désespoir).
4. Un pin en flammes.
5. Une femme nue.
6. Des jeunes filles, nues, criant : « Américains stupides ! »
7. Je restais recroquevillée dans une flaque, de peur de prendre une rafale de mitraillette. J'avais la poitrine déchiquetée.
8. Des lignes à haute tension carbonisées.
9. Un poteau télégraphique avait brûlé et s'était effondré.
10. Un champ de pastèques.
11. Un cheval mort.
12. Avec ces cadavres de chats, de cochons et d'hommes, c'était l'enfer.

L'effondrement physique entraînait un effondrement émotionnel et psychique. Les survivants demeuraient le plus souvent prostrés et apathiques. Après les tentatives, vaines ou réussies, pour échapper à l'incendie, le silence tomba sur la ville et ses derniers habitants. Les gens souffraient et mouraient sans proférer un mot ni émettre un son. La procession des blessés avançait elle aussi en silence. Le docteur Michihiko Hachiya relate dans son livre *Le Journal d'Hiroshima* :

> L'esprit brisé, privés de toute initiative, ceux qui le pouvaient se dirigeaient silencieusement vers les faubourgs, vers les collines lointaines. Quand on leur demandait d'où ils venaient, ils désignaient la ville et répondaient : « De là », et quand on leur demandait où ils allaient, indiquant la direction opposée, ils disaient : « Par là. » Ils étaient tellement perdus, anéantis, qu'ils marchaient et se comportaient comme des automates. Leur attitude stupéfia les témoins qui racontèrent avec incrédulité le spectacle des longues files de malheureux remontant lentement un chemin étroit et difficile, alors qu'une route pratique et bien entretenue suivait la même direction. Ces témoins ne pouvaient comprendre le fait qu'ils assistaient à l'exode d'un peuple qui n'appartenait plus au monde réel.

Ceux qui étaient encore capables d'agir le faisaient souvent d'une manière absurde ou frisant la démence. Certains d'entre eux employaient toute leur énergie à poursuivre des tâches qui avaient encore une signification quelques minutes auparavant, dans Hiroshima intacte, mais qui désormais n'avaient plus le moindre sens. Hersey raconte que les prêtres allemands s'efforçaient de mettre à l'abri une mallette contenant les registres diocésains et une certaine somme d'argent, qu'ils avaient sauvée de l'incendie et transportaient avec eux à travers la ville en flammes. Et le docteur Lifton décrit avec quels soins méticuleux un jeune soldat s'acharnait à rassembler et à sauvegarder les cendres d'un code militaire calciné tandis qu'autour de lui les gens imploraient du secours. D'autres perdirent tout à fait l'esprit. Ainsi, alors que les prêtres allemands fuyaient le sinistre, l'un d'entre eux, le père Wilhelm

Kleinsorge, prit sur son dos un certain M. Fukaï qui ne cessait de répéter qu'il voulait rester où il était. A peine le père Kleinsorge eut-il reposé M. Fukaï à terre que celui-ci se mit à courir. Hersey poursuit le récit :

> Le père Kleinsorge cria à une douzaine de soldats qui se tenaient près du pont de l'arrêter. Au moment où le père Kleinsorge s'apprêtait à faire demi-tour pour récupérer M. Fukaï, le père LaSalle le pressa : « Dépêchez-vous ! Ne perdez pas de temps ! » Le père Kleinsorge se contenta donc de prier les soldats de prendre soin de M. Fukaï. Ils promirent de le faire mais le pauvre petit homme parvint à leur échapper, et, au moment où les prêtres le perdirent de vue, il se précipitait vers les flammes.

Au cours des semaines qui suivirent le bombardement, de nombreux survivants constatèrent l'apparition sur leur peau de pétéchies, petits points rouges provoqués par une hémorragie cutanée : signe que les personnes contaminées entraient dans une phase critique. Dans un premier temps, les victimes étaient prises de vomissements répétés caractéristiques, souffraient d'accès fiévreux et éprouvaient une soif anormale. (L'un des quelques cris qu'on entendit bien souvent à Hiroshima le jour du bombardement fut : « De l'eau ! De l'eau ! ») Ensuite, après quelques heures ou quelques jours, survenait une période trompeuse d'apparente rémission, appelée période de latence, qui durait d'une à quatre semaines. Les radiations s'attaquent aux fonctions reproductrices des cellules, celles qui se reproduisent le plus fréquemment étant par conséquent les plus vulnérables ; ainsi par exemple des cellules de la moelle osseuse, dont le rôle est de fabriquer les cellules sanguines. Au cours de la période de latence, le nombre de globules blancs, qui ont pour fonction de combattre les infections, et celui des plaquettes, qui permettent la coagulation, tombe brutalement, laissant l'organisme sans grande défense contre les infections et favorisant le déclenchement d'hémorragies. Pendant la troisième et dernière phase, longue souvent de plusieurs semaines, la victime peut perdre ses cheveux, souffrir de diarrhées et de saignements des intestins, de la bouche ou d'autres parties du corps ; au terme de cette période, l'issue sera la mort ou la guérison. L'explosion de la bombe d'Hiroshima ayant eu lieu à très haute altitude, seule une faible quantité d'éléments provenant du sol s'est mêlée aux produits de fission et il n'y eut donc que peu de retombées locales. (Celles qui se produisirent furent ramenées au sol par la pluie noire.) Ainsi, les décès causés par les radiations survinrent sans doute presque tous à la suite de la radiation initiale, et comme celle-ci n'affecta que les gens situés dans un rayon de deux kilomètres autour du point zéro, la plupart des personnes ayant reçu des doses létales furent d'abord victimes du rayonnement thermique ou de l'onde de choc. Hiroshima n'a donc pas connu les effets d'irradiation auxquels on peut s'attendre après une explosion au sol. Du fait que la bombe de Nagasaki explosa elle aussi en altitude, le phénomène des retombées radioactives mortelles s'étendant sur de vastes régions et provoquant la mort de populations entières dans les heures, les jours et les semaines qui suivent l'explosion, constitue une forme d'horreur nucléaire dont le monde n'a pas encore fait l'expérience.

Au cours des mois et des années qui suivirent le bombardement d'Hiroshima, après que les effets primaires d'irradiation eurent cessé d'agir (les blessés ayant succombé ou guéri), les habitants de la ville commencèrent à apprendre que le fait d'avoir été exposé aux radiations pouvait entraîner toute une série de maladies, mortelles pour la plupart, susceptibles de se déclarer à n'importe quel moment de la vie de la personne contaminée. L'un des premiers signes que la nocivité des radiations ne se limitait pas aux effets primaires se manifesta très peu de temps après l'explosion, quand des gens découvrirent que le fonctionnement de leurs organes reproducteurs était perturbé, les hommes constatant leur stérilité et les femmes des anomalies dans leur cycle menstruel. Ensuite, au fil des années, d'autres maladies, dont la cataracte, la leucémie et d'autres formes de cancers, commencèrent à apparaître de façon anormalement fréquente parmi la population irradiée. On a pu établir des corrélations entre la proximité de l'explosion et l'incidence de ces maladies. En outre, les fœtus exposés in utero aux radiations présentèrent des malformations à la naissance ou, par la suite, des retards mentaux ou psychomoteurs. Dans un rayon de deux kilomètres, la mortalité in utero, à la naissance ou infantile fut, pour ces enfants, de sept fois supérieure à la normale. Les enfants irradiés in utero qui survécurent eurent tendance à être de taille et de poids insuffisants, et à souffrir d'un handicap mental. L'une des malformations les plus graves causées par les radiations fut la microcéphalie — taille anormalement petite de la tête, souvent accompagnée d'un retard mental. Une étude a recensé trente-trois cas de microcéphalie sur cent soixante-neuf enfants exposés in utero.

Si l'on considère l'arsenal nucléaire actuel, ce qui s'est produit à Hiroshima ne représente qu'à peine le millionième de ce que pourrait être aujourd'hui un holocauste atomique. Cette différence de plus d'un million de fois n'est pas seulement un écart de puissance; c'est aussi une différence de nature. Les auteurs d'*Hiroshima et Nagasaki* font remarquer qu' « une destruction massive et un massacre aveugle par la bombe atomique impliquent l'anéantissement de tout ordre et de toute vie — en un mot, la disparition de la société elle-même », et que par conséquent « l'essence de la destruction atomique réside dans l'impact qu'elle a sur l'homme et la société dans son ensemble ». Ceci, bien sûr, s'applique également à un holocauste, si ce n'est qu'alors l'impact en question ne se limite plus à des villes mais s'étend à des nations, à des écosystèmes et à l'écosphère de la terre tout entière.

Cependant, mis à part les retombées radioactives, qui furent relativement faibles sur Hiroshima et Nagasaki (car les bombes explosèrent en altitude), les ravages immédiats qu'engendreraient les bombes modernes ne seraient pas fondamentalement différents de ceux qu'on eut à déplorer dans ces deux villes. Les effets immédiats d'une bombe de vingt mégatonnes sont assez semblables à ceux d'une bombe de douze kilotonnes et demi; ils sont simplement plus étendus. (Cependant, la puissance de l'arme modifie considérablement l'importance relative de chacun de ces effets. Avec les petites bombes, les effets de la radiation nucléaire initiale sont importants, car ils se font sentir dans des régions dont les habitants auraient pu être épargnés; en revanche, avec des bombes plus puissantes — de l'ordre de la mégatonne — les conséquences de la radiation nucléaire initiale, dont la portée n'augmente que très peu avec la taille de l'arme, sont négligeables car elle ne concerne que des régions dont les habitants auront déjà péri, victimes du rayonnement thermique ou de l'onde de choc.) Qu'il s'agisse d'une petite ou d'une grosse bombe, il existe, par exemple, un rayon à l'intérieur duquel la radiation thermique peut enflammer le papier journal : pour une arme de douze kilotonnes et demi, il est d'un peu plus de trois kilomètres ; pour celle de vingt mégatonnes, il est d'environ quarante kilomètres. (Du fait qu'il n'y a pas de limites intrinsèques à la taille d'une arme nucléaire, ces chiffres pourraient être augmentés indéfiniment, s'ils n'étaient bornés par les capacités techniques du constructeur de la bombe — et par la capacité de la terre à absorber le choc. L'Union soviétique, qui a si souvent montré son penchant pour les entreprises démesurées, a déjà fait exploser une bombe de soixante mégatonnes.) En conséquence, même si l'effet global d'un holocauste était qualitativement différent de celui d'une explosion isolée, l'expérience que vivrait chacun au cours d'un conflit généralisé serait, à court terme (et en faisant une fois de plus abstraction des retombées radioactives mortelles au cas où les bombes exploseraient au sol), très semblable à celle que vécurent les habitants d'Hiroshima. L'étude du drame que traversa le peuple d'Hiroshima dépasse donc de beaucoup le simple intérêt historique. Elle nous dépeint ce qui menace la planète tout entière — une toile de fond d'une horreur à peine concevable dissimulée par notre vie quotidienne mais qui pourrait apparaître à tout instant. Que nous choisissions ou non d'y penser, il est une vérité à laquelle nous ne pouvons échapper : n'importe quel moment peut faire de chacun de nous cette mère éperdue cherchant son enfant carbonisé ; ce professeur portant à la main une boule de riz, contraint d'abandonner aux flammes sa femme qui l'implorait de fuir ; M. Fukaï se précipitant vers l'incendie ; cet homme nu, debout au milieu des décombres de sa ville, tenant son œil dans le creux de sa main, ou, plus vraisemblablement, l'un des millions de cadavres. Quels que soient nos « modestes espoirs » d'êtres humains, un holocauste nucléaire les anéantirait tous.

La meilleure façon de faire comprendre le pouvoir destructeur des armes nucléaires d'aujourd'hui serait de décrire les conséquences de la détonation d'une bombe d'une mégatonne, soit quatre-vingts fois celle d'Hiroshima, sur une grande ville telle que New York. Explosant quelque deux mille cinq cents mètres au-dessus de l'Empire State Building, une bombe d'une mégatonne abattrait ou raserait la quasi-totalité des immeubles se trouvant entre Battery Park et la 125ᵉ Rue, soit dans un rayon de six kilomètres et demi ou encore dans une zone de cent soixante kilomètres carrés, et endommagerait sérieusement les édifices compris entre la pointe nord de Staten Island et le pont George Washington, soit dans un rayon de près de quatorze kilomètres ou encore dans une zone d'environ cinq cent vingt kilomètres carrés. Une explosion conventionnelle assène un choc bref, semblable à une gifle, sur tout ce qui se trouve à portée, tandis que l'onde de choc d'une arme nucléaire de taille importante dure plusieurs secondes et « peut envelopper et détruire des immeubles entiers » (Glasstone). Bien entendu, les gens seraient fauchés et balayés avec l'ensemble des décombres. A l'intérieur de la zone de cent soixante kilomètres carrés, les murs, les toits et les planchers de tous les immeubles n'ayant pas été rasés s'effondreraient, projetant ainsi meubles et habitants dans la rue. (Pour être précis, ce secteur serait soumis à diverses surpressions de l'ordre d'au moins 0,35 kilogramme par centimètre carré ; on nomme surpression la pression excédant la pression atmosphérique normale.) A quinze kilomètres du point zéro, des morceaux de verre et autres projectiles dangereux seraient encore propulsés par l'onde de choc à des vitesses faisant d'eux des armes mortelles. A Hiroshima, les bâtiments peu élevés, qui, mis à part dans le centre, étaient souvent construits de matériaux légers, n'occasionnèrent en s'effondrant que relativement peu de blessures graves. Mais, à New York, où les immeubles sont hauts et faits de matériaux lourds, l'écroulement de la ville tuerait certainement des millions de personnes. Les rues de New York sont d'étroites gorges courant entre les murs vertigineux des gratte-ciel de la ville. En cas d'attaque nucléaire, les façades s'affaisseraient, comblant ainsi les gorges. Les personnes se trouvant à l'intérieur des bâtiments seraient entraînées dans l'éboulement tandis que les passants seraient écrasés par l'avalanche. A une distance d'environ trois kilomètres du centre de l'explosion, les vents atteindraient la vitesse de six cent cinquante kilomètres à l'heure, et trois kilomètres plus loin souffleraient encore à près de trois cents kilomètres à l'heure. Au même moment, la boule de feu se développerait jusqu'à atteindre un diamètre d'un kilomètre et demi et une hauteur de près de dix kilomètres. La portion de la ville située au-dessous serait rôtie en dix secondes. Quiconque serait surpris dehors à quinze kilomètres de l'explosion subirait des brûlures au troisième degré et en mourrait probablement; plus près de l'explosion, les gens seraient instantanément carbonisés. De Greenwich Village à Central Park la chaleur serait suffisamment élevée pour faire fondre le métal et le verre. Les matériaux aisément inflammables, tels que le papier journal ou les feuilles mortes, prendraient feu dans les cinq *boroughs* [1] (cela ne concernerait cependant qu'une partie de Staten Island) et vers l'ouest en direction de la rivière Passaïc, dans le New Jersey, dans un rayon d'environ quinze kilomètres autour de l'explosion, créant donc une zone de plus de sept cent trente kilomètres carrés à l'intérieur de laquelle de gigantesques incendies seraient susceptibles d'éclater.

S'il était donné à quelqu'un (chose rigoureusement impossible) de se tenir à l'angle de la Cinquième Avenue et de la Soixante-Douzième Rue (à quelque trois kilomètres de l'explosion) sans être tué sur-le-champ, il assisterait aux événements suivants. Une lumière blanche aveuglante illuminerait la scène pendant peut-être une trentaine de secondes. Simultanément, une chaleur intense embraserait toutes les matières inflammables et commencerait de faire fondre les fenêtres, les automobiles, les bus, les réverbères et tout autre objet constitué de métal ou de verre. Dans la rue, les gens deviendraient immédiatement des torches vivantes et, en très peu de temps, seraient réduits à l'état de cendres. Cinq secondes après l'apparition de la lumière, déferlerait l'onde de choc, emportant les morceaux du centre de la ville, maintenant pulvérisé. Certains bâtiments pourraient être écrasés, comme par un poing géant, d'autres arrachés à leurs fondations et aspirés avec les décombres. De l'autre côté de Central Park, la silhouette dessinée par les gratte-ciel de West Side aurait disparu du nord au sud. Le vent de six cent cinquante kilomètres à l'heure soufflerait du sud vers le nord, se calmerait au bout de quelques secondes puis reparti-

---

1. Division administrative (*N.d.T.*)

rait en sens inverse, animé d'une force moindre. Au moment où tout ceci se produirait, la boule de feu brûlerait dans le ciel pendant les dix secondes que durerait le rayonnement thermique. Bientôt, d'énormes et denses nuages de fumée et de poussière envelopperaient la scène, puis, tandis que se déploierait le champignon nucléaire (pour atteindre un diamètre d'environ vingt kilomètres), la lumière du soleil serait masquée et ce serait la nuit. En quelques minutes, les feux allumés par le rayonnement thermique et propagés par les conduites de gaz, les citernes de gaz ou d'essence et autres combustibles, se répandraient dans les ténèbres, et un vent fort et régulier se mettrait à souffler en direction de l'explosion. Comme à Hiroshima, un tourbillon pourrait se former qui balaierait les ruines, et tomber une pluie radioactive engendrée par les conditions météorologiques dues à la déflagration. Très rapidement, les feux isolés se fondraient en un immense sinistre qui, selon les vents, pourrait revêtir deux formes différentes. Dans la première hypothèse, les vents pousseraient un mur de feu aussi loin qu'il se trouverait du combustible pour l'entretenir ; dans la seconde, il se formerait un appel d'air vers lequel tous les incendies convergeraient pour se fondre en un seul et gigantesque brasier dégageant une chaleur intense. Quelle que soit sa forme, cet incendie rendrait les abris inutiles : il brûlerait tout l'oxygène de l'air et répandrait des gaz toxiques, asphyxiant ainsi toutes les personnes réfugiées ; de plus, il élèverait la température du sol à un point tel qu'à leur tour les abris se transformeraient en véritables fours crématoires. A Dresde, plusieurs jours après l'incendie déclenché par le bombardement conventionnel allié, il faisait encore tellement chaud à l'intérieur de certains abris que, lorsqu'on les ouvrit, ce qu'ils contenaient s'embrasa immédiatement au contact de l'air du dehors. Seuls ceux qui avaient fui les abris dès le début des bombardements eurent une chance de s'en sortir. (Il est difficile de prédire quelle forme prendrait l'incendie dans une situation donnée. On sait simplement qu'il s'est produit un appel d'air à Hiroshima tandis qu'à Nagasaki le sinistre a suivi la première configuration.)

Parallèlement à tous ces effets d'ordre physique, toutes les scènes de souffrance et de mort dont Hiroshima fut le théâtre se reproduiraient, mais à l'échelle de millions de personnes quand il ne s'agissait que de centaines de mille. Comme les habitants d'Hiroshima, les New-Yorkais seraient brûlés, mutilés, écrasés et irradiés de toutes les manières possibles. La ville et ceux qu'elle abritait se confondraient en un tas de décombres fumants. Lorsque les incendies se seraient déclarés, les survivants (dont la plupart se trouveraient à la périphérie de l'explosion) seraient contraints soit d'abandonner aux flammes les parents et autres victimes incapables de fuir, soit de périr avec eux. Bientôt, pendant que les ruines se consumeraient, les blessés commenceraient en silence leur longue procession en direction des régions épargnées. Cependant, la proportion de survivants serait cette fois-ci très inférieure à ce qu'elle fut à Hiroshima. D'une façon générale, plus la zone dévastée est importante et moins les gens ont la possibilité de la fuir. Si la zone touchée est relativement restreinte, comme ce fut le cas à Hiroshima, les personnes encore valides auront une bonne chance de s'échapper avant que les incendies ne se rejoignent. Mais si cette zone est au contraire étendue, comme ce serait le cas après l'explosion d'une bombe d'une mégatonne, si les incendies se propagent jusqu'à quinze kilomètres du point zéro, si les rues ont disparu sous les moellons incandescents, et si (en admettant que l'attaque se produise de jour) l'obscurité s'est brusquement faite, quiconque ne se trouvant pas à l'extrême limite de la zone dévastée aura très peu de chances de se tirer d'affaire. A New York, la plupart des gens mourraient soit sur-le-champ, soit à proximité de l'endroit où l'explosion les surprendrait.

Si au lieu d'exploser en altitude, la bombe éclatait au sol, ou près du sol, aux environs de l'Empire State Building, la surpression serait beaucoup plus haute autour du centre de la zone soufflée, mais le périmètre intéressé par des surpressions d'au moins 0,35 kilogramme par centimètre carré serait moindre. L'intensité du rayonnement thermique serait sensiblement la même que pour une explosion aérienne. La boule de feu atteindrait près de trois kilomètres de diamètre et engloutirait Manhattan, de Greenwich Village à Central Park. On ne sait pas vraiment ce qu'il adviendrait d'une ville prise dans une boule de feu, mais on peut supposer qu'en sa quasi-totalité, elle serait d'abord pulvérisée puis liquéfiée ou vaporisée. Il ne subsisterait plus des êtres humains qu'un peu de cendres et de fumée ; ils disparaîtraient purement et simplement. Un cratère d'un diamètre d'environ trois blocs d'habitations et de quelque soixante mètres de profondeur s'ouvrirait dans le sol. En outre, il se produirait d'importantes retombées radioactives tandis que redescendraient les poussières et les débris emportés par le champignon nucléaire. Les particules radioactives commenceraient à retomber presque immédiatement, contaminant le secteur recouvert par le champignon et infligeant des doses de radiations plusieurs fois mortelles à quiconque tenterait de s'échapper après avoir survécu à l'onde de choc et au rayonnement thermique; il paraît difficile de croire que l'explosion au sol d'une bombe d'une mégatonne épargnerait un nombre important des habitants d'une ville. Pendant les vingt-quatre heures suivantes, les retombées continueraient de descendre en une traînée dont la direction et la longueur dépendraient de la vitesse et de l'orientation du vent qui soufflait au moment de l'attaque. Si le vent soufflait à vingt-quatre kilomètres à l'heure, les retombées mortelles formeraient une nappe d'environ deux cent quarante kilomètres de long et vingt-quatre de large. Le vent disperserait sur deux cent quarante autres kilomètres des retombées non mortelles mais pouvant entraîner des conséquences graves pour l'homme.

On mesure l'exposition de l'être humain à la radioactivité en rems — sigle de l'expression anglaise « röntgen équivalent in man », c'est-à-dire équivalent-homme de röntgen. Le röntgen est une unité de quantité de radiation X ou gamma, et l'expression « équivalent-homme » indique que cette mesure tient compte de la gravité des effets biologiques causés par l'une et l'autre radiation. La plupart des conséquences nocives des radiations sur l'être humain — par exemple l'incidence du cancer ou des troubles d'ordre génétique — dépendent de la dose accumulée au cours de plusieurs années; mais les effets des radiations susceptibles d'entraîner la mort sont le résultat d'une dose « massive », reçue au cours d'une période pouvant aller de quelques secondes à plusieurs jours. Près de quatre-vingt-dix pour cent de la dose totale libérée par les retombées — ou, si l'on veut, la dose de radiations que recevrait un individu exposé pendant des milliers d'années à une certaine quantité de retombées — étant émise pendant la première semaine, la dose cumulée de cette première semaine sert souvent par commodité d'unité de mesure pour l'évaluation des effets nocifs immédiats des retombées radioactives. Les doses de l'ordre de plusieurs milliers de rems que l'on pourrait sans doute constater dans toute la ville s'attaqueraient au système nerveux central et entraîneraient la mort en quelques heures. Les doses d'environ un millier de rems émises à plusieurs dizaines de kilomètres de l'explosion tueraient encore en moins de deux semaines les personnes irradiées. Les doses de quelque cinq cents rems que l'on enregistrerait jusqu'à deux cent quarante kilomètres de l'explosion (toujours en supposant que le vent souffle à vingt-quatre kilomètres à l'heure) tueraient la moitié des jeunes adultes bien portants. A ce niveau d'exposition, les effets morbides de la radioactivité suivent les trois étapes observées à Hiroshima. La traînée de retombées pourrait, selon la direction du vent, toucher d'autres parties de l'Etat de New York et du New Jersey, ou certaines régions de la Pennsylvanie, du Delaware, du Maryland, du Connecticut, du Massachusetts, du Rhode Island, du Vermont ou du New Hampshire, tuant encore plusieurs millions de personnes. La situation dans des zones fortement contaminées, où des millions de gens s'achemineraient ensemble, semaine après semaine, vers une mort atroce, compte parmi les nombreuses conséquences de l'explosion nucléaire dont nous n'avons encore jamais fait l'expérience.

Décrire les effets d'une bombe d'une mégatonne lâchée sur New York donne la mesure humaine du pouvoir destructeur d'un engin mégatonnique, mais on lancerait plus vraisemblablement sur cette ville une bombe de vingt mégatonnes, soit mille six cents fois celle d'Hiroshima. On estime que l'arsenal nucléaire soviétique comprend au moins cent treize bombes de vingt mégatonnes, pouvant être transportées par des bombardiers intercontinentaux. De plus, pour autant qu'on puisse le savoir, certains missiles soviétiques SS-18 sont capables de transporter des bombes de cette taille. La puissance explosive des bombes de vingt mégatonnes dépassant largement ce qui est nécessaire à la destruction de la plupart des objectifs militaires, on peut supposer qu'elles sont destinées au bombardement des grandes villes. Si une arme de vingt mégatonnes explosait au-dessus de l'Empire State Building à neuf mille mètres d'altitude, le secteur ravagé ou rasé par l'onde de choc aurait un rayon de dix-neuf kilomètres et une superficie de près de mille deux cents kilomètres carrés : partant du milieu de Staten Island, il s'étendrait jusqu'à la limite nord du Bronx, la limite est de Queens, et couvrirait une bonne partie du New Jersey ; la zone ayant subi durement l'onde de choc (c'est-à-dire éprouvant une surpression d'au moins 0,14 kilogramme par centimètre carré) aurait un rayon de trente-quatre kilomètres et demi et une superficie de trois mille sept cents kilomètres carrés : elle atteindrait l'extrémité sud de Staten Island, remonterait vers le nord jusqu'au sud du Comté de Rockland, s'étendrait vers l'est jusqu'au Comté de Nassau et vers l'ouest jusqu'à celui de Morris, dans le New Jersey. La boule de feu aurait un diamètre d'environ sept kilomètres et émettrait un rayonnement thermique d'une vingtaine de secondes. Les gens surpris à l'extérieur périraient brûlés dans un rayon de trente-sept kilomètres autour du cœur de l'explosion. A des centaines de kilomètres de là, les témoins du phénomène seraient temporairement aveuglés et risqueraient des séquelles oculaires permanentes. (Après l'essai de Bikini, dans le Pacifique sud, où l'on fit exploser une bombe de quinze mégatonnes en mars 1954, on constata des brûlures de la rétine chez de petits animaux retrouvés à cinq cent cinquante kilomètres de là.) Le champignon nucléaire atteindrait cent dix kilomètres de diamètre. En quelques secondes, New York et ses banlieues seraient transformés en une plaine déserte, calcinée, sans vie.

Si une bombe de vingt mégatonnes explosait à très basse altitude, sur l'Empire State Building, l'étendue des dommages importants causés par le souffle serait — comme pour une explosion au sol d'une mégatonne — relativement restreinte, mais la boule de feu, dont le diamètre approcherait les dix kilomètres, recouvrirait Manhattan de Wall Street au nord de Central Park, ainsi que certaines parties du New Jersey, de Brooklyn et de Queens, tuant ainsi instantanément, et même désintégrant littéralement, tous ceux qui se trouveraient à l'intérieur de ce périmètre. Là encore il faudrait s'attendre à des retombées, mais ce serait alors des milliers de kilomètres carrés qu'elles irradieraient mortellement. Une grande partie de la ville de New York et de ses habitants incinérés s'élèverait sous forme de poussière radioactive avec le champignon puis redescendrait sur les régions environnantes. L'explosion de

Bikini constitue l'une des rares occasions où l'on a pu observer les retombées radioactives locales d'une bombe de plusieurs mégatonnes. Selon le Glasstone, cette explosion de quinze mégatonnes, qui se produisit à deux mètres au-dessus d'un récif de corail, « contamina de façon importante un secteur de plus de dix-huit mille kilomètres carrés ». Si, comme cela semble vraisemblable, une bombe de vingt mégatonnes explosant au sol sur New York engendrait une quantité de retombées radioactives au moins équivalente, et si le vent entraînait ces retombées vers des régions peuplées, cette seule charge condamnerait probablement quelque vingt millions de personnes, soit presque dix pour cent de la population totale des Etats-Unis.

A l'heure actuelle, les forces « stratégiques » soviétiques — celles qui sont susceptibles de lancer des têtes nucléaires sur les Etats-Unis — sont en mesure de transporter sept mille têtes représentant une puissance explosive maximum d'environ dix-sept mille mégatonnes et, sauf progrès inattendus des négociations sur la limitation des armements, l'on s'attend à ce que le nombre de ces bombes s'accroisse encore au cours des années à venir. Le mégatonnage réel des forces stratégiques soviétiques n'est pas connu et, pour un certain nombre de raisons, dont le fait que les têtes nucléaires de petite dimension peuvent atteindre leur objectif avec plus de précision, ce mégatonnage est très probablement inférieur au maximum possible ; cependant, on peut légitimement supposer qu'il se monte au moins aux deux tiers de ce maximum, soit environ onze mille cinq cents mégatonnes. Si l'on admet que lors d'une attaque initiale les Soviétiques garderaient une réserve d'un millier de mégatonnes (force déjà considérable), cette offensive mettrait en jeu quelque dix mille mégatonnes, soit huit cent mille fois la bombe d'Hiroshima. Les forces stratégiques américaines sont dotées de quelque neuf mille têtes nucléaires d'une puissance totale d'environ trois mille cinq cents mégatonnes. Cet arsenal américain comparativement faible répond à des impératifs stratégiques. En effet, les spécialistes américains ont découvert que les têtes nucléaires plus petites pouvaient atteindre des cibles plus précises que les têtes de gros calibre, et étaient donc plus appropriées à l'attaque des forces stratégiques adverses. Et, il faut le reconnaître, les missiles américains présentent une précision supérieure à celle des engins soviétiques. Cependant, malgré cette supériorité en nombre et en précision, les dirigeants des Etats-Unis en sont venus à penser depuis un an ou deux que les forces américaines ne sont plus adaptées et, de nouveau sous réserve d'évolution imprévue des négociations sur la limitation des armements, on peut craindre une brusque augmentation à la fois en puissance et en nombre de l'arsenal de ce pays. (Ni les Etats-Unis ni l'Union soviétique ne rendent publique la puissance explosive totale de leurs forces. Il ne nous reste qu'à nous adresser à des organisations privées qui, en réunissant les centaines d'informations que les deux gouvernements ont lâchées par bribes, tentent de dresser un tableau général. En ce qui me concerne, j'ai tiré la plupart des chiffres me permettant d'estimer l'arsenal maximum de chaque camp, des tableaux publiés dans la dernière édition de « The Military Balance », sorte de rapport annuel à l'usage du public édité par l'Institut International d'Etudes Stratégiques de Londres.) Le territoire américain, en comptant l'Alaska et Hawaii, a une superficie de neuf millions trois cent soixante-trois mille kilomètres carrés. La population des Etats-Unis est d'environ deux cent vingt-cinq millions d'habitants, dont soixante pour cent, soit cent trente-cinq millions, vivent dans les centres urbains, n'occupant qu'une superficie de quarante-six mille kilomètres carrés. J'ai demandé au docteur Kendall, à qui l'on doit d'importants travaux sur les conséquences d'éventuelles attaques nucléaires, d'esquisser à grands traits ce que serait la répartition des bombes sur les diverses cibles militaires et civiles américaines lors d'une offensive soviétique de l'ordre de dix mille mégatonnes, si elle se produisait dans un futur proche.

« Pour simplifier, explique le docteur Kendall, nous pouvons imaginer que nous aurions affaire à dix mille armes d'une mégatonne chacune — bien qu'en réalité il s'agirait évidemment d'un arsenal très diversifié. Partons aussi de l'hypothèse, compréhensible pour tous, qu'en moyenne les bombes seraient pour moitié à fission et pour moitié à fusion. Cette proportion est importante, car ce sont les produits de fission — une collection de quelque trois cents isotopes radioactifs dotés chacun d'une période de décroissance propre

— qui contaminent les retombées de l'explosion. Lors d'une explosion à très basse altitude, la fusion peut encore augmenter, mais en quantité relativement faible, le taux de radioactivité en bombardant le sol de neutrons. On peut diviser les cibles en deux catégories, selon qu'elles sont plus ou moins difficiles à anéantir. Les cibles difficiles, près d'un millier aux Etats-Unis, sont principalement constituées par les silos. La plupart d'entre eux ne peuvent être détruits que par des surpressions considérables, allant de plusieurs dizaines à quelques centaines de kilogrammes par centimètre carré, et l'on peut donc s'attendre à ce que deux bombes soient affectées à la destruction de chaque silo. Deux mille mégatonnes seraient donc consacrées à ces cibles difficiles. Comme les autres objectifs militaires stratégiques — telles les bases du *Strategic Air Command* — se trouvent près de centres urbains, une attaque les prenant pour cible, mettant en jeu peut-être deux cents mégatonnes supplémentaires, pourrait causer, d'après la *Arms Control and Disarmament Agency,* un total de plus de vingt millions de victimes. Si les quelque sept mille huit cents charges restantes étaient destinées aux agglomérations américaines par ordre décroissant d'importance, toutes les villes de plus de quinze mille habitants recevraient une bombe d'une mégatonne — ce qui suffirait bien sûr à anéantir plusieurs fois chacune de ces villes. Pour des raisons évidentes, centres industriels et centres urbains se confondent souvent, et on ne peut attaquer les uns sans frapper les autres, surtout lorsqu'il s'agit d'offensives d'une telle ampleur. Dix mille cibles, cela représente tous les objectifs un tant soit peu intéressants du pays, et même beaucoup plus ; cela correspond en fait purement et simplement aux Etats-Unis tout entiers. Les agresseurs seraient à court de cibles et de victimes bien avant d'être à court de bombes. Si l'on imaginait que les têtes soient réparties en fonction de la population, en admettant que l'attaque portée contre les objectifs militaires ait déjà causé la mort de vingt millions de personnes, il resterait alors quarante mégatonnes par million d'habitants. Cela représenterait trois cents mégatonnes pour la seule ville de New York et ses sept millions et demi d'habitants. Considérant la puissance dévastatrice d'une mégatonne, on voit que ce serait faire preuve d'un acharnement déraisonnable. En réalité, l'agglomération new-yorkaise subirait vraisemblablement un bombardement se limitant à quelques douzaines d'armes d'une mégatonne. »

D'après différentes sources dont le docteur Kendall, dans les premières minutes d'une offensive de dix mille mégatonnes lancée contre les Etats-Unis, des sphères d'un blanc incandescent s'épanouissant au-dessus des métropoles, des villes et des banlieues, illumineraient brusquement d'immenses régions, comme autant de soleils plus aveuglants encore que l'astre lui-même. Simultanément, une fois arrivée la vague de missiles initiale, la plupart des habitants des premières régions touchées seraient irradiés, broyés ou carbonisés. Le rayonnement thermique soumettrait plus d'un million cinq cent mille kilomètres carrés, soit un sixième de la superficie de la nation, à une chaleur de quarante calories par centimètre carré — température à laquelle les chairs humaines sont calcinées. (A Hiroshima, l'un des spectacles les plus fréquents était celui de restes carbonisés ne rappelant plus que vaguement la forme humaine.) Dix millions de personnes seraient réduites en cendres. Au plus fort de l'attaque, il régnerait, sur les trois quarts du pays au moins, une chaleur susceptible d'embraser tous les matériaux inflammables. Dans les instants suivant le bombardement, tandis que les ondes de choc se propageraient à partir du cœur de milliers d'explosions, l'infrastructure des Etats-Unis serait balayée comme des feuilles emportées par le vent. Le million et demi de kilomètres carrés déjà grillé par le souffle brûlant d'au moins quarante calories par centimètre carré, serait maintenant frappé par des ondes de choc de l'ordre de 0,35 kilogramme par centimètre carré, rasant ou pulvérisant tous les lieux de travail, habitations et autres installations — en fait, toutes les réalisations humaines du territoire américain. Puis, tandis que des nuages de poussière monteraient de la terre et que les champignons atomiques s'étendraient, s'unissant parfois les uns aux autres pour former d'immenses dais, le jour ferait place à la nuit. (Les ténèbres engloutiraient alors un tiers du territoire national.) Bientôt, les décombres des villes, et toutes les forêts suffisamment sèches pour brûler seraient la proie des flammes. Ces feux ravageraient tout simplement les Etats-Unis. Ainsi, lorsqu'on se représente une attaque totale contre les Etats-Unis ou contre tout autre pays, l'image de la ville unique anéantie par une seule bombe — image solidement ancrée dans les esprits à cause sans doute des bombardements d'Hiroshima et Nagasaki — doit céder la place à un tableau montrant des contrées entières transformées par un pilonnage nucléaire en vastes régions infernales, des dizaines de milliers de kilomètres carrés d'où personne ne pourrait fuir. A Hiroshima et Nagasaki, les survivants capables de se déplacer purent gagner des régions intactes où ils trouvèrent de l'aide. En revanche, dans une ville ayant reçu trois ou quatre bombes — pour ne pas dire cinquante ou une centaine — vouloir échapper à une zone de péril reviendrait à se précipiter dans une autre, et personne ne s'en sortirait vivant. A l'intérieur de ces zones, chacun des trois effets immédiats de l'arme nucléaire — la radiation initiale, le rayonnement thermique et l'onde de choc — suffirait à lui seul à éliminer la plupart des gens : la radiation nucléaire initiale contaminerait de façon mortelle des dizaines de milliers de kilomètres carrés ; les ondes de choc, se propageant de tous les côtés, maintiendraient partout une surpression capable de détruire la quasi-totalité des immeubles ; et le rayonnement thermique, émanant lui aussi de toute part, serait constamment assez intense non seulement pour tuer toutes les personnes non protégées mais encore pour embraser tout ce qui est susceptible de brûler. Pour faire comprendre la facilité avec laquelle l'immense majorité de la population du pays pourrait être piégée à l'intérieur de ces secteurs fatidiques, il suffit de souligner le fait que les soixante pour cent de la population vivant sur une superficie totale de quarante-sept mille kilomètres carrés pourraient être supprimés au moyen de seulement trois cents bombes d'une mégatonne — le nombre nécessaire pour provoquer dans ces zones une surpression d'au moins 0,35 kilogramme par centimètre carré et pour élever la chaleur de quarante calories par centimètre carré. Il resterait ainsi pour les autres cibles neuf mille sept cents mégatonnes, soit quatre-vingt-dix-sept pour cent des forces totales de départ. (On imagine difficilement ce que l'agresseur ferait alors de toutes ces bombes. Au-delà de plusieurs milliers de mégatonnes, cela reviendrait presque à une chasse à l'homme à coups de têtes nucléaires.)

On peut présenter de bien des façons les statistiques concernant la radiation nucléaire initiale, le rayonnement thermique et l'onde de choc, lors d'un holocauste, mais toutes ne seraient que des variations sur un thème unique : l'anéantissement des Etats-Unis et du peuple américain. Cependant, si les effets nucléaires immédiats d'une offensive de dix mille mégatonnes sont suffisamment puissants pour détruire plusieurs fois le pays, ils ne constituent pas les effets locaux les plus mortels de l'arme nucléaire. Le pouvoir meurtrier des retombées locales est bien plus redoutable. En conséquence, si l'Union soviétique décidait de causer le maximum de ravages — c'est-à-dire si ses dirigeants projetaient, par calcul, colère ou folie, d'éliminer les Etats-Unis non seulement comme entité sociale et politique mais aussi comme entité biologique — elle choisirait de faire exploser ses bombes au sol plutôt qu'en altitude. Quoique l'étendue des dommages importants provoqués par le souffle serait alors réduite, les ondes de choc, les boules de feu et les rayonnements thermiques suffiraient encore amplement à la destruction du pays, et, de surcroît, pourvu que les bombes soient suffisamment dispersées, les retombées mortelles se répandraient sur l'ensemble du territoire de la nation. On ne connaît pas encore avec exactitude la quantité de radiations qu'émettent les retombées d'une explosion au sol d'une puissance donnée — notamment parce que, comme le souligne le Glasstone, on n'a jamais « vraiment fait exploser au sol » une bombe d'une puissance supérieure à une kilotonne. (L'essai de Bikini fut effectué en partie au-dessus de l'océan.) De nombreux facteurs contribuent à cette incertitude, notamment : les quantités relatives de particules radioactives qui s'élèvent jusqu'à la stratosphère ou qui retombent jusqu'au sol à proximité de l'explosion dépendent, entre autres, de la puissance de l'arme et ne peuvent de toute façon qu'être estimées ; la composition des retombées varie en fonction de la nature des matériaux au sol qui sont aspirés par le champignon nucléaire ; les prévisions concernant la répartition des retombées d'après la vitesse et l'altitude des vents dépendent du choix d'un des divers « modèles » ; enfin le calcul du moment auquel les particules radioactives atteindront le sol — évaluation importante du fait que les retombées ne deviennent nocives pour les êtres vivants qu'après s'être fixées près d'eux — est sujet à de semblables incertitudes. Cependant, si l'on procède à des calculs en se fondant sur les chiffres qui figurent sur le rapport de l'*Office of Technology Assessment,* et concernent une

71

explosion d'une mégatonne, on découvre que dix mille mégatonnes produiraient sur tout le territoire des doses supérieures en moyenne à dix mille rems par semaine. En réalité, les bombes ne seraient évidemment pas réparties de façon régulière sur le pays mais plutôt concentrées sur les zones urbaines et les silos ; dans la plupart des centres d'habitation et de travail, les doses dépasseraient très vraisemblablement largement la moyenne, atteignant fréquemment plusieurs dizaines de milliers de rems au cours de la première semaine, tandis que dans les régions isolées, elles seraient moindres voire inexistantes. (Les Etats-Unis comprennent de vastes étendues désertiques et, quel que soit le point de vue, il serait dépourvu de sens de les prendre pour cibles.)

Ces chiffres nous permettent de mieux évaluer les problèmes de la défense civile. Compte tenu de la violence avec laquelle les effets locaux frapperaient instantanément la grande majorité de la population, et des doses d'irradiation s'élevant la première semaine à plusieurs dizaines de milliers de rems, il n'y a rien à espérer ni d'une évacuation ni d'un recours aux abris. Inutile de préciser qu'en ces circonstances, vouloir évacuer la population avant une attaque reviendrait à arracher les gens à une zone mortelle pour les conduire dans une autre. Certaines descriptions d'un monde victime d'une guerre nucléaire nous montrent des opérations de secours mettant en scène des survivants encore valides qui apportent de la nourriture, des vêtements et des médicaments aux blessés, ces derniers parvenant à rejoindre des communautés épargnées où l'on a installé à leur intention des églises, des écoles et autres institutions — comme cela se produit souvent, disons, après une violente tempête de neige. De toute évidence, rien de tel ne se produirait. Tout d'abord, il n'y aurait vraisemblablement aucune communauté épargnée après une offensive massive, et ensuite, tous ceux qui ne se seraient pas isolés de l'environnement extérieur pendant plusieurs mois au moins mourraient très vite des troubles consécutifs à l'irradiation. En conséquence, dans les mois qui suivraient un conflit nucléaire, plus aucune activité ne subsisterait car, ironie du sort, les morts occuperaient la surface tandis que les vivants, en admettant qu'il y en ait, resteraient terrés dans les profondeurs.

Pour que cette évaluation des doses éventuelles d'irradiation sur l'ensemble du territoire soit complète, il faut ajouter encore un détail. En effet, des attaques portées contre les soixante-seize centrales nucléaires américaines engendreraient des retombées dont la période de décroissance radioactive serait considérablement plus longue que celle des retombées dues aux seules armes. Le docteur Kosta Tsipis, physicien à l'Institut de Technologie du Massachusetts, et l'un de ses étudiants, Steven Fetter, ont récemment fait paraître dans le *Scientific American* un article intitulé « Les Effets catastrophiques de la radioactivité », dans lequel ils calculent les ravages que causerait une bombe thermonucléaire d'une mégatonne tombant sur une centrale nucléaire d'un gigawatt (un million de kilowatts). Dans une telle hypothèse, les éléments radioactifs de l'installation seraient vaporisés avec l'ensemble de la centrale et les débris seraient aspirés par le champignon atomique avant de redescendre jusqu'au sol. Mais, alors que l'explosion donnerait naissance à des produits de fission dont la plupart seraient des isotopes ayant une période de décroissance radioactive extrêmement courte, les produits de fission contenus dans le réacteur constitueraient toute une série d'isotopes de période très longue (et ceci s'applique plus particulièrement encore au combustible irradié plongé dans les piscines de désactivation se trouvant à proximité du réacteur), puisque les isotopes de période courte auraient eu presque tout le temps de perdre leur radioactivité mortelle. Les radiations intenses mais relativement brèves de la tête nucléaire tueraient les gens au cours des premières semaines, voire des premiers mois suivant l'explosion ; les radiations conjointes de l'arme et de la centrale, elles, interdiraient toute vie sur d'immenses contrées pendant des dizaines d'années. Ainsi, un an après le cataclysme, une région de quatre mille quatre cents kilomètres carrés se trouvant sous le vent d'une centrale qui aurait reçu une bombe d'une mégatonne (en admettant de nouveau que le vent souffle à vingt-cinq kilomètres à l'heure) soumettrait encore quiconque essaierait d'y vivre à une dose annuelle de cinquante rems, soit deux cent cinquante fois la dose acceptable selon les normes de l'E.P.A. A elle seule, la bombe ne produirait un effet semblable que sur une zone de soixante-sept kilomètres carrés. (Les réacteurs non seulement offrent à l'ennemi le moyen de multiplier l'efficacité de ses coups lors d'une offensive totale,

73

mais ils constituent des cibles incomparables pour de simples terroristes. Dans un article précédent, Tsipis et Fetter font remarquer que « la destruction d'un réacteur à l'aide d'une bombe atomique, même de puissance relativement faible, comme pourrait l'être l'arme rudimentaire de terroristes, représenterait une catastrophe nationale aux conséquences durables. » A la liste des aspects alarmants de l'ère nucléaire, s'ajoute donc le fait qu'en construisant des centrales, les nations ont procuré à des ennemis ne détenant que quelques rares armes atomiques le moyen de faire subir à leur territoire de terribles dévastations et de le contaminer pour très longtemps.)

Celui qui, après un conflit nucléaire, se cacherait suffisamment profondément et suffisamment longtemps sous terre pour survivre, ne découvrirait en sortant qu'un environnement naturel moribond. La vulnérabilité de l'environnement constitue donc un argument définitif contre l'utilité du recours aux abris : il n'est pas de trou assez grand pour y enfouir la nature tout entière. La radioactivité contamine le milieu de bien des façons. Les radiations émises par les retombées sont principalement composées de rayons gamma, c'est-à-dire de rayonnement électromagnétique de la plus haute intensité, et de particules bêta, qui sont des électrons éjectés à très grande vitesse lors de la désintégration du noyau. Les rayons gamma soumettent l'organisme à des doses intéressant tout le corps et sont à l'origine de la plupart des troubles causés par les retombées radioactives. Les particules bêta, moins pénétrantes que les rayons gamma, ont une portée très courte et ne deviennent nocives que lorsqu'elles se concentrent sur la peau ou à la surface d'une feuille. Ces particules agressent les plantes sur lesquelles les retombées s'accrochent — produisant ainsi des « brûlures bêta » — et les animaux herbivores chez qui l'absorption des feuilles contaminées peut provoquer des brûlures et des troubles gastro-intestinaux. Le strontium 90 (doté d'une période de décroissance radioactive de vingt-huit ans) et le césium 137 (ayant une période de trente ans) sont parmi les isotopes les plus dangereux contenus dans les retombées. Ils s'introduisent dans la chaîne alimentaire en se fixant sur les racines des plantes, ou en étant ingérés directement par les animaux, contaminant ainsi l'environnement de l'intérieur. Le strontium 90 est chimiquement voisin du calcium et, à ce titre, aisément absorbé par l'homme dans le squelette duquel il se fixe, causant ainsi des cancers osseux. (Chaque personne vivant actuellement sur notre planète présente dans ses os des traces quantifiables de strontium 90 dues aux retombées des essais nucléaires atmosphériques.)

Depuis des années, certains ministères et autres administrations gouvernementales ont financé de nombreuses recherches au cours desquelles on a irradié toutes sortes de végétaux et d'animaux dans le but de déterminer pour chaque espèce la dose létale et la dose stérilisante. Ces découvertes permettent d'affirmer qu'un conflit nucléaire aurait de nombreuses et graves conséquences écologiques. Selon *L'Agriculture et l'Elevage en cas de guerre nucléaire,* conclusions d'un symposium qui s'est tenu en 1970 au Laboratoire National de Brookhaven, les doses létales de radiations gamma se situent pour la plupart des mammifères entre quelques centaines de rads et un millier de rads ; le rad, unité servant à évaluer la dose de rayonnement absorbée par un corps, correspond à peu près au rem. Ainsi, pour du gros bétail paissant sous une pluie de retombées radioactives, et ingérant donc des particules bêta, la dose mortelle de rayonnement gamma serait de cent quatre-vingts rads ; elle atteindrait deux cent quarante rads pour les moutons, cinq cent cinquante rads pour les porcs, trois cent cinquante rads pour les chevaux et huit cents rads pour la volaille. Lors d'une offensive de dix mille mégatonnes, qui engendrerait sur l'ensemble du territoire des radiations d'un niveau moyen supérieur à dix mille rads, la plupart des mammifères des Etats-Unis disparaîtraient. Pour les oiseaux, les doses létales sont sensiblement les mêmes que pour les mammifères, et eux aussi seraient exterminés. Les poissons succombent à des doses se situant entre mille cent et environ cinq mille six cents rads, mais leur sort est plus difficile à prévoir. D'une part, l'eau, qui forme une sorte de bouclier, leur assurerait une certaine protection ; d'autre part, les retombées emportées par les eaux de ruissellement pourraient s'accumuler dans les rivières. (L'irradiation n'étant pas douloureuse, les animaux libres de vagabonder ne feraient rien pour l'éviter.) La seule classe animale comprenant des espèces aptes à survivre, du moins à court terme, est celle des insectes, pour laquelle, dans la plupart des cas observés, la dose létale se situe entre deux mille et cent mille rads. En conséquence, seules certaines espèces d'insectes seraient détruites. Hélas pour le reste de l'environnement, nombre des phytophages — insectes se nourrissant de matière végétale — qui « comprennent quelques-unes des espèces les plus dévastatrices de la terre » (comme l'écrit le docteur Vernon M. Stern, entomologiste à l'Université californienne de Riverside, dans *L'Agriculture et l'Elevage...*), bénéficient d'une tolérance extrêmement élevée. On pourrait donc s'attendre à ce qu'ils survivent en très grand nombre et se mettent à proliférer après la catastrophe, d'autant plus aisément que leurs prédateurs naturels, les oiseaux, auraient disparu.

Les plantes tolèrent généralement mieux la radioactivité que les animaux. Néanmoins, d'après le docteur George M. Woodwell, qui, pendant plusieurs années, a étudié les effets des rayons gamma sur une petite forêt, au laboratoire de Brookhaven, une dose de rayonnement gamma de dix mille rads « dévasterait la quasi-totalité de la végétation » des Etats-Unis. Si l'on prend en considération, comme plus haut pour le gros bétail, le rayonnement bêta, il faut alors diminuer de moitié l'estimation de la dose mortelle de rayons gamma. Le docteur Woodwell et ses confrères de Brookhaven ont découvert que les grandes plantes étaient généralement plus vulnérables que les petites. Les arbres mourraient les premiers, la dernière à périr serait l'herbe. Les arbres les moins résistants sont les pins et autres conifères, pour lesquels les doses létales sont sensiblement du même ordre que pour les mammifères. Un survivant émergeant de son abri quelques mois après l'attaque découvrirait que, même restés debout, tous les pins seraient déjà morts. Pour les feuillus, la dose mortelle est le plus souvent comprise entre deux et dix mille rads — et, en fait, entre deux et huit mille pour quatre-vingts pour cent d'entre eux. Si l'on admet qu'une charge additionnelle de rayons bêta peut abaisser de moitié la dose létale de rayonnement gamma, celle-ci serait donc, en cas d'attaque nucléaire, comprise entre mille et quatre mille rads pour ces feuillus. Une offensive totale les tuerait évidemment tous. Ensuite, après la mort de ces arbres, des incendies de forêts se déclareraient sur l'ensemble du territoire américain. (Comme le rayonnement thermique aurait soumis les trois quarts du pays à des températures incendiaires, l'embrasement des terres aurait déjà anéanti une partie importante du monde végétal dans les premières secondes suivant l'explosion, n'en abandonnant qu'un relativement faible pourcentage aux radiations nocives.) Il a été établi que, pour les plantes herbacées ayant subi l'expérience, la dose mortelle se situait entre six mille et trente-trois mille rads, ce qui laisse supposer que nombre d'entre elles survivraient, excepté sur les lieux les plus durement touchés par l'attaque. Cependant, la plupart des céréales succombent à des doses inférieures a cinq mille rads et disparaîtraient donc totalement. (Pour donner un exemple, un jeune plant d'orge meurt à mille neuf cent quatre-vingt-dix rads tandis qu'une pousse de blé supporte jusqu'à trois mille quatre-vingt-dix rads.)

Lorsque le sol est privé de sa végétation, il se détériore. Au fur et à mesure que la terre s'éroderait après un conflit atomique, la vie des lacs, des rivières et des estuaires, déjà très atteinte par l'irradiation, aurait à subir un afflux de minéraux apportés par les eaux de ruissellement et qui seraient à l'origine d'un phénomène d'eutrophisation — processus au cours duquel une surabondance de substances nutritives dans l'eau favorise la prolifération d'algues et d'organismes microscopiques qui provoquent la désoxygénation des eaux. Quand le sol perd ses éléments nutritifs, il devient incapable d' « entretenir une société élaborée » (pour reprendre l'expression du docteur Woodwell), et il se produit une « simplification sommaire » de l'environnement : les « espèces résistantes » comme les plantes herbacées et les mousses ont alors tendance à remplacer les plus vulnérables, comme les arbres ; la reconstitution — processus par lequel les écosystèmes recouvrent leur diversité perdue — est « retardée ou même arrêtée ». Une offensive nucléaire totale ravagerait donc l'environnement naturel à un degré inconnu depuis les premières ères géologiques où, à la suite de catastrophes contre lesquelles la nature n'était pas préparée, des espèces et des écosystèmes entiers disparurent de la surface de la terre. Il est encore impossible d'évaluer jusqu'où pourrait aller cette « simplification sommaire » du milieu naturel une fois que la quasi-totalité de la vie animale et que la majeure partie du monde végétal auraient été réduits à néant, et quelle serait l'évolution à long terme des dernières parcelles de vie épargnées ; il semble cependant que dans un premier temps, les

Etats-Unis ne seraient plus qu'une république d'herbes et
d'insectes.

On a parfois prétendu que les Etats-Unis pourraient survivre à
une agression soviétique de type atomique, mais les chiffres nus
concernant la portée des ondes de choc, des rayonnements
thermiques et celle des retombées radioactives accumulées
suffisent à briser définitivement cet espoir. Ces chiffres prédi-
sent la fin des Etats-Unis. En outre, si l'on imagine au contraire
une offensive menée contre l'Union soviétique, le résultat sera
le même : la mort d'une nation. (Mais la plus grande superficie
de l'Union soviétique et le moindre mégatonnage des forces
américaines réduiraient peut-être l'ampleur du désastre.) De
même périrait n'importe quelle nation subissant une attaque de
plusieurs centaines de mégatonnes. La Chine, le Japon et tous
les pays européens, aux densités de population relativement
fortes, présentent une vulnérabilité particulière, même à des
agressions de « faible » niveau. Il n'existe pas en Europe de
pays où susbisterait une fraction notable de la population après
l'explosion de plusieurs centaines de mégatonnes ; la plupart
d'entre eux seraient détruits par quelques dizaines de mégatonnes seulement. Déjà, ces conclusions s'imposent, avant même
que l'on ait pu prendre en compte les conséquences écologiques
globales d'un holocauste qui viendraient évidemment se greffer
sur les conséquences locales. Quand on considère la vie de
l'homme et la structure de l'existence humaine au travers du
quotidien de chacun, ces notions nous paraissent extraordinairement solides et bien ancrées, mais dès que l'on compare notre
société aux forces de l'univers libérées sur la terre par l'arme
nucléaire, elle se révèle limitée et fragile, semblable à un peu
d'humus ou de mousse tapissant les crevasses d'un paysage que
le feu atomique emporterait sans peine.

Nombre de débats portant sur l'éventualité d'une attaque
nucléaire contre les Etats-Unis s'attardent tout particulièrement sur les conséquences économiques d'un tel événement
pour la nation : pourtant, une fois que la population a été déci-
mée et que l'environnement se désagrège, le concept d'« économie » n'a plus de sens ; par exemple, quelle importance
pourrait revêtir le pourcentage de l' « industrie automobile »

épargnée, si tous les producteurs et chauffeurs de voitures ne sont plus ? Il est en fait doublement irréaliste de chercher à évaluer ce qui subsisterait de l'économie après un holocauste. En effet, l'économie d'un pays est beaucoup plus vulnérable que sa population et, dans la plupart des cas d'attaque « limitée », elle subirait des pertes beaucoup plus lourdes. Jamais un cataclysme nucléaire ne nous laisserait devant l'absurdité d'une installation industrielle perdue non à cause de la déflagration mais par soudain manque de personnel. Cependant, en cas d'offensives relativement faibles, on peut concevoir la destruction plus ou moins totale de l'économie avec une population anéantie à soixante-dix ou quatre-vingts pour cent. Et comme les dirigeants américains semblent envisager souvent depuis quelque temps la possibilité d'une « guerre nucléaire limitée », il serait sans doute intéressant de parler des conséquences éventuelles d'attaques « faibles ». Nous connaissons trop mal les effets nucléaires pour savoir exactement quelle fraction de la population survivrait à une offensive donnée, mais le fait que soixante pour cent des Américains occupent quarante-six mille six cents kilomètres carrés et pourraient être rayés de la carte par les rayonnements thermiques, les ondes de choc et les incendies déclenchés par environ trois cents bombes d'une mégatonne, donne quelques ordres de grandeur. Les retombées engendrées par les bombes explosant au ras du sol décimeraient vraisemblablement dix ou quinze pour cent de la population restante (huit cent mille kilomètres carrés seraient soumis à une radioactivité mortelle) ; si l'on augmente encore le nombre de bombes de quelques centaines, on arrive à un pourcentage de quatre-vingt-cinq pour cent de la population totale succombant à court terme. Autrement dit, si le bombardement d'objectifs civils se limite à quelques centaines de mégatonnes, plusieurs dizaines de millions de personnes pourraient échapper à une mort rapide. Mais cette même offensive détruirait à tel point les infrastructures économiques et, bien entendu, le personnel ouvrier et d'encadrement qui les font fonctionner, que l'économie nationale serait en réalité annihilée à cent pour cent. (Lorsque l'on analyse un éventuel conflit nucléaire, on a tendance à s'habituer à des expressions telles « un millier de mégatonnes » et à considérer des puissances inférieures comme insignifiantes. Pourtant, une seule mégatonne, c'est-à-dire quatre-vingts fois la puissance explosive d'Hiroshima, causerait, lâchée sur les Etats-Unis sous forme de petites bombes, une catastrophe inimaginable. Dix mégatonnes, soit huit cents fois Hiroshima, provoqueraient des ravages sans précédent pour n'importe quelle nation. Cent mégatonnes — huit mille fois Hiroshima — dépassent totalement l'entendement.)

Dès que l'on suppose que des dizaines de millions de personnes réchapperaient des effets initiaux d'une agression, ce qu'on appelle les effets à long terme d'un holocauste s'imposent à la réflexion ; en fait, parler de ces effets ne prend tout son sens que si l'on envisage une attaque relativement faible, car il y aurait alors des survivants pour les subir. Les suites les plus évidentes sont les blessures. Après une offensive qui tuerait sur le coup de cinquante à soixante-dix pour cent de la population, la grande majorité des survivants seraient blessés. En cas d'attaque limitée, certains tenteraient de se frayer un chemin jusqu'aux abris pour se protéger des retombées qui, bien que moins intenses que celles d'une offensive de grande envergure, n'en seraient pas moins mortelles dans la plupart des zones urbaines. (Si nous admettons une fois encore qu'il s'agit d'explosions au ras du sol et que deux mille mégatonnes ont été consacrées à des objectifs militaires, les doses moyennes de radioactivité sur l'ensemble du territoire atteindraient quelques milliers de rems. Mais en l'occurrence, des doses moyennes ne signifieraient pas grand-chose ; les doses seraient en fait extrêmement fortes dans certains endroits et quasi inexistantes dans d'autres selon la cible et les conditions atmosphériques.) Ceux qui pourraient gagner les abris et réussiraient à s'y enfermer à temps auraient peut-être une chance de survivre dans certaines régions, mais énormément de gens seraient mortellement irradiés sans le savoir (puisque l'irradiation ne cause aucune douleur), pénétreraient dans les abris et y mourraient, les rendant inhabitables pour les autres. Si un nombre trop important de survivants essayaient de trouver une place dans ces refuges, les tentatives de sélection pour déterminer qui serait autorisé ou non à entrer commenceraient dans la haine et se termineraient dans un véritable chaos. (Au cours des années cinquante, époque où les Américains s'attardaient davantage qu'aujourd'hui sur l'idée de construire des abris, certaines communautés prévoyaient même de s'armer pour défendre leurs refuges contre d'éventuels intrus.) Il faut également souligner que la fuite dans les abris de la fraction de la population n'ayant pas trop souffert entraînerait de graves conséquences pour l'ensemble des survivants, car en prenant l'hypothèse d'une attaque limitée, nombreux seraient à la surface les blessés qui périraient faute de secours alors que leurs blessures n'étaient pas mortelles. Une large utilisation des refuges signifierait donc des morts supplémentaires ; les blessés et les malades mourraient à l'extérieur, attendant en vain l'aide des personnes indemnes terrées dans leurs souterrains.

Aux blessures dues aux explosions s'ajouteraient les épidémies. Le docteur H. Jack Geiger, qui enseigne la médecine à la Faculté d'Etudes Biomédicales de l'université de New York, me décrivait récemment les conditions médicales qui succéderaient vraisemblablement à un conflit nucléaire limité. « Le pays serait jonché de millions de cadavres humains et animaux », fit-il remarquer. « Ceci constitue déjà une situation unique dans l'histoire. Les facteurs de pollution de l'eau et de la nourriture seraient considérables. Si vous lisez des témoignages sur les grandes catastrophes naturelles comme les typhons ou les inondations, vous vous apercevez que le choléra ou la typhoïde sont toujours à craindre. Les corps deviendraient rapidement la proie d'une colonie d'insectes extrêmement prolifiques qui sont, on le sait, les principaux vecteurs de la maladie. Evidemment, le matériel médical ayant été détruit, aucune mesure ne pourrait être prise pour combattre ces épidémies. Les services publics les plus élémentaires comme l'eau courante ou le ramassage des ordures ne seraient bien entendu plus remplis. Enfin, étant donné les blessures et les troubles consécutifs à l'irradiation subie, les survivants seraient moins aptes à résister à l'infection. On ne saurait imaginer situation plus propice à la propagation des épidémies. »

Les stratèges de la guerre nucléaire parlent souvent d'une période de « redressement » qui suivrait une attaque limitée, mais la perspective la plus plausible serait une détérioration radicale des conditions de vie à long terme. Dans les premiers temps, les survivants pourraient récupérer de la nourriture et des vêtements parmi les décombres, mais ces denrées s'épuiseraient très vite. L'économie — qu'elle soit moderne ou primitive — constitue pour un peuple le seul moyen d'exister quotidiennement. Anéantissez l'économie — interrompez-en le fonctionnement ne serait-ce que pendant quelques mois — et vous supprimez les moyens d'existence. En réalité, si suffisamment de gens échappaient à la mort, l'économie finirait par renaître d'une façon ou d'une autre, mais entre-temps de nombreuses personnes périraient, mourant de faim faute de ravitaillement ; de froid, faute de combustible et d'abri ; de maladie, faute de soins médicaux. En outre, la destruction d'une économie moderne de type technologique aurait des conséquences particulièrement graves car elle serait plus difficile encore à rétablir. Une économie moderne formant, comme un écosystème, un tout unique et interdépendant, au sein duquel chaque élément a besoin de l'autre pour fonctionner, son anéantissement laisserait les survivants désemparés, incapables d'accomplir les tâches les plus élémentaires. L'agriculture elle-même — notre moyen de subsistance le plus immédiat — est prise dans les rouages de cette vaste machine et s'arrête donc en même temps que celle-ci. L'agriculture morderne s'appuie sur les engrais chimiques pour faire croître les plantes, sur les machines pour cultiver les terres, sur les moyens de transport pour faire parvenir les denrées aux consommateurs, à des milliers de kilomètres du lieu de production, sur le carburant pour faire fonctionner les véhicules et les machines, enfin, sur les insecticides et autres pesticides pour augmenter le rendement. Si l'on supprime brusquement ces engrais, machines, moyens de transport, carburants et pesticides, l'agriculture sera paralysée et les gens mourront de faim. L'interdépendance de l'ensemble du système est telle qu'aucun secteur de l'économie ne peut redémarrer tant que les autres secteurs resteront immobilisés.

Il va sans dire qu'au cours d'un conflit nucléaire, tous les secteurs de l'économie sombreraient en même temps. En conséquence, il ne serait plus question pour les survivants de restaurer le système détruit, mais d'en concevoir un nouveau, en repartant sur des bases beaucoup plus primitives. Réinventer un système économique primitif poserait cependant d'innombrables problèmes. Les économies dites primitives sont fondées sur une somme considérable de connaissances acquises grâce à l'expérience, savoir dont nous avons aujourd'hui perdu la plus grande partie. L'économie médiévale par exemple, quoique considérablement moins productive que la nôtre, n'en présentait pas moins une extraordinaire complexité et l'homme moderne serait bien incapable de recréer un tel système sur les vestiges des structures du XXe siècle. Après une attaque nucléaire limitée, les survivants devraient couramment affronter des situations telles, par exemple, celle d'un chauffeur d'autobus accoutumé depuis toujours à faire ses courses en ville dans un supermarché et qui se retrouverait brusquement contraint de faire lui-même pousser sa propre nourriture, ou encore celle d'un petit libraire de banlieue devant soudain apprendre à confectionner ses propres vêtements, sans parler du tissu. Une multitude de commodités quotidiennes dont nous profitons aujourd'hui sans nous poser de questions viendraient cruellement à manquer. Outre la pénurie de vivres et de vêtements, nous aurions à déplorer l'absence de chauffage, de lumière, d'eau courante, de téléphone, de courrier, de moyens de transport, d'appareils ménagers fonctionnant à l'électricité ou au gaz, d'informations autres que par le bouche à oreille, d'installations médicales, sanitaires, et de services sociaux fondamentaux tels la police ou les pompiers. Reconstruire une société exige du temps et ici il faudrait agir vite. La faim, la maladie et peut-être le froid commenceraient à harceler les rescapés hébétés, horrifiés, désorganisés et blessés le jour même de l'agression. Ils devraient aussitôt se mettre en quête de leur prochain repas. Se tenant au milieu des ruines de l'Ere spatiale, ils comprendraient que les débris d'économie moderne jonchant le sol — là une automobile, ici une machine à laver — ne correspondent plus à leurs besoins vitaux. Et le fait qu'après avoir quitté les abris, leur premier impératif ait été de fuir les zones fortement irradiées et calcinées, qui auparavant étaient leur ville, pour gagner des régions moins contaminées et sans doute inhabitées, ne leur rendrait pas vraiment la situation plus facile. Occupés à parer au plus urgent, les rescapés ne songeraient pas à la reconstruction de l'industrie automobile ou électronique ; ils se consacreraient entièrement au problème de trouver des baies non radioactives dans les bois, ou de reconnaître les arbres ayant une écorce comestible.

Enfin, les années passant, les survivants d'une attaque limitée n'auraient pas seulement à affronter un milieu ravagé et contaminé ; eux-mêmes souffriraient de fortes doses d'irradiation : les générations à qui il incomberait de reformer une société humaine seraient sans doute constituées d'hommes malades et infirmes. Les doses effectivement reçues par chaque individu dépendraient évidemment du contexte, mais certains chiffres donnent une idée de l'étendue de la contamination : si, dans une zone où les retombées émettraient à long terme des doses de dix mille rems, des gens sortaient des abris au bout de trois mois, ils recevraient encore au cours de leur vie trois pour cent du total, soit trois cents rems, dont deux cents pendant la première année. J'ai pu m'entretenir avec le docteur Edward Radford, professeur d'épidémiologie à l'Université de Pittsburgh et ancien président de la commission BEIR *(Biological Effects of Ionizing Radiation)* de l'Académie des Sciences des Etats-Unis, des conséquences médicales de telles doses. « L'incidence du cancer, à l'exclusion des cancers de la peau, est dans la population américaine de trente pour cent, et l'on peut dire que près de dix-sept pour cent des gens en meurent, m'expliqua-t-il. Comme on estime à cent cinquante rems la dose d'irradiation nécessaire pour doubler le taux d'incidence du cancer, on peut s'attendre à ce qu'une dose de trois cents rems provoque des cancers de toute sorte chez tout le monde et que la moitié des gens en meurent. De plus, comme on estime également à cent cinquante rems la dose nécessaire à l'induction de deux fois plus de malformations génétiques sévères — qui affectent actuellement dix pour cent de l'ensemble des naissances — nous pourrions craindre une augmentation considérable de ces malformations. » Il est plus que douteux qu'une société humaine ainsi affaiblie par la maladie et les malformations puisse survivre.

Lorsque l'on étudie les conséquences globales d'un holocauste, on doit d'abord se demander quelle serait l'ampleur des hostilités. L'opinion la plus répandue est qu'une guerre nucléaire, même totale, se limiterait à l'hémisphère nord, détruisant les Etats-Unis, l'Union soviétique, l'Europe, la Chine et le Japon, mais en fait aucune assurance n'existe que le conflit ne gagnerait pas d'autres parties du monde. Pour les dirigeants américains et soviétiques, les différences idéologiques qui opposent leurs deux nations concernent le monde entier et ces hommes seraient prêts pour défendre leur cause à étendre le conflit à n'importe quels pays de la terre. De plus, nul besoin d'être prophète pour prédire qu'après avoir reçu plusieurs milliers de mégatonnes d'explosif nucléaire sur leur territoire, les grandes puissances ne dirigeraient plus le monde, qu'elles n'existeraient même plus en tant que nations. A ce moment-là, les dirigeants des anciennes grandes puissances pourraient décider de prendre pour cible un pays quelconque que l'attaque aurait jusque-là épargné — le Viêt-nam, le Mexique, le Nigeria ou l'Afrique du Sud par exemple. Peut-être se rendraient-ils brusquement compte que le seul fait de survivre constituerait sur cette terre dévastée la puissance absolue, et peut-être l'un ou l'autre des ex-« grands » entreprendrait-il d'anéantir les nations moyennes semblant sur le point de partager l'idéologie de l'ennemi. Une fois encore, il est impossible de prévoir quelles pensées traverseraient l'esprit d'hommes terrés dans des abris ou enfermés dans des postes de commande aériens, d'hommes qui viendraient de procéder au massacre de centaines de millions de personnes et dont la propre nation viendrait de subir le même sort (et il ne faut jamais perdre de vue que la folie peut intervenir) ; on peut cependant imaginer que, s'efforçant de déterminer l'avenir politique du monde après le désastre, ces hommes choisissent de reporter le conflit dans les pays qui auraient dû rester neutres. Il se pourrait que les Etats-Unis prévoient d'ores et déjà dans des plans d'urgence de lancer quelques douzaines de mégatonnes sur, disons, Cuba, le Viêt-Nam ou la Corée du Nord, tandis que l'Union soviétique jetterait son dévolu sur des pays comme Israël, l'Afrique du Sud ou l'Australie. Nous sommes également en devoir de nous interroger sur ce que feraient une fois le massacre commencé, les Chinois, les Français et les Britanniques, qui possèdent tous la bombe atomique, ainsi que les Israéliens, les Afrikaanders et les Indiens, qui en sont probablement dotés. Notons par ailleurs que la liste des pays nucléarisés ou soupçonnés de l'être est en voie de s'allonger.

Même s'il paraît inadéquat de parler de la fin de la « civilisation » lorsque l'on mentionne la mort de centaines de millions de personnes, il faut malgré tout insister sur le fait qu'un conflit total, s'il couvrait l'hémisphère nord, ferait disparaître de la surface de la terre les civilisations européennes, chinoises, japonaises, soviétiques et américaines.

Comme je l'ai déjà dit, toute tentative d'évaluer les conséquences d'un holocauste nucléaire présente des incertitudes inévitables ; pourtant, quand on essaye de calculer ces conséquences pour un pays cible donné, les effets primaires locaux des bombes envoyées se révèlent tellement destructeurs que l'incertitude ne joue plus. Il est évident qu'il ne peut y avoir de savantes combinaisons des influences destructrices sur la société si cette société n'existe plus ; et les effets primaires locaux suffiraient amplement à rayer ces communautés de la carte. C'est pourquoi les observateurs qui parlent de « redressement » après un conflit atomique, ou de « gagner » une guerre nucléaire, rêvent complètement. Ils se croient encore dans un passé que l'arme nucléaire a balayé à tout jamais. Cependant, quand il s'agit de se demander quelles seraient les conséquences écologiques globales d'un holocauste, et avec elles, les risques d'extinction de la race humaine, les incertitudes, et les questions politiques qu'elles soulèvent, s'imposent à notre attention. Tout d'abord, il nous faut nous interroger sur notre planète. La terre constitue une énigme très complexe car elle réunit le mystère de la vie tout entière, celui de la vie sous chacune de ses formes, celui de notre existence, de nos pensées et de nos réalisations. (Etant donné que nous sommes des créations de la terre, chercher à comprendre notre planète équivaut souvent à une introspection.) Notre ignorance ne tient pas à un manque d'informations concernant la terre — nos connaissances sont au contraire pléthoriques et se sont élargies au cours de ce siècle plus que pendant toute l'histoire de l'humanité — mais à ce que notre savoir nous laisse entrevoir toute l'immensité de ce qu'il nous reste à découvrir. On peut considérer qu'en un sens, la connaissance renforce le sentiment d'ignorance. En amenant de nouvelles découvertes, le savoir ouvre la porte à de nouvelles interrogations mais ne nous permet pas encore de comprendre. L'investigation géologique du XXe siècle nous permet simplement de mieux mesurer l'étendue de notre ignorance. Le docteur Lewis Thomas, biologiste et essayiste éminent, définit ainsi notre incompétence : « Nous ne comprenons pas comment nous fonctionnons, dans quoi nous nous intégrons, et surtout, nous n'appréhendons pas les phénomènes gigantesques, impondérables qui constituent la vie et dont nous sommes des parties intégrantes et actives. En fait, la nature nous échappe totalement. » De tout ce qui peut être dit sur les effets globaux d'un conflit nucléaire, le principal est que la conscience de nos carences nous interdit de nous prononcer de façon définitive.

La science doit connaître ses propres limites pour être en mesure de prétendre à une certaine clarté, à une certaine précision ; il n'est donc pas surprenant que toutes les études faites sur les effets nucléaires globaux ne cessent de rappeler la faillibilité, et surtout, les immenses lacunes de l'état actuel de nos connaissances. C'est peut-être dans l'introduction du rapport de l'*Office of Technology Assessment* que se manifeste le mieux cet esprit de modestie et de prudence, introduction dans laquelle il est écrit que lorsque l'on parle d'holocauste atomique, le plus important n'est pas « ce que l'on sait », mais « ce que l'on ne sait pas ». Une remarque du rapport « provisoire » publié en 1977 par l'Académie des sciences des Etats-Unis concernant le danger que font courir à la stratosphère les perturbations dues à l'homme, souligne également la valeur fondamentale de l' « inconnu ». « Nous devons malheureusement avouer, lit-on dans ce rapport, que malgré des progrès généraux très substantiels, les récents développements de la chimie stratosphérique ont été dominés par de véritables bouleversements dus à la découverte de l'importance de processus dont on n'a pu déterminer le rôle avec exactitude... ou dont on a mal évalué les coefficients... S'aventurer à préciser combien d'autres bouleversements de ce type nous attendent équivaudrait à prédire l'imprévisible. » Le rapport poursuit en faisant remarquer que plus la chimie stratosphérique progresse, plus il devient impossible « même avec le plus perfectionné des ordinateurs, de décrire précisément les mouvements en trois dimensions de l'atmosphère tout en incluant chacune des réactions chimiques ». Avant ces « bouleversements », les chercheurs semblaient « connaître » énormément de choses ; après, ils s'aperçurent de leurs insuffisances.

Notre ignorance porte conjointement sur l'existence possible d'effets importants d'une explosion atomique et sur la puissance exacte des effets connus ainsi que de leurs innombrables interactions. Comme souvent lorsqu'il s'agit de science, l'histoire des découvertes portant sur les effets de l'explosion nucléaire est jalonnée de surprises, à commencer par celle que constitua la fission du noyau. Sans doute le second sujet d'étonnement fut-il l'étendue des retombées radioactives nocives ; ceci n'apparut que lors de l'explosion des quinze mégatonnes de l'essai effectué en 1954, à Bikini, quand, à la stupéfaction des responsables, des retombées se mirent à descendre sur les habitants des Iles Marshall et sur les soldats américains en poste dans les stations météorologiques installées sur des atolls situés à des distances jugées sûres du lieu de l'explosion. Ce fut à ce moment seulement que le monde entier apprit l'ampleur réelle — ou du moins, telle que nous l'évaluons actuellement — du danger que présentent les retombées radioactives. La surprise suivante concerna la portée du rayonnement électromagnétique. La dernière révolution fut sans doute la découverte, au cours des années soixante-dix, du péril qui menace la couche d'ozone. Vers 1970, certains scientifiques commencèrent à s'inquiéter des dommages que font subir à la couche d'ozone les avions supersoniques, qui volent dans la stratosphère en rejetant du monoxyde d'azote. Deux chercheurs de l'université de Columbia (New York), messieurs Henry M. Foley et Malvin A. Ruderman, imaginèrent donc — comme l'arme nucléaire produisait, on le savait, du monoxyde d'azote dans la stratosphère — de tenter d'évaluer l'action destructrice de ce composé chimique sur l'ozonosphère en mesurant les effets des essais nucléaires atmosphériques sur celle-ci. Ces investigations ne donnèrent pas grand-chose, mais conduisirent les deux hommes à s'interroger sur ce qu'il adviendrait de l'ozone en cas de conflit atomique. Leur inquiétude suscita celle de certains confrères et, en 1975, l'Académie des Sciences des Etats-Unis publia un rapport sur les « Effets mondiaux à long terme d'explosions répétées d'armes nucléaires », rapport qui s'efforçait entre autre d'évaluer le danger. La suite d'événements qui a éveillé notre sensibilité à ce problème est tout à fait significative dans la mesure où elle montre comment de nouveaux développements de la pensée scientifique — en l'occurrence, la prise de conscience au cours des années soixante-dix de la vulnérabilité de l'écosystème à l'intervention humaine — mettent en lumière un des principaux effets, ignorés jusqu'alors, de l'arme nucléaire. Prendre conscience de sa propre ignorance est toujours extrêmement difficile, mais alors que nous essayons de donner à la nôtre toute son importance, il serait peut-être utile de rappeler que les conséquences globales les plus graves actuellement connues d'un holocauste n'étaient pas même soupçonnées voici dix ans. Si l'on considère les limites actuelles de notre savoir concernant notre planète, on peut justement s'attendre que de nouveaux développements de la science amènent de nouvelles surprises.

Les sciences de la terre n'en sont encore qu'à une phase embryonnaire, ce qui explique en partie notre incertitude quant à l'issue d'un holocauste nucléaire, mais s'y ajoutent des raisons d'ordre politique et moral dont le rôle est peut-être plus fondamental encore. La recherche en matière d'effets consécutifs à un holocauste, comme toutes les investigations portant sur le sujet, est limitée par le manque d'expérience que nous avons de la destruction nucléaire à grande échelle. Ce manque d'expérience n'est le résultat ni de la négligence, ni du hasard, ni même de notre répugnance à affronter l'horreur de ce que nous avons créé. Par le mot expérience, les scientifiques entendent expérimentation, et une connaissance n'en devient véritablement une que lorsqu'elle a été confirmée par un essai — ou du moins, par l'observation. Si cette condition n'est pas remplie, la plus plausible des théories en reste au stade de l'hypothèse. Mais quand il s'agit d'évaluer les conséquences d'un conflit nucléaire, on ne peut procéder à aucune expérience, ce qui interdit donc toute vérification empirique. Nous ne pouvons nous permettre de jouer aux apprentis sorciers avec la terre car il n'y en a qu'une et notre survie en dépend ; nous ne possédons malheureusement aucune terre de rechange que nous puissions faire sauter dans quelque laboratoire universel afin de découvrir son seuil de résistance aux holocaustes. En conséquence, notre savoir quant à la tolérance de la terre en cas de guerre nucléaire est restreint par notre peur de déclencher un tel processus — équivalant à l'extinction de l'humanité —, processus dont nous aimerions bien connaître la probabilité. La fameuse relation d'incertitude du physicien allemand Werner Heisenberg démontre que notre connaissance du phénomène atomique est bornée, car les procédés expérimentaux qui devraient nous permettre de faire des observations interagissent avec le phénomène que nous cherchons à mesurer. Le problème de l'extermination par l'arme nucléaire — ou en l'occurrence par n'importe quel autre moyen — nous met en présence d'une relation d'incertitude inverse mais connexe : notre connaissance des phénomènes conduisant à l'extinction de la race est limitée car les expériences qui nous permettraient de mener à bien nos observations interagissent avec nous-mêmes, les observateurs, et pourraient bien, en fait, nous éliminer. Cette relation d'incertitude complète la première. Toutes deux admettent que nos insuffisances sont dues au fait que nous sommes des êtres de chair, et non des esprits désincarnés, et que l'observation, comme tant d'autres activités humaines, est un processus physique qui peut donc interagir à la fois avec l'objet et le sujet. Ainsi, c'est l'extinction même de la race qui fixe en fin de compte les limites de ce que nous sommes en mesure de savoir à son sujet. Jamais un être humain ne pourra affirmer avec certitude : « Je *sais* maintenant combien de mégatonnes seraient nécessaires à notre extermination. » Dans la mesure où notre investigation est ainsi entravée, notre ignorance n'est pas tant due aux limites de notre intelligence, qu'au fait irréductible que nous ne possédons aucune base d'observation, si ce ne sont nos schémas habituels de mortalité. En de telles circonstances, qui sont indissociables de la condition humaine, accepter l'incertitude est une question de vie, rechercher l'exactitude conduirait à la mort.

Nous avons déjà connu certains freins d'ordre politique et moral dans le domaine de la recherche médicale pour laquelle, dans tous les pays civilisés, existent des limites à l'expérimentation sur des êtres humains ; quand les expériences pourraient se révéler dangereuses, les chercheurs doivent se contenter d'animaux de laboratoire. Cependant, quand il s'agit de recherches concernant notre planète, nous ne disposons d'aucun ersatz : ne possédant pas de terre de rechange, nous n'avons pas non plus de planètes porteuses d'une quelconque forme de vie pour la remplacer. (Nous n'avons pas encore repéré de planètes, autres que la terre, abritant des formes de vie dans le système solaire.) En outre, s'il est vrai que nous pouvons procéder à des expériences dans divers endroits de la terre, et tenter d'extrapoler à partir de ces résultats, un certain nombre de données manqueront toujours, comme l'écosphère dans son ensemble et sa suite infinie de causes et d'effets, associant en un tout indivisible la biochimie de l'algue la plus primaire avec l'équilibre chimique et dynamique du monde. Ce tout constitue un mécanisme en soi ; on pourrait en fait le considérer comme une entité vivante. Le docteur Thomas a un jour comparé la terre à une cellule. L'analogie est attirante mais il convient de relever au moins une différence entre la terre et une cellule : si chaque cellule est issue du même moule génétique que des milliards d'autres cellules, la terre, en tant que mère de toute vie, n'a pas de sœur vivante. Le comportement des cellules est souvent facile à prévoir car elles existent en masses et la milliard et unième cellule, programmée par son matériel génétique, se comportera comme le milliard de cellules qui l'ont précédée. Mais la terre n'entre dans aucune catégorie actuellement ouverte à l'observation ; aussi n'avons-nous pas même le recours à la généralisation. Lorsque nous essayons d'évaluer sa résistance aux perturbations, nous nous trouvons dans la même situation qu'un médecin sommé de déduire toute la médecine de l'observation d'un seul homme. Si l'on tient compte de son individualité, la terre ressemble donc moins à une cellule qu'à une personne. Comme une personne, la terre est unique ; comme une personne, elle est sacrée ; enfin, comme une personne, elle est imprévisible car non soumise aux lois de l'extrapolation scientifique.

Si nous n'avions aucune idée des conséquences vraisemblables d'un holocauste nucléaire pour la terre, nous ne disposerions d'aucune base de jugement. Pourtant, vu l'ampleur de ce qu'il reste à découvrir à propos de notre planète, il n'est pas contradictoire de dire que même si notre ignorance est immense et, en un certain sens, irrémédiable (quoique l'étendue de ce que nous pouvons, et finirons sûrement par découvrir soit probablement considérable elle aussi), notre savoir est également immense et les informations que nous possédons déjà sont extrêmement alarmantes. Les effets prétendument locaux de l'explosion couvrant, dans une guerre nucléaire totale, l'intégralité des terres émergées de l'hémisphère nord, ils pourraient engendrer des conséquences secondaires véritablement globales. La destruction de la vie estuérienne sur tout l'hémisphère nord et l'empoisonnement des eaux locales par la radioactivité entraîneraient vraisemblablement des perturbations pour la vie océane. La ruine de l'écologie sur de vastes territoires de l'hémisphère nord aurait des répercussions sur l'ensemble du climat terrestre. Par exemple, une végétation insuffisante accroît la réflectance de la terre, ce qui provoque un refroidissement de l'atmosphère. Dans des zones fortement irradiées, la mutation de végétaux pathogènes pourrait créer des espèces virulentes susceptibles, pour reprendre les termes du rapport de l'Académie des Sciences américaine, de « causer des épidémies qui s'étendraient sur l'ensemble du globe ». L'hémisphère nord contaminé se métamorphoserait en un gigantesque laboratoire radio-écologique dans lequel de multiples espèces viendraient à mourir, tandis que d'autres s'épanouiraient et envahiraient éventuellement des régions épargnées de la terre, d'autres encore revêtant des formes inconnues, donc imprévisibles.

Mais revenons aux effets globaux directs qui sont de loin les plus importants, et en particulier à la destruction de la couche d'ozone. L'atmosphère terrestre ne contient que très peu d'ozone — pas plus de dix pour un million du poids de l'air. La couche d'ozone est cependant primordiale pour la vie terrestre, car elle protège la surface du globe des rayons ultraviolets du soleil ; selon les termes du docteur Martyn M. Caldwell dans un récent article de *BioScience* intitulé « *Le règne végétal et le rayonnement ultraviolet : vue d'ensemble sur l'histoire de l'ultraviolet sur terre* », ces rayons se révéleraient « vu ce que nous savons d'eux aujourd'hui, mortels pour tout organisme non protégé ». J'ai déjà cité la remarque du Glasstone selon laquelle, sans l'absorption des rayons ultraviolets par la couche d'ozone, « la vie telle que nous la connaissons actuellement n'existerait pas, sauf, peut-être, dans les océans ». Ainsi, le rapport de l'Académie des Sciences de 1975 peut affirmer : « Comme le reconnaissent les géologues, les biologistes et autres chercheurs du domaine de l'évolution, la formation d'une atmosphère riche en oxygène et protégée par une *couche d'ozone constituait une condition indispensable à la naissance de végétaux et d'animaux multicellulaires ; toutes les formes de vie existant sur terre ont évolué sous sa protection* » [l'italique figure dans l'original]. De son côté, B. W. Boville, du Service de l'Environnement Atmosphérique Canadien, a écrit que la couche d'ozone est « un élément fondamental dont dépendent le climat et l'existence de toute vie sur terre ». Le docteur Fred Iklé, président de *l'Arms Control and Disarmament Agency* sous les présidents Nixon et Ford, maintenant sous-secrétaire à la Défense de l'administration Reagan, a déclaré que la réduction de la couche d'ozone par des explosions nucléaires pourrait « mettre fin à la structure écologique qui a permis à l'homme de rester en vie sur cette planète ». Enfin, on a pu lire dans une circulaire distribuée en mars 1977 pour une conférence scientifique patronnée par les Nations unies, que : « Si les doses (de rayonnement ultraviolet) augmentaient, le monde biologique, tellement dépendant des microorganismes, subirait dans son intégralité de très graves perturbations. »

Comme le souligne l'extrait du rapport de l'Académie des Sciences, la naissance de la vie multicellulaire correspond à la formation de la couche d'ozone. Aux premiers stades de l'évolution, quand l'atmosphère ne contenait pas d'oxygène, et que l'ozonosphère n'existait pas — l'ozone (O_3) se forme en haute atmosphère au contact de l'oxygène (O_2) avec les rayons solaires — les radiations ultraviolettes, qui devaient alors atteindre la surface de la terre sans véritables obstacles, constituèrent sans doute la source d'énergie la plus importante ayant permis la formation des premières macromolécules biologiques, il y a environ trois milliards et demi d'années. Mais, voici deux milliards d'années, lorsque ces molécules se furent rassemblées en organismes unicellulaires, ceux-ci préférèrent aux rayons ultraviolets la photosynthèse — méthode selon laquelle l'énergie est tirée de la lumière solaire, à partir d'éléments facilement accessibles partout, comme le gaz carbonique et l'eau. La photosynthèse fut probablement « le pas le plus important effectué sur le chemin de l'évolution qui mènerait à la naissance de formes de vie plus développées » (d'après le docteur Michael McElroy, physicien au Centre de physique terrestre et planétaire de Harvard, à qui l'on doit une remarquable étude sur l'atmosphère terrestre). Elle jeta les fondements de ce qu'est la vie terrestre telle qu'elle existe aujourd'hui. Il fallut, cependant, pour que la vie se développe, que le matériel génétique, l'A.D.N., se développe lui aussi, et l'on sait que les rayons ultraviolets ont un effet particulièrement destructeur sur l'A.D.N., lui faisant perdre, nous dit Caldwell, son « activité biologique ». De plus, l'ultraviolet inhibe la photosynthèse, ce qui opposait, sur notre planète d'il y a deux milliards d'années, un nouvel obstacle au stade ultérieur de l'évolution. Le fait que l'oxygène, sous-produit de la photosynthèse, était nocif pour les organismes existants constituait d'ailleurs un frein supplémentaire à l'évolution. On suppose que les organismes ont d'abord remédié au problème de l'oxygène en fixant celui-ci sur du fer ferreux — procédé qui expliquerait la présence de couches ferreuses dans les roches sédimentaires dont l'origine remonte à quelque deux milliards d'années. Mais ce fut en fait une seconde solution qui résolut définitivement le problème : la création d'enzymes capables de faire de l'oxygène un gaz qui ne soit pas toxique pour l'environnement. Ce processus levait ainsi toutes les barrières qui entravaient l'évolution ; en rendant l'oxygène assimilable, il a permis aux organismes d'échapper à la dépendance du fer et donc, selon McElroy, d'être « libres, avec l'expansion rapide de l'oxygène, de proliférer dans les océans » ; en favorisant l'enrichissement de l'atmosphère en oxygène, il assurait la formation graduelle de la couche d'ozone, qui bloque la quasi-totalité des radiations ultraviolettes. Ce stade atteint, la voie était ouverte, selon certains scientifiques, à la « prolifération extrêmement rapide des espèces » (Caldwell) dont les géologues retrouvent la trace dans les fossiles datant de l'époque cambrienne, il y a près de six cents millions d'années. Cent quatre-vingts millions d'années plus tard, au silurien, la vie fit un second bond en avant lorsqu'elle effectua, après plus de trois milliards d'années passées dans les océans, « sa difficile apparition » (Caldwell) sur la terre ferme ; cette nouvelle étape de l'évolution peut, elle aussi, être associée à la formation du bouclier d'ozone, qui aurait atteint à cette époque une densité suffisante pour permettre aux organismes de survivre à l'air libre, sans la protection partielle qu'offrait l'eau contre les ultraviolets.

La formation de la couche d'ozone constituant la condition sine qua non de la « difficile apparition » de la vie à l'air libre, on peut tout naturellement se demander si la destruction de cette couche d'ozone, causée ou non par des explosions nucléaires, n'entraînerait pas la disparition de toute vie sur terre, y compris la vie humaine. (De façon presque incongrue, les bombes aérosols peuvent attaquer la couche d'ozone en rejetant du fréon dans l'atmosphère ; le fréon se dissocie sous l'action des rayons solaires et libère du chlore qui altère l'ozone.) Compte tenu de l'état actuel de nos connaissances en matière de recherche géologique et biologique, il nous est impossible de répondre avec certitude à une telle question. On ne sait pas même précisément quelles seraient les pertes d'ozone en cas de conflits nucléaires de diverses intensités. Les ordinateurs les plus complexes se sont révélés insuffisants pour ce type de calculs : l'Académie des Sciences américaine, dans son rapport de 1975, a seulement pu établir que l'explosion de dix mille mégatonnes d'armes atomiques multiplierait par un chiffre situé entre cinq et cinquante la quantité de monoxyde d'azote contenue dans la stratosphère, que cette explosion réduirait de trente à soixante-dix pour cent la couche d'ozone de l'hémisphère nord, en supposant que l'holocauste soit limité à ce secteur, et de vingt à quarante pour cent celle de l'hémisphère sud. J'ai demandé au docteur McElroy de me donner quelques précisions sur le danger que font courir à l'ozonosphère les oxydes d'azote créés par l'homme. « Au cours des deux années qui ont suivi le rapport de 1975, les estimations avaient baissé, me répondit-il, mais depuis 1977, elles ont été réévaluées. » McElroy me parla ensuite d'une hausse possible du taux d'oxyde d'azote dans l'atmosphère provoquée par, disons, les engrais chimiques. « On estime aujourd'hui que le doublement de la quantité d'oxyde azoteux contenue dans la troposphère, oxyde azoteux qui se transforme en oxyde azotique — un des composés qui s'attaquent à l'ozone —, provoquerait à terme dans la stratosphère, une diminution de l'ozone de l'ordre de quinze pour cent. Ces chiffres sont plus élevés que ceux donnés dans le rapport de 1975. Ceci dit, un holocauste nucléaire libérerait directement dans la stratosphère des quantités d'oxyde nitrique beaucoup plus importantes que celles produites indirectement par la transformation de l'oxyde azoteux, mais personne n'a encore repris de travaux sur les conséquences que pourraient avoir de telles quantités sur l'ozone, à la lumière de ce que nous avons appris depuis le rapport de l'Académie des Sciences. Je suis pourtant d'avis que les chiffres ne seraient pas fondamentalement différents et que les estimations données sur la diminution de l'ozonosphère en 1975 seraient sensiblement les mêmes aujourd'hui. » C'est en 1981 que fut effectuée la première mesure de l'état actuel de la couche d'ozone. La *National Aeronautics and Space Administration* a fait part de découvertes « préliminaires » selon lesquelles, en un point de la stratosphère situé à quelque quarante kilomètres d'altitude, — dans la partie supérieure de l'ozonosphère — l'ozone a diminué à un taux d'environ un demi pour cent par an depuis une dizaine d'années. Si cette découverte ne concerne pas directement les conséquences d'un conflit atomique, elle tend à confirmer l'hypothèse la plus généralement répandue selon laquelle l'ozone est vulnérable à l'intervention de l'homme.

On connaît encore moins bien l'ampleur des ravages que pourraient causer sur l'écologie diverses augmentations des rayonnements ultraviolets, que la proportion éventuelle des augmentations en question provoquées par des explosions nucléaires, mais les informations à notre disposition suggèrent que les dommages seraient très graves pour l'ensemble de l'écosphère. Une première raison serait que certaines longueurs d'onde de l'ultraviolet, connues pour être particulièrement dangereuses du point de vue biologique, se développeraient de façon disproportionnée en cas de réduction de l'ozone. Deuxièmement, l'origine des ravages écologiques — l'accroissement du rayonnement ultraviolet — serait partout la même, mais ses effets seraient différents sur chacun des écosystèmes et des espèces terrestres. Puis, se propageant en une réaction en chaîne infinie, les effets de ces effets finiraient par avoir des résultats absolument incalculables sur l'ensemble de la nature vivante. On sait cependant avec certitude que les radiations ultraviolettes sont toxiques et même mortelles pour les êtres vivants. En fait, la médecine et d'autres branches scientifiques utilisent depuis longtemps déjà les propriétés abiotiques, donc stérilisantes des rayons ultraviolets. L'étude la plus exhaustive qui ait jamais été faite sur les effets des ultraviolets est due au *Department of Transportation's Climatic Impact Assessment Program,* dans un rapport intitulé : « Influence des perturbations climatiques sur la biosphère ». Il y est dit qu' « un excès de radiation ultraviolette B » — partie du spectre ultraviolet qu'une déplétion de l'ozone augmenterait considérablement — « constituerait un danger certain pour la plupart des organismes, y compris l'homme ». Le rapport poursuit : « On peut même relier des niveaux habituels d'irradiation ultraviolette B due au soleil à des phénomènes d'accroissement du taux de mutation, de retards dans la division cellulaire, de diminution de la photosynthèse chez le phytoplancton, de cancers de la peau chez l'homme, de cancers de l'œil chez certains bovidés, ou encore à la disparition de nombreux organismes plus petits comme certains invertébrés d'origine aquatique ou certaines bactéries. »

Très peu de travaux existent portant sur les effets de l'irradiation ultraviolette sur des organismes spécifiques — et tout particulièrement sur des organismes vivant dans leur milieu naturel; aussi le docteur Caldwell, président de la commission scientifique responsable du rapport sur l' « Influence des perturbations climatiques sur la biosphère », m'a-t-il avoué que nous n'avions pas encore procédé à suffisamment d'expériences pour être en mesure de prédire ce qu'il adviendrait en fin de compte d'êtres vivants soumis à un rayonnement ultraviolet accru. Les expériences déjà menées à bien montrent cependant que parmi les mammifères, l'homme est le plus vulnérable en raison de son système pileux déficient. Rappelons pourtant que certains rayons ultraviolets touchent en temps normal la surface de la terre et que les êtres humains (ainsi que les autres créatures) s'y sont adaptés. Le premier moyen de défense de l'homme est le hâle, qui tend à le protéger des brûlures. La sensibilité aux coups de soleil et aux cancers de la peau des individus à peau blanche est souvent proportionnelle à leur inaptitude à bronzer; l'une des conséquences de la destruction de la couche d'ozone pourrait être une augmentation notable des cancers de la peau chez l'homme. Suite beaucoup plus grave encore, le risque de pertes de vue temporaires rappelant l'ophtalmie des neiges, qui affecte l'œil après exposition à un rayonnement excessif d'ultraviolets et qui dure parfois plusieurs jours. Le rapport de 1975 de l'Académie des Sciences des Etats-Unis qualifie l'ophtalmie de « mal handicapant et douloureux »; il ajoute qu' « il n'existe pas de groupes immuns » et qu' « il n'y a pas d'adaptation ». Il est possible de prévenir l'ophtalmie en portant des lunettes protectrices dès que l'on sort, mais le monde ne compte pas suffisamment de verres filtrants pour protéger l'humanité tout entière en cas de déplétion de la couche d'ozone. De toute façon, si les estimations les plus pessimistes s'avéraient, personne ne pourrait rester dehors très longtemps. De telles doses d'irradiation ultraviolette entraîneraient des brûlures graves au bout de quelques minutes; si la couche d'ozone diminuait effectivement des soixante-dix pour cent maximum prévus par le rapport, en ce qui concerne l'hémisphère nord, le délai d'exposition serait limité à dix minutes. De plus, le rapport explique que la destruction de l'ozonosphère pourrait même dépasser les soixante-dix pour cent au cours des mois qui suivraient l'attaque. « Nous n'avons pas de méthode simple, précise le rapport, pour estimer l'ampleur d'une réduction à court terme. » Ce délai de dix minutes ne figure généralement pas dans les calculs des grands stratèges du « redressement » d'après-guerre nucléaire. Si le rayonnement ultraviolet s'intensifiait, quiconque s'extirperait de son abri une fois que le taux de radioactivité des retombées serait devenu supportable, devrait faire immédiatement demi-tour. Mais entre-temps, les gens n'auraient pas pu sortir pour trouver de la nourriture, et tous mourraient de faim. Autre conséquence nocive possible (qui constitue en soi une catastrophe humaine et écologique à un niveau planétaire) : des doses accrues d'ultraviolets provoqueraient un excès dangereux de vitamine D dans la peau des mammifères et des oiseaux. Mais l'expérimentation n'en est pas à un stade suffisant pour nous permettre de déterminer si une telle catastrophe se produirait ou non. Le rapport de l'Académie des Sciences se montre alarmant mais se refuse pour le moment à conclure : « Nous ne savons pas si l'homme et certains autres vertébrés pourraient supporter une hypervitaminose D due à une exposition soudaine et massive de rayonnement ultraviolet. » Le rapport souligne qu'il est « urgent » d'étudier plus à fond le problème.

De nombreux mammifères seraient protégés par leur fourrure, mais leurs yeux resteraient exposés. Lors d'une récente conférence, le docteur Tsipis déclara que la diminution de l'ozone pourrait entraîner la cécité du règne animal, et que ce seul effet équivaudrait à un véritable désastre écologique global. Je me suis entretenu à ce propos avec le docteur Frederick Urbach, éminent professeur et dermatologue à qui l'on doit un ouvrage intitulé *Les Effets biologiques et plus particulièrement cutanés du rayonnement ultraviolet,* ainsi que des recherches très complètes concernant l'action de ces radiations sur les animaux. Il m'a confirmé que le danger était considérable et bien réel pour les yeux des animaux. « Dès que l'on atteint une réduction de l'ozone supérieure à cinquante pour cent, l'intensification des radiations ultraviolettes commence à blesser la cornée, expliqua-t-il. On attrape un mauvais coup de soleil sur les yeux. En temps normal, ce genre de chose n'arrive pas car la structure même du visage offre une protection suffisante. Mais quand le sol est enneigé, les rayons ultraviolets nous sont renvoyés directement dans les yeux. Il nous est facile de remédier à ce problème en portant des lunettes, mais on imagine mal des animaux faisant de même. On raconte — l'histoire est sans doute apocryphe — que lorsque Hannibal franchit les Alpes, où les ultraviolets sont particulièrement intenses, plusieurs de ses éléphants devinrent aveugles. Quand un animal ne voit plus, il n'est plus en mesure de se protéger. Les bêtes souffrant de cécité ont beaucoup de mal à survivre dans la nature. Des expositions répétées peuvent altérer la cornée, finissant ainsi par rendre l'animal définitivement aveugle. Nous avons observé ce phénomène chez des souris que nous avions soumises à des longueurs d'ondes ultraviolettes en laboratoire ; au bout de quelque temps, leur cornée s'opacifie. En cas de décroissance de l'ozone, les mammifères, mais aussi les insectes et les oiseaux subiraient les mêmes troubles. »

Ce sont la vue et l'odorat qui permettent aux animaux de se repérer dans l'environnement et de remplir le rôle que leur a assigné la nature. Privés de la vue, des milliards d'animaux, insectes et oiseaux compris, plongeraient le monde dans un véritable chaos. La cécité des insectes serait fatale non seulement à cette classe d'animaux, mais aussi au règne végétal, dont la pollinisation et autres processus essentiels de nombreuses espèces dépendent de ces petits invertébrés. On sait en fait que le rayonnement ultraviolet conditionne de multiples activités des insectes, par exemple la phototaxie, l'orientation du vol ou la rencontre des sexes, et l'augmentation des rayons ultraviolets perturberait certainement ces fonctions. Quoi qu'il en soit, le règne végétal subirait directement l'agression d'un excès de rayonnement ultraviolet. Même si l'on doit encore se garder de faire des généralités, les expériences réalisées sur des cultures montrent que, si certaines plantes se révèlent tout à fait

99

résistantes, d'autres, dont les tomates, les haricots, les petits pois et les oignons, mourraient ou seraient, selon le rapport de l'Académie, « gravement brûlées ». Etant donné que les radiations ultraviolettes détruisent l'A.D.N., qui détermine la reproduction, et qu'elles inhibent la photosynthèse, soit le principal processus métabolique des végétaux, les conséquences directes d'une augmentation des ultraviolets seraient extrêmement sérieuses pour l'ensemble des plantes. En outre, le rapport de l'Académie des Sciences rappelle que de nombreuses espèces « vivent déjà au maximum de leur tolérance » et qu'une recrudescence de rayonnement ultraviolet constitue « une menace pour l'existence de certaines espèces et par conséquent, pour l'écosystème tout entier ». Le dommage global causé aux plantes et celui causé aux insectes sont synergiques : les atteintes portées aux insectes ont des répercussions sur les végétaux qui à leur tour concourent à la perte des insectes restants, en une réaction en chaîne dont les effets sont imprévisibles. A propos du danger que représenterait pour les insectes la dégradation de toute l'écosphère, le professeur Ting H. Hsiao, qui enseigne l'entomologie à l'Université d'Etat de l'Utah a écrit dans le rapport du *Climatic Impact Assessment Program* : « Comme les insectes occupent une place importante dans l'écosystème mondial, la moindre modification dans la composition de cet écosystème aurait des répercussions sur leur population. Le rayon ultraviolet est un facteur physique qui influence directement tous les facteurs abiotiques de l'écosystème... La variation des facteurs abiotiques comme la température, la pluie ou le vent, associée à une radiation ultraviolette intense, pourrait affecter profondément le comportement, les phénomènes vitaux, les structures sociales, la dissémination et la migration des insectes. » On pourrait en fait étendre les observations du professeur Hsiao à l'ensemble des effets d'un holocauste, car la plupart d'entre eux auraient potentiellement des conséquences extrêmement graves pour la spécificité et l'intensité des autres effets.

Plus encore peut-être que partout ailleurs dans l'environnement, la faune et la flore des océans sont susceptibles de souffrir d'un accroissement du rayonnement ultraviolet. John Calkins, de la section de radiologie de l'université du Kentucky, et D. Stuart Nachtwey, professeur de radiobiologie à

100

l'Université d'Etat de l'Orégon, notent dans le rapport du *Climatic Impact Assessment Program* que, malgré leur insuffisance, les expériences effectuées jusqu'à présent suggèrent que « nombre de micro-organismes et invertébrés aquatiques ont une tolérance potentielle trop réduite pour supporter les U.V. B solaires de la surface ». Les organismes les plus vulnérables sont les organismes unicellulaires qui se situent à la base de la chaîne alimentaire sous-marine, et sont donc en dernier lieu nécessaires à la survie des créatures marines les plus importantes. Si l'on considère que la disparition d'un organisme de la chaîne alimentaire peut entraîner l'extinction de toutes les espèces placées au-dessus de lui dans cette chaîne, l'élimination d'une partie de la bàse même de cette structure aurait sans doute des répercussions incalculables. Une fois encore, il est impossible d'avancer des jugements quantitatifs, mais l'expérience, même limitée, souligne clairement le danger. Au début des années soixante-dix, des chercheurs se sont aperçus que des doses tout à fait normales de radiation ultraviolette sont nocives, voire mortelles, pour un certain nombre d'organismes aquatiques dès qu'on empêche ceux-ci de s'enfoncer plus profondément sous l'eau ou de trouver un abri. La découverte est importante, dans la mesure où elle modifie les données du problème : la question n'est plus de savoir si l'augmentation du rayonnement U.V. B serait nocive d'un point de vue biologique, mais si l'intensité de ces rayons suffirait à vaincre les mécanismes de défense conçus par les organismes pour lutter contre les doses habituelles d'ultraviolets pendant les deux milliards d'années de leur évolution. Ces systèmes de défense comprennent l'écran que forme l'A.D.N. avec des molécules moins critiques ; les mécanismes enzymatiques qui remédient pendant la nuit aux dommages diurnes ; et le ralentissement de la division cellulaire (au moment où les cellules sont les plus sensibles aux ultraviolets) jusqu'à la tombée du jour. Ajoutons que la fuite, qui peut permettre à certains organismes d'échapper aux ultraviolets, peut aussi provoquer leur perte. Les organismes se fixent généralement dans les endroits qui leur sont les mieux adaptés, et s'ils se voient brusquement contraints d'abandonner ces lieux favorables, ils risquent la mort. Si au contraire, ils parviennent à survivre, ils sont susceptibles de détruire l'habitat écologique qui convient à d'autres espèces. Lorsque le milieu se métamorphose lentement, l'organisme parvient souvent à s'adapter, mais une guerre nucléaire déclencherait des changements extrêmement brutaux et les facultés d'adaptation n'auraient guère le temps de jouer. Le docteur Nachtwey et son équipe ont procédé à une série d'expériences sur une algue unicellulaire appelée *Chlamydomonas reinhardi,* qui éclairent certains phénomènes complexes intervenant lors de l'exposition. Si l'algue flotte près de la surface de l'eau par un temps nuageux et que le soleil apparaît brusquement, elle plongera pour se protéger et atteindra rapidement des profondeurs suffisantes pour échapper à ces doses pourtant normales de radiation ultraviolette. Mais si la couche d'ozone a été détruite, ne serait-ce qu'à seize pour cent, l'algue mourra avant d'avoir eu le temps de gagner les fonds protecteurs. Le moyen de défense le plus important contre les U.V. longs est donc pour le *C. reinhardi,* sa rapidité de déplacement.

Vu le peu d'expérimentation et l'immense complexité des phénomènes en jeu, le rapport du *Climatic Impact Assessment Program* et celui de l'Académie des Sciences américaine se refusent tous deux à porter des jugements catégoriques quant au destin de la vie océanique tout entière en cas de sérieuse déplétion de la couche d'ozone. Le rapport de l'Académie affirme cependant à un moment que « sous des conditions extrêmes, certains milieux pourraient être privés de tout organisme vivant », et plus tard, à propos de l'ensemble des effets à un niveau global, il poursuit : « des explosions massives suffiraient à engendrer les conditions nécessaires à un bouleversement du milieu sous-marin dans son ensemble, entraînant une métamorphose du biotope marin. Dans les régions les plus touchées, ceci se traduirait par l'extinction totale ou partielle des espèces vulnérables, ce qui créerait des trous dans la pyramide alimentaire normale ».

Une deuxième conséquence globale de la destruction de la couche d'ozone serait une variation climatique. Le rapport de l'Académie de 1975 nous rappelle que le climat terrestre, comme l'écosphère tout entière, est « holocénotique », c'est-à-dire constitue un tout dans lequel « chaque action concernant une seule partie du système est susceptible d'avoir une influence sur l'ensemble de ce système ». On ne s'étonnera pas que la totalité de ces effets soit encore inconnue, même lorsqu'il ne s'agit que d'une seule perturbation climatique, et le rapport souligne de surcroît qu' « il n'existe aucun modèle climatique adéquat permettant de prévoir la nature et le degré des variations climatiques qui résulteraient d'une guerre nucléaire massive ». Des trois éléments principaux qui forment la surface de la planète — l'air, la terre et la mer — l'air est sans doute le plus changeant. Les composants de ce tout subtilement équilibré réunissent, entre autres, les éléments chimiques de la troposphère et de la stratosphère ; les niveaux de température de l'atmosphère et les degrés d'humidité de toutes les altitudes ; la température et la réflectivité de la surface du globe ; les courants aériens ; les courants maritimes ; enfin, le degré d'accumulation par l'atmosphère de la chaleur réfléchie à la surface de la terre, produisant ce qu'on appelle l'effet de serre. Un holocauste pourrait perturber chacun de ces composants et le dérèglement de chacun d'eux bouleverserait tous les autres Selon l'opinion généralement admise, la destruction de la couche d'ozone provoquerait à la fois le réchauffement de la surface de la terre, en laissant les rayons solaires l'atteindre, et son refroidissement, en supprimant le mur réflecteur de chaleur que constitue l'ozonosphère. Mais d'après l'Académie des Sciences des Etats-Unis, le refroidissement, qui pourrait durer plusieurs années, l'emporterait sur le réchauffement d'environ un degré Fahrenheit (en s'appuyant sur nos maigres expériences). Les variations de température devraient pourtant se révéler moins importantes à la surface que partout ailleurs dans l'atmosphère. Ainsi, le refroidissement de la troposphère supérieure et de la stratosphère inférieure « serait vraisemblablement beaucoup plus élevé » qu'à la surface et pourrait entraîner des troubles de la couche nuageuse, qui, à leur tour, influenceraient le climat. Malheureusement, ce problème fait partie de ceux, fort nombreux, qui n'ont pas encore été très approfondis. On estime que la poussière et la fumée soulevées par les explosions ajouteraient un autre degré Fahrenheit au refroidissement. Sur terre, les températures peuvent fluctuer de plusieurs degrés au cours d'une seule journée ; pourtant, une baisse de température de deux degrés Fahrenheit seulement, sur toute la surface de la terre après un holocauste, aurait des conséquences considérables. Elle pourrait par exemple faire

103

diminuer de près de vingt pour cent la productivité biologique des forêts de feuillus, déplacer les moussons des pays asiatiques d'une façon qui se révèlerait peut-être désastreuse pour l'agriculture et l'écosystème, ou encore détruire totalement les plantations de blé canadiennes. Le rapport de l'Académie signale également que des variations climatiques « graves » et « importantes » — aucune autre précision n'est donnée quant à leur nature — « sont impossibles à éviter » et que même si ces perturbations ne duraient vraisemblablement que quelques années, il ne faut pas écarter la possibilité « qu'elles soient irréversibles ». Une baisse de température supérieure aurait bien entendu des effets plus étendus encore. Une troisième conséquence globale de la libération de monoxydes d'azote dans la stratosphère par des explosions nucléaires serait la pollution de l'environnement provoquée par la retombée de ces gaz dans la troposphère. Le péroxyde d'azote, par exemple, est l'un des composants les plus nocifs du smog qui affecte les grandes villes modernes comme Los Angeles. Il réagit avec les hydrocarbures en suspension dans l'air au-dessus de ces villes, finissant par déclencher un processus de formation d'ozone. Si l'ozone contenu dans la stratosphère est nécessaire aux êtres humains, il n'en va pas de même pour celui qui apparaît au ras du sol. On s'est aperçu qu'il favorisait les problèmes respiratoires chez l'homme, mais aussi qu'il était toxique pour certains végétaux. La formation de péroxyde d'azote constitue donc un nouvel effet global d'une guerre atomique, et ses conséquences sont une fois encore impossibles à apprécier. Ajoutons à cela que c'est le péroxyde d'azote qui donne aux ciels des régions polluées leur couleur brune, et qu'on pourrait donc s'attendre à ce qu'un holocauste nucléaire fasse disparaître notre beau ciel bleu pour un plafond brunâtre recouvrant toute la planète durant plusieurs années.

Comparées aux autres effets nucléaires, les conséquences connues d'une contamination planétaire due aux retombées stratosphériques (à distinguer des retombées troposphériques se limitant aux régions cibles) paraissent dérisoires — rappelons cependant que l'état actuel de nos connaissances ne nous permet pas de porter de jugements définitifs. En effet, contrairement aux retombées troposphériques, les particules contenues dans la stratosphère pourraient séjourner plusieurs années dans l'atmosphère avant d'atteindre le sol et auraient donc à ce moment-là perdu la majeure partie de leur radioactivité. Selon le rapport de l'Académie des Sciences, un holocauste de dix mille mégatonnes libèrerait sur une période de vingt à trente ans une dose de quatre rems par personne dans l'hémisphère nord et d'environ 1,3 rem par personne dans l'hémisphère sud, ce qui provoquerait une augmentation de deux pour cent des cancers mortels. Les mêmes doses engendreraient une hausse des troubles génétiques graves de l'ordre de deux pour cent sur l'ensemble du globe, troubles s'accompagnant d'un nombre notable de mutations qui ne disparaîtraient peu à peu qu'au bout de trente générations. Sans doute y aurait-il également des « points chauds » répartis sur la planète, c'est-à-dire des endroits où, pour des raisons atmosphériques, la concentration de radioactivité serait beaucoup plus intense. En outre, le monde pourrait aussi subir la contamination de particules de plutonium, qui, bien qu'aucune estimation n'ait encore été donnée, augmenterait certainement l'incidence du cancer du poumon. (Dans son rapport de 1975, l'Académie des Sciences des Etats-Unis a calculé tous ces effets en partant d'un holocauste de dix mille mégatonnes, et l'on est en droit de supposer que ces chiffres seraient nettement supérieurs pour vingt mille mégatonnes d'explosif.)

Au cours de ces dernières années, les scientifiques ont accumulé suffisamment de connaissances dans de nombreux domaines pour commencer à considérer la terre comme un tout, une seule et vaste machine sur le fonctionnement de laquelle ils peuvent au moins entreprendre de s'interroger. L'une de leurs découvertes fut que l'animé et l'inanimé ont une forte influence réciproque. La terre, la mer et l'air constituent l'environnement de la vie et inversement. La libération d'oxygène dans l'atmosphère par des êtres vivants, qui a mené à la formation de la couche d'ozone permettant à son tour le blocage des rayons ultraviolets mortels (condition nécessaire au développement des organismes multicellulaires), ne représente qu'une seule des interventions de la vie. Plus les scientifiques étudient la vie et son évolution, moins il leur paraît possible d'établir une nette distinction entre, d'un côté, la « vie », et de l'autre, le

« milieu » inanimé dans lequel elle existe. Aujourd'hui on se représente plutôt le « milieu » comme une maison d'une complexité dépassant l'imagination et que le règne vivant aurait dans une large mesure construite, et aménagée suivant ses propres besoins. Le monde vivant semble même régler et entretenir le milieu chimique de la terre de la façon qui lui convient le mieux. Dans un article conjectural tout à fait remarquable intitulé « Les Processus chimiques du système solaire : perspective cinétique », le docteur McElroy décrit les cycles terrestres grâce auxquels les éléments atmosphériques les plus importants — l'oxygène, le carbone et l'azote — sont maintenus dans des proportions qui favorisent la vie. McElroy explique que, dans tous les cas, c'est la vie elle-même — sa naissance, son métabolisme et sa décomposition — qui assure principalement l'équilibre. Ainsi, il a calculé que si pour une raison ou pour une autre, les mécanismes de respiration et de décomposition s'interrompaient brusquement, la photosynthèse consommerait alors en moins de quarante ans tout le carbone inorganique se trouvant à la surface des mers et dans l'atmosphère. Ensuite, le carbone provenant des profondeurs sous-marines alimenterait la photosynthèse pendant mille ans, mais, à ce moment-là, « c'en serait fini de la vie telle que nous la connaissons ». Le docteur McElroy fait également observer que la quantité d'ozone de la stratosphère dépend de la quantité de matière organique en décomposition, donc de la masse vivante sur terre. L'oxyde nitreux est un produit de la décomposition organique, et comme il donne de l'oxyde nitrique — un des composés qui détruisent l'ozone — il joue un rôle de régulation. Si l'on exclut l'intervention de l'homme, les êtres animés contribuent largement à la libération d'oxyde nitreux dans l'atmosphère. Quand les concentrations de vie sont particulièrement abondantes, la production d'oxyde nitreux est elle aussi plus importante et peut entraîner une réduction de l'ozone, donc, une augmentation des rayons ultraviolets. Au contraire, quand la matière vivante est rare et disséminée, la production d'oxyde d'azote se réduit, la couche d'ozone s'épaissit et les rayons ultraviolets passent moins. Ces aperçus conjecturaux de ce qu'on pourrait appeler le métabolisme de la terre renforcent l'idée, de plus en plus répandue chez les scientifiques, selon laquelle notre planète, telle une cellule unique, ou un seul organisme, serait une structure organisée ; d'une façon générale, cette hypothèse tend à confirmer notre crainte que toute perturbation importante de la nature terrestre provoquée par l'homme peut mener à un dérèglement catastrophique de tout le système. Il peut s'agir de bien d'autres troubles que les explosions nucléaires ; un danger du même ordre pourrait être le réchauffement de l'atmosphère terrestre causé par une intensification de l'effet de serre, lui-même dû à un dégagement de grandes quantités de gaz carbonique dans l'air (en faisant par exemple brûler de plus en plus de charbon). Mais un holocauste nucléaire serait caractérisé par sa soudaineté ; un tel événement exclurait en effet toute observation de la lente élaboration des dommages avant que ne se produise le cataclysme total — et peut-être final en ce qui concerne l'humanité. L'histoire géologique ne nous permet pas de penser que de soudaines perturbations entraîneraient forcément l'extinction de toute vie sur terre (si cela arrivait, nous ne serions de toute façon pas là pour méditer la question), mais elle suggère qu'un bouleversement brusque et radical est toujours possible. L'histoire de la planète laisse entendre que, quand elle peut bénéficier de plusieurs centaines de millions d'années pour récupérer et faire naître de nouvelles branches de l'évolution, la vie est dotée d'une résistance extraordinaire et du pouvoir de créer de nouvelles formes d'êtres animés toujours plus étonnantes, mais la géologie nous enseigne aussi que des perturbations trop brutales sont capables de rompre n'importe quelle série évolutive, réduisant ainsi à néant des centaines de milliers d'espèces.

La conception de la terre comme un système complet, un organisme en soi, n'est entrée dans le domaine de la recherche scientifique que depuis très peu de temps et, dans l'ensemble, l'observation du docteur Thomas selon laquelle « la nature nous échappe totalement » reste vraie. C'est tout autant en m'appuyant sur ce constat d'ignorance, dont nous commençons seulement à saisir l'ampleur, qu'en partant des parcelles de connaissance que nous avons acquises, que je pense être en mesure d'avancer le jugement suivant : si l'on considère comme conséquences possibles d'explosions nucléaires de plusieurs milliers de mégatonnes : la cécité des insectes, des oiseaux et autres animaux du monde ; l'extinction de nombreuses espèces aquatiques, certaines d'entre elles constituant la base de la pyramide alimentaire ; le changement temporaire ou définitif du climat planétaire, s'accompagnant d'un danger d'altérations « graves » et « importantes » de la structure atmosphérique même ; la pollution par les oxydes d'azote de toute l'écosphère ; des brûlures sérieuses au bout de dix minutes et la cécité immédiate pour tout individu s'exposant aux rayons solaires sans protection ; une baisse notable de la photosynthèse végétale dans le monde ; le dessèchement et la mort de la plupart des cultures ; l'augmentation des pourcentages de cancers et de mutations sur l'ensemble du globe et particulièrement dans les régions cibles, avec pour corollaire des risques d'épidémies ; l'intoxication éventuelle de tous les vertébrés par des taux excessifs de vitamine D dans la peau résultant de l'intensification du rayonnement ultraviolet ; le massacre direct de la majorité des êtres humains et autres créatures vivantes par la radiation nucléaire initiale, les boules de feu, les rayonnements thermiques, les ondes de choc, les incendies et les retombées radioactives des explosions ; et si l'on garde à l'esprit que tous ces effets intéragiraient entre eux de façon imprévisible et qu'ils ne forment aujourd'hui qu'une liste provisoire qui s'allongera à mesure que notre connaissance de la terre augmentera, on peut alors conclure qu'une guerre nucléaire totale mènerait vraisemblablement à l'anéantissement de l'humanité.

Ce serait mal interpréter mes propos que de croire que l'extinction de la race humaine est inévitable — de même qu'il serait faux de comprendre qu'une telle catastrophe pourrait être évitée. Tout d'abord, nous savons qu'une guerre nucléaire n'est pas obligatoire. Que si elle se produit, les adversaires ont la possibilité de ne pas employer toutes leurs armes. Que s'ils choisissent la guerre totale, les effets seraient peut-être réduits à une échelle globale — sur la couche d'ozone et ailleurs. Et que si ces effets sont au contraire violents, l'écosphère pourrait se révéler suffisamment résistante pour les tolérer. Ce sont autant de raisons de se convaincre que la race humaine ne périrait pas nécessairement dans un holocauste nucléaire, et même, que l'extinction de l'homme dans une guerre atomique est peu probable. Ces suppositions optimistes apaisent nos craintes et notre sentiment d'urgence. Pourtant, nous sommes parallèlement contraints d'admettre qu'il *pourrait* y avoir un holocauste, que les adversaires *pourraient* utiliser la totalité de leurs arsenaux, que les conséquences globales, y compris celles que nous ne prévoyons pas encore, *pourraient* se révéler graves, que l'écosphère *pourrait* subir un bouleversement désastreux, enfin que toutes les espèces *pourraient* périr. Nous sommes plongés dans l'incertitude et obligés de décider malgré elle. Si nous voulons préserver l'espèce, il nous faut rassembler toute notre énergie en dépit du fait que le règne vivant n'est peut-être pas menacé. Par ailleurs, si nous préférons ignorer le péril, nous devons le faire en sachant que l'espèce est susceptible de disparaître à tout moment. A peine dévoilée l'existence de l'arme nucléaire, partout dans le monde des personnes sensées prirent conscience que l'entrée des grandes nations dans la course aux armements signifierait tôt ou tard l'éventualité de la mort de l'homme. Elles se rendirent également compte que, faute d'accords internationaux pour l'empêcher, cette course aux armements était inévitable. Ces hommes sages comprirent tout de suite que la voie de l'armement nucléaire ne constituait qu'une impasse pour l'humanité. La découverte de l'énergie de la masse — de « l'énergie de base de l'univers » — ainsi que celle d'un moyen permettant à l'homme de libérer cette énergie ont altéré le rapport existant entre l'être humain et la source même de sa vie, la terre. Au regard de cette puissance nouvelle, la terre devient dérisoire et le monde vivant éphémère. De ce point de vue, le problème de l'extinction de la race est à l'ordre du jour de la politique mondiale depuis la toute première explosion atomique, et ce n'était pas la peine d'attendre d'avoir construit de tels arsenaux pour s'en inquiéter. On ne sait avec précision à quel moment la race a franchi, ou aura franchi, la frontière entre le simple fait de posséder le savoir technique lui permettant de se détruire, et celui de disposer effectivement d'arsenaux atomiques assez puissants pour perpétrer cet acte à n'importe quelle seconde. Mais il paraît clair qu'aujourd'hui, considérant les quelque vingt mille mégatonnes d'explosif nucléaire d'un arsenal mondial qui grossit tous les jours, nous venons de pénétrer dans une zone d'incertitude, c'est-à-dire une zone de risque pour l'humanité. Cependant, de par sa signification fondamentalement différente, ce risque d'extinction est d'une portée infiniment supérieure à toute autre notion de risque : aussi nous faut-il en tenir compte avant de prendre des décisions. Jusqu'à présent, la notion de risque se limitait au concept de vie ; la notion d'extinction fait éclater ces barrières. Elle ne représente plus l'échec d'une quelconque entreprise, mais un abîme qui engloutirait pour toujours toutes les entreprises humaines. Nous n'avons pas le droit de placer l'éventualité de cette défaite infinie et éternelle sur le même plan que les risques pris quotidiennement dans le cadre de notre existence, instant éphémère au regard de l'histoire de l'humanité. Pour faire une comparaison mathématique, disons que même si le risque d'extinction n'est peut-être que fractionnaire, l'enjeu, lui, est infini et une fraction de l'infini est égale à l'infini. Autrement dit, une fois que nous savons qu'une guerre nucléaire serait susceptible d'aboutir à l'extinction de la race humaine, nous ne pouvons plus nous permettre de jouer car, si nous perdons, la partie sera définitivement terminée et ni nous ni qui que ce soit d'autre n'aurons plus jamais la possibilité de nous refaire. En conséquence, même si d'un point de vue scientifique, il existe une différence considérable entre la possibilité qu'un holocauste entraîne l'anéantissement de l'humanité, et la certitude que l'extinction serait alors inévitable, d'un point de vue moral ces deux assertions se confondent et nous contraignent à considérer l'arme atomique comme un exterminateur en puissance de la race humaine. Lorsque nous envisageons le destin de la terre, et avec lui notre propre destin, nous nous trouvons confrontés à un mystère ; ainsi, en altérant notre planète, nous jouons les apprentis sorciers. Nous baignons dans une ignorance qui devrait nous conduire à nous interroger, nous inspirant ainsi plus d'humilité. Cette humilité pourrait susciter en nous respect et prudence, devrait nous dicter d'agir sans retard pour éliminer la menace que nous faisons aujourd'hui peser sur la planète et sur nous-mêmes.

En essayant de décrire les conséquences possibles d'un holocauste nucléaire, j'ai fait état de l'infinie complexité des effets d'une attaque sur la société humaine et sur l'écosphère — complexité qui semble parfois égaler celle de la vie elle-même.

Cependant, si ces effets devaient aboutir à l'extinction de la race humaine, toute cette complexité s'effacerait devant l'ultime simplicité — la simplicité du néant. Nous, c'est-à-dire la race humaine, cesserions alors d'exister.

2

La deuxième mort

Si le peuple de la terre donnait pleins pouvoirs à un comité qui serait chargé d'empêcher que la race ne soit détruite par l'arme nucléaire, la première mesure que prendrait sans doute ce conseil serait d'ordonner la destruction de toutes les armes atomiques de la planète. Cependant, après s'être exécutés, les pays belligérants ou guerriers pourraient encore reconstituer leurs arsenaux nucléaires — quelques mois suffiraient. La seconde mesure logique serait donc de commander le démantèlement des usines qui produisent ces bombes. Mais, comme pour les armes, les usines elles aussi seraient faciles à reconstruire et la sécurité du monde n'y aurait pas gagné grand-chose. Une troisième mesure consisterait donc à exiger la démolition des usines participant à la construction des usines d'armes atomiques, ce qui entraînerait la perte d'une partie très importante de l'économie mondiale. Pourtant, cette dernière disposition n'assurerait nullement la sécurité de la planète : au bout de quelques années, quelques décennies tout au plus, industries et arsenaux seraient reconstitués et l'humanité se retrouverait face au même danger. Un tel conseil pourrait ensuite tenter de ramener l'économie mondiale à un niveau pré-nucléaire en jetant dans les grands feux de joie qui auraient déjà ravagé les installations tous les plans d'étude et livres techniques susceptibles de permettre la renaissance de l'industrie atomique, mais ces derniers finiraient bien par être réécrits, anéantissant ainsi toutes ces tentatives. Tant que le monde s'appuira sur les lois physiques fondamentales dont dépend la

115

fabrication de la bombe atomique — ces lois qui incluent la partie la plus utile de la physique d'aujourd'hui — les hommes ne parviendront pas à faire reculer l'échéance de leur anéantissement. En effet, l'origine du péril nucléaire qui menace l'humanité ne réside pas dans un quelconque contexte social ou politique actuel, mais essentiellement dans le niveau de connaissance de la physique universelle acquis par l'humanité tout entière après des millénaires de recherche scientifique. Tant que ce savoir sera en notre possession, chacun des atomes et son prodigieux potentiel d'énergie, se trouvera, si l'on peut dire, en état critique de mobilisation pour une guerre nucléaire, et le moindre conflit en quelque point du monde que ce soit pourra devenir atomique. Retrouver la sécurité uniquement par des mesures techniques nous demanderait de désarmer la matière elle-même, de la ramener à son état inerte et relativement inoffensif du dix-neuvième siècle, au système newtonien — ce que même la physique moderne ne peut nous apprendre à faire. (Si je mentionne ces programmes de destruction plutôt délirants et purement imaginaires, c'est en partie parce que l'extermination de la race humaine paraît plus folle encore et nous donne toute liberté pour au moins envisager les solutions extrêmes, mais c'est aussi et surtout parce que l'inadéquation de ces solutions prouve combien le péril nucléaire s'est enraciné dans nos sociétés.)

Que la forme et la nature de la menace nucléaire soient dues à la connaissance scientifique plutôt qu'à un contexte social est tout à fait primordial. Il faut très nettement distinguer les révolutions nées en laboratoire de celles qui éclosent dans la société. Les révolutions sociales sont généralement le fait de millions de personnes, et l'aboutissement de ce que la Déclaration de l'Indépendance américaine nomme une « longue suite d'abus », visibles aux yeux de tous ; la plupart du temps, elles ne peuvent éclater que si elles sont comprises et soutenues par le peuple. Au contraire, les révolutions scientifiques, de par le caractère abscons de la théorie, s'élaborent presque toujours lentement, dans l'esprit de quelques-uns, à l'abri du regard du profane, d'où l'effet de surprise. S'agissant de l'arme nucléaire, il fut d'autant plus grand que les gouvernements avaient fait de la construction des premières bombes un secret d'Etat. Lorsque le monde découvrit leur existence, M. Fukaï s'était déjà précipité dans les flammes d'Hiroshima et des dizaines de milliers de Japonais avaient déjà trouvé la mort. Même dans le cas de découvertes scientifiques assez anciennes pour avoir déjà transformé notre monde, la plupart des gens continuent généralement d'ignorer les principes fondamentaux qu'elles mettent en jeu, et cela s'avère particulièrement pour l'arme nucléaire, qui, plusieurs dizaines d'années après sa découverte, reste encore entourée d'une aura de mystère, comme si elle nous venait d'une autre planète. (Pour beaucoup, la célèbre équation d'Einstein $E = mc^2$, définissant l'énergie libérée par une explosion atomique, symboliserait plutôt l'ésotérisme et l'hermétisme des sciences.)

Cependant, beaucoup plus important encore que le manque de préparation des hommes à accueillir des révolutions techniques, est le caractère permanent et universel de ces grandes découvertes. Les révolutions sociales sont limitées à des périodes et des lieux bien précis ; elles naissent de circonstances particulières, durent un certain temps, puis entrent dans l'histoire. Les révolutions scientifiques, elles, s'étendent au monde entier, et ce jusqu'à la fin des temps. Pour citer Alfred North Whitehead, « la science moderne est née en Europe, mais elle est partout chez elle ». En fait, de toutes les créations de la main et de l'intelligence de l'homme, la science se révèle la plus durable. Toutes les structures matérielles de la vie humaine — équipements, bâtiments, tableaux, villes, etc, — subissent un vieillissement naturel inévitable de même que se révèlent temporaires les institutions des hommes. Hegel, dont la philosophie de l'histoire constitue dans une large mesure une tentative pour racheter les efforts apparemment futiles des hommes visant à créer en leur sein quelque chose d'éternel, écrivit un jour : « Quand nous voyons le mal, le vice, la ruine qui se sont abattus sur le royaume le plus florissant que l'esprit de l'homme ait jamais fondé, cette corruption universelle ne peut manquer de nous remplir de désespoir ; et, comme cette pourriture n'est pas uniquement l'œuvre de la Nature, mais également de la Volonté Humaine — d'une aigreur morale — nos pensées pourraient bien aboutir à une révolte de l'Esprit du Bien (si celui-ci existe en nous). » Les œuvres de l'esprit et de l'art sont celles qui ont le plus de chance de survivre, car on peut toujours reproduire

117

sur un nouveau support un livre ou une symphonie, leur permettant ainsi de se perpétuer indéfiniment ; pourtant, ces œuvres aussi pourraient disparaître puisque la destruction de toutes les copies entraînerait par là même la perte du contenu original. Le sujet principal de ces œuvres est presque toujours l'homme, et elles semblent, comme lui, mortelles. En revanche, l'aboutissement de la recherche scientifique échappe en grande partie à la décrépitude et à l'anéantissement. Quand une connaissance disparaît, on peut vraisemblablement penser qu'elle sera redécouverte, étant donné que plusieurs scientifiques font souvent simultanément la même découverte. (Il n'est pas d'exemple que plusieurs poètes aient écrit le même poème, ou plusieurs compositeurs la même symphonie.) En effet, n'importe quel chercheur peut avoir accès à la matière et à la méthode scientifique, l'équivalent étant inconcevable en art. Les expériences humaines sur lesquelles s'appuie l'art sont, je le répète, à tout jamais perdues, de même que les individus qui les ont vécues, alors que la matière, l'énergie, l'espace et le temps, identiques en tout lieu et à toutes les époques, se prêteront toujours à l'investigation. La science a pour sujet le monde physique, et la découverte semble partager avec lui son caractère immortel. La vision artistique naît de la spécificité de chaque individu, de chaque personnalité artistique, alors que la capacité de raisonner de l'esprit — la faculté d'additionner deux et deux pour trouver quatre — demeure la même chez tous les hommes compétents. L'exactitude rigoureuse des méthodes scientifiques ne signifie pas que la créativité des grands chercheurs soit moins personnelle, moins intuitive ou mystérieuse que celle des grands artistes, mais implique que les découvertes scientifiques peuvent aussitôt être vérifiées puis confirmées par des critères communs de logique et d'expérimentation. Le consensus auquel parviennent alors les scientifiques donne à la science le caractère d'une entreprise collective que chaque génération, s'appuyant sur les travaux des générations précédentes, corrige et enrichit et qui servira à son tour de base aux recherches des savants qui suivront. (A l'opposé, les philosophes s'acharnent à démolir l'ouvrage de leurs prédécesseurs tout en se reposant éternellement les questions que les hommes se sont déjà posées et auxquelles ils ont déjà répondu des milliers de fois. Pris de désespoir, Kant écrivit un jour : « Il semble ridicule qu'au moment où tous les domaines de la science ne cessent de progresser, celle-ci [la métaphysique], se prétendant la sagesse même, et dont les oracles sont partout écoutés, n'interrompe jamais sa révolution autour du même point, sans avancer d'un pouce. ») Lorsqu'ils érigent, lentement mais sûrement, la structure infinie de la connaissance scientifique, les savants n'évoquent rien tant qu'un essaim d'abeilles œuvrant en harmonie pour construire une ruche aux multiples cellules, qui deviendra chaque année plus élaborée, plus belle. En contemplant le travail de plusieurs siècles, les scientifiques n'éprouvent ni le « désespoir », ni l' « aigreur morale » que pourrait susciter la « corruption universelle » qui est censée s'attaquer à toute réalisation humaine. Quand Dieu, s'inquiétant de ce que les bâtisseurs de la tour de Babel allaient bientôt atteindre le paradis, mit fin à leur entreprise en leur donnant à tous des langages différents, il négligea visiblement les scientifiques. En effet, ceux-ci s'expriment d'un pays à l'autre, d'une génération à l'autre, dans un langage qu'on qualifie souvent d' « universel » dans la discipline pratiquée, et ils continuent d'élever une nouvelle tour — l'édifice de la connaissance scientifique. Ces progrès phénoménaux, qui ne commencent pas avec Einstein, mais avec Euclide et Archimède, ont conduit à la structure inébranlable qui sous-tend aujourd'hui le péril nucléaire. L'édifice scientifique est tellement solide que, si nous ne savions pas qu'il est l'œuvre de l'homme, nous pourrions croire que toutes les découvertes scientifiques qui constituent la base de notre civilisation technique tout entière, sont en fait les piliers et les poutres d'un système extra-terrestre invulnérable empiétant sur le royaume versatile et éphémère de l'humanité. Voilà donc l'ironie suprême de ce déséquilibre dans le développement des facultés humaines : le seul moyen que nous puissions actuellement imaginer pour nous débarrasser du pouvoir de nous autodétruire serait justement l'autodestruction — supprimer le savoir en supprimant celui qui sait.

Même si ce sont indubitablement les scientifiques qui nous ont conduits au bord du précipice nucléaire, nous aurions tort de les tenir pour seuls responsables de notre situation ou d'attendre d'eux la solution. Ici encore, s'impose la distinction entre révolution sociale et révolution scientifique car le fait d'imputer toute la responsabilité de la seconde aux savants tient à un amalgame hâtif entre chercheurs et acteurs politiques. Un protagoniste politique, qu'il soit simple citoyen ou membre d'un gouvernement, agit en vue d'un objectif social déterminé, telle la sauvegarde de la paix, l'instauration d'une société plus juste ou, s'il est corrompu, son propre avancement ; on l'estime donc comptable des conséquences de ses actes, même lorsque celles-ci ne sont pas préméditées, ce qui est souvent le cas. En revanche, les scientifiques (je parle ici des spécialistes de la recherche pure et non de la science appliquée, les premiers travaillant au nom du savoir sur les lois de la nature tandis que les seconds utilisent les découvertes pour résoudre des problèmes pratiques), ne visent aucun but social et ignorent en fait quelles pourront être en général les conséquences sociales de leurs découvertes ; la science est en effet un processus de découverte et les chercheurs ne savent donc pas à l'avance ce qu'ils vont trouver, ce qui leur interdit de spéculer sur d'éventuels résultats. La notion d'inattendu est toujours présente quand un chercheur entreprend de débrouiller un mystère, si infime et soigneusement défini soit-il — la composition chimique d'une certaine enzyme par exemple — mais cette notion est plus manifeste encore lorsqu'il s'agit de la synthèse des lois fondamentales de la science et de l'évolution de la connaissance scientifique dans son ensemble, qui, de siècle en siècle, progresse vers une destination que personne ne peut prévoir. Ainsi, on aurait pu croire, voici vingt ou trente ans, que la physique, qui venait de mettre l'énergie nucléaire à la disposition de l'homme, représentait la discipline la plus dangereuse du domaine scientifique, tandis que la biologie, qui est à l'origine des progrès de la médecine et nous aide à comprendre notre dépendance au milieu naturel, apparaissait comme la branche bénéfique ; mais depuis que les biologistes ont commencé à percer les secrets de la génétique et à intervenir directement dans la substance génique de la vie, nous doutons du caractère inoffensif de cette science. L'exemple le plus frappant de l'extrême disparité existant parfois entre les désirs du chercheur en tant qu'individu social et les résultats de ses découvertes sur la société, nous est sans doute donné par la carrière d'Einstein. Tous les témoignages s'accordent à reconnaître qu'il était le plus doux des hommes et que ses convictions le portaient au pacifisme, mais ce furent pourtant ses découvertes qui permirent l'invention de l'arme donnant à la race humaine le pouvoir de se détruire. Totalement inspiré par l'amour de la connaissance pour la connaissance, et par un profond respect de la création qui confinait à la religion, il fut à l'origine de la découverte qui pourrait ravager le monde entier.

Un corollaire inquiétant de l'incapacité où se trouve le chercheur de prédire la voie qu'empruntera la science, sans parler de la déterminer, est que, si la science est sans doute la force révolutionnaire la plus puissante au monde, personne n'est en mesure de la maîtriser. Il nous faut admettre que la science est un processus de soumission dans lequel l'esprit ne domine pas la nature mais se contente d'en découvrir les lois puis de s'y plier, laissant ce qui *est* diriger ses conclusions, tout à fait indépendamment de notre volonté. Cependant, d'un point de vue politique, la découverte scientifique qui peut amener le bien, le mal, ou les deux à la fois, s'écoule simplement des laboratoires en un flot impassible, dotant le monde ici de la bombe à neutron, là d'une bactérie qui absorbe le pétrole, d'un vaccin contre la polio ou encore d'un clone de grenouille. Ce n'est que lorsque les chercheurs, ceux qui œuvrent au nom de la connaissance, transmettent leurs découvertes aux spécialistes des sciences appliquées, qu'interviennent les intentions sociales. Ce sont effectivement ces serviteurs de la science appliquée qui s'attachent à produire les vaccins les plus efficaces ou les bombes les plus puissantes, mais peut-être sont-ils moins responsables, et donc moins à blâmer, que nous sommes parfois tentés de le croire. En effet, dès que nos intentions entrent en jeu, nous pénétrons dans le domaine de la politique au sens large du terme, et quand il est question de politique, ce ne sont plus les techniciens mais les gouvernements et les citoyens eux-mêmes qui finissent par trancher. En ce qui concerne le projet Manhattan, les scientifiques n'avaient aucun droit à décider de la fabrication de la première bombe atomique ; seul le pouvait le président Roosevelt, élu par le peuple américain.

Si les scientifiques sont incapables de prévoir leurs découvertes, ils ne peuvent pas non plus dissimuler le fruit de leurs recherches. A cet égard, ils ne se distinguent pas de nous, à qui l'on ne demande pas s'il nous plairait de vivre dans un monde où il est possible de convertir la matière en énergie, mais seulement ce que nous voulons en faire, une fois mis devant le

121

fait établi. La science évoque une marée toujours montante. L'esprit humain pris individuellement possède la faculté d'oublier, et l'humanité prise collectivement a perdu le souvenir de bien des choses, mais nous, en tant qu'espèce, ne savons pas comment oublier *délibérément*. Une découverte scientifique fondamentale revêt donc l'aspect du destin pour l'ensemble du monde. De ce point de vue la découverte scientifique est pareille à toutes les autres formes de découverte ; une fois que Colomb eut découvert l'Amérique et en eut informé le monde, le continent américain ne pouvait plus redisparaître.

Le progrès scientifique (qui ne cessera vraisemblablement pas de se poursuivre) ne nous laisse pas beaucoup plus espérer de moyens d'échapper au péril nucléaire que la régression scientifique (hautement improbable). La science ne semble pas pouvoir nous apporter quelque nouvelle invention — un quelconque missile antimissile ou un rayon laser — susceptible de rendre les armes nucléaires inoffensives (quoique l'imprévisibilité de la science nous interdise tout jugement catégorique). En ces siècles de révolution scientifique, la connaissance technique n'a cessé d'accroître la puissance destructrice des arsenaux, car il semble apparemment dans la nature même du savoir d'augmenter notre force plutôt que de la diminuer. Quand on espère du progrès technique qu'il nous permettra d'échapper à un holocauste atomique, la solution la plus couramment imaginée est celle de la fuite de l'espèce humaine à bord de vaisseaux spatiaux. L'idée serait qu'au moment où, sur terre, les gens seraient en train de s'exterminer, dans l'espace, des communautés seraient à même de survivre et de perpétuer la race. Cette hypothèse se montre parfaitement injuste à l'égard de la terre, notre lieu de naissance et milieu d'existence. Elle sous-entend qu'en échappant à la terre, nous serions en sûreté — comme si c'était la terre, ses végétaux et ses animaux qui nous menaçaient, et non le contraire. La vérité est en fait que partout où ira l'être humain, la science de la fabrication de l'arme nucléaire, et donc le danger d'extinction de la race, le suivra. Le progrès scientifique peut nous libérer de bien des maux, mais il en existe au moins deux dont il ne nous débarrassera jamais : ses propres découvertes et la tendance destructrice, voire suicidaire, qui est en chacun de nous.

Ainsi vivons-nous dans un univers dont la substance

fondamentale contient un quantité d'énergie nous donnant la possibilité de nous anéantir. Jamais nous ne trouverons de monde différent. Nous savons désormais que nous habitons un univers bien défini et ne cesserons jamais de le savoir. Cette vérité nous a attendus pendant des millénaires et maintenant nous l'avons découverte, irrévocablement. Si l'on admet qu'une certaine curiosité du monde physique dans lequel nous sommes nés fait partie intégrante de l'existence humaine, alors, en donnant aux mots un sens très large, l'origine du péril nucléaire réside d'une part dans la nature même de l'homme en tant qu'être rationnel et avide de connaître, et d'autre part dans la nature de la matière. Etant donné que l'énergie susceptible d'être libérée par les armes nucléaires est considérable, l'espèce entière est menacée, et comme rien ne pourra jamais arrêter la progression de la connaissance scientifique, l'espèce entière devient menaçante : en dernière analyse, c'est l'humanité tout entière qui représente un danger pour l'humanité tout entière. (Je n'ai pas l'intention de négliger le fait que jusqu'à présent, seules deux nations — les Etats-Unis et l'Union soviétique — possèdent des arsenaux nucléaires suffisamment puissants pour provoquer l'extinction de la race, et portent donc une très grande responsabilité dans cette situation. Je voudrais seulement souligner que si l'on considère le péril nucléaire dans toute son ampleur, il transcende les rivalités qui opposent actuellement les grandes puissances.)

Le fait que le péril nucléaire s'enracine dans les connaissances scientifiques fondamentales a d'importantes implications politiques que l'on ne peut ignorer si l'on veut trouver une solution au problème nucléaire en s'appuyant sur des bases solides, et si l'on entend éviter tout effort inutile. Compter sur le secret pour limiter le danger — c'est-à-dire faire porter à la bombe la mention top-secret serait en effet inutile. La première personne qui tenta d'enrayer la découverte de la fabrication de la bombe, fut le physicien Leo Szilard qui, lorsqu'il apprit en 1939 le phénomène de réaction en chaîne nucléaire, comprit que la bombe atomique allait naître et s'empressa de joindre un certain nombre de confrères pour qu'ils ne divulguent pas la prodigieuse découverte aux Allemands. Nombre de scientifiques importants refusèrent. Cet échec ne fut que le premier d'une longue série de tentatives, entreprises cette fois-ci par des gouvernements, dans le but de restreindre le nombre de pays capables de fabriquer la bombe. La première, et la plus notable faillite de ce type fut l'impuissance des Etats-Unis à monopoliser l'arme nucléaire, et donc à empêcher les Soviétiques de la construire. Nous avons ensuite assisté à l'échec du monde tout entier pour empêcher la prolifération de l'arme nucléaire. Compte tenu de la nature de la pensée scientifique et du nombre extrêmement faible de tentatives faites pour la réprimer, ces ratages n'auraient dû surprendre personne. (L'Eglise catholique réussit à contraindre Galilée à abjurer sa théorie selon laquelle la terre tourne autour du soleil, mais aucun de nous ne croit plus aujourd'hui que c'est l'astre solaire qui décrit une orbite autour de notre planète.) On pourrait envisager un autre essai tout aussi vain — celui tenté par notre hypothétique conseil — consistant à vouloir résoudre le problème nucléaire en procédant au désarmement sans le compléter par des mesures politiques. De même que l'idée de classer la connaissance en domaines secrets ou non, cette solution ne tient pas compte du fait que le problème nucléaire ne consiste pas en ce que certaines nations soient dotées à un moment précis de l'arme atomique mais en ce que l'humanité tout entière est maintenant et pour toujours en possession de la science qui lui permet de la construire, et en ce que toutes les nations — et même certains groupes plus restreints comme par exemple des organisations terroristes — pourraient à tout moment décider de fabriquer une bombe. Le péril nucléaire, comme le savoir scientifique qui l'a suscité, se révélant global et sans doute éternel, il faudrait au moins que notre parade tende elle aussi à semblables caractéristiques. Et le seul type de solution qui répondrait à ces exigences serait une solution politique globale. Si je définis ainsi la tâche prise dans son ensemble, cela ne signifie pas que je sois opposé aux palliatifs à court terme comme les accords S.A.L.T. entre les Etats-Unis et l'Union soviétique ou les traités de non-prolifération, du moment, justement, qu'ils sont à court terme. Quand la vie d'un malade est menacée, comme l'est aujourd'hui celle de l'humanité, une dispute entre l'infirmière qui veut administrer de l'aspirine à son patient pour faire baisser la température et le médecin qui décide de procéder à l'opération susceptible de le sauver n'aurait aucun sens ; le conflit ne se justifie que si l'infirmière préconise de ne soigner le malade que par l'aspirine. Si, considérant le nombre incroyablement faible de succès politiques au cours de l'histoire, une solution finale d'ordre politique semble presque inaccessible à l'homme, nous pourrions retrouver confiance en nous souvenant que le problème à régler n'est dû qu'à l'extraordinaire réussite d'un autre domaine de nos activités — le domaine scientifique. Il ne nous reste plus qu'à apprendre à troquer le monde technique dans lequel nous vivons contre un monde politique.

Depuis 1947, le *Bulletin of the Atomic Scientists* joint à chaque numéro une « horloge de la dernière heure ». Les rédacteurs placent à chaque fois les aiguilles plus ou moins loin de minuit, censé représenter l'heure fatale, selon qu'ils estiment l'holocauste nucléaire plus ou moins imminent. On pourrait concevoir une pendule similaire mais dont les aiguilles, au lieu de figurer l'éventualité d'un conflit nucléaire, indiqueraient, en vertu des accords politiques et techniques mondiaux, de combien de temps dispose l'humanité avant d'être anéantie dans un holocauste. A l'heure actuelle, les aiguilles seraient placées juste sur minuit ou quelques fractions de seconde avant car personne ne peut affirmer avec certitude que nous n'allons pas périr sur-le-champ, victimes d'une attaque atomique. Si un traité contraignait toutes les puissances atomiques à désarmer leurs missiles pour placer les têtes nucléaires en un endroit différent, empêchant ainsi toute attaque surprise sans avertissement, la pendule indiquerait le temps nécessaire pour réarmer les missiles. Si l'on détruisait la totalité des armes nucléaires existant sur la planète, l'horloge signalerait le délai qu'exigerait leur reconstruction. Si en outre, des accords inspirés par une confiance mutuelle étaient signés dans le but de geler le réarmement, on pourrait lire sur le cadran une estimation de la viabilité de ces accords. En admettant que ceux-ci puissent rester en vigueur des centaines, voire des milliers d'années (ce qui est une condition sine qua non de la survie de l'humanité durant cette période), des générations d'un futur très lointain pourraient alors se permettre de faire reculer les aiguilles plusieurs dizaines, ou même plusieurs centaines d'années avant minuit. Mais aucune génération n'atteindra jamais le point où elle n'aura plus l'usage de la pendule car, pour autant que nous puissions en être sûrs, nous ne retrouverons jamais plus l'époque où l'extinction de la race humaine n'était pas en notre pouvoir. L'une des observations que fit Plutarque à propos de politique pourrait également s'appliquer à la tâche d'assurer la survie, tâche qui constitue désormais l'objet principal de la politique : « Ils ont tort ceux qui prennent la politique pour un périple en mer ou une campagne guerrière, pour une entreprise visant à quelconque but, pour une affaire que l'on clôt dès que ce but est atteint. Il ne s'agit pas d'une corvée publique dont il faut se débarrasser ; c'est une manière de vivre. »

Les techniques et les principes scientifiques qui permettent la fabrication de la bombe atomique ne représentent bien sûr qu'une part infime de l'immense réservoir de la connaissance scientifique humaine, et, comme je l'ai déjà dit, on sait depuis toujours que les découvertes peuvent être employées à des fins bonnes ou mauvaises selon les intentions des utilisateurs de ce savoir. Ce qui est nouveau, c'est la prise de conscience du fait que, tout à fait indépendamment d'une quelconque intention, bonne ou mauvaise, l'action humaine a dans son ensemble déclenché un processus d'érosion et de détérioration du milieu terrestre naturel dont dépendent l'homme et les autres formes de vie. Prise dans son intégralité, la puissance accrue de l'humanité a entraîné un changement complexe et décisif dans l'équilibre des forces entre l'homme et la terre. Autrefois crainte et invincible, la nature est aujourd'hui agressée et aurait besoin d'être protégée des agissements des hommes. Cependant, étant donné que l'homme, quels que soient les niveaux intellectuel et technique qu'il puisse atteindre, continue de faire partie intégrante de la nature, ce déséquilibre se retourne contre lui également, et le danger qu'il fait courir à la planète le menace lui aussi. Il fut difficile au départ de déceler le risque que nous faisions peser sur la nature, et ceci en partie parce que les symptômes de ce péril apparurent comme des « effets secondaires » inattendus de nos objectifs principaux, auxquels nous accordions toute notre attention. Les effets secondaires en matière de production économique se manifestent par la pollution graduelle de l'environnement naturel — par exemple le réchauffement généralisé de l'atmosphère terrestre dû à l'accroissement de « l'effet de serre ». Les effets secondaires, ou effets secondai-

126

res prospectifs — que les stratèges qualifient souvent d'« effets additionnels » — incluent quand il s'agit du domaine militaire l'extinction brutale de l'espèce humaine due à une agression soudaine et très grave commise sur l'écosphère par une contamination radioactive globale, la destruction de l'ozone, les variations climatiques et autres conséquences possibles, connues ou inconnues, d'un holocauste nucléaire. Même si, dans l'esprit de l'homme, une différence existe entre les applications économiques « constructives » de la technologie, et les applications militaires « destructrices », la nature, elle, ne fait pas ce genre de distinction : toutes deux sont les têtes de pont de la domination humaine dans un monde naturel sans défense. (Ainsi, l'ozonosphère ne se préoccupe pas de savoir si les monoxydes d'azote proviennent de long-courriers supersoniques ou d'explosions nucléaires ; elle se contente de réagir selon des lois chimiques appropriées.) On n'a compris en fait que très récemment que les effets secondaires des applications constructives sont souvent les mêmes que ceux des applications destructrices. Nous devons donc aujourd'hui donner à ces « effets secondaires », et en particulier au danger d'autodestruction, l'importance qui leur est due dans tous nos jugements et décisions. Pour employer une métaphore d'un domaine plus quotidien, quand un homme se rend compte que les améliorations qu'il croit apporter à sa maison en menacent en fait les fondations, il vaut mieux pour lui qu'il revoie ses projets.

En raison de la combinaison unique formée par sa soudaineté et l'ampleur incommensurable de ses effets, un holocauste nucléaire représente une menace sans équivalent ; pourtant, elle n'est qu'un des innombrables périls que l'humanité, rendue puissante par la science, fait courir à l'univers naturel. La race humaine est maintenant prise dans le filet du progrès technique qui a déjà tué tant d'autres espèces. (On estime actuellement que la terre perd une moyenne de trois espèces chaque jour.) Le risque d'extinction de l'homme, dû non pas au fait que tous les individus succomberaient aux effets immédiats des explosions puis de la radioactivité — une telle hypothèse paraît hautement improbable, même avec les arsenaux modernes — mais au fait qu'un holocauste nucléaire rendrait la biosphère invivable pour les survivants, représente en réalité un péril *écologique*. On sépare en général la menace

127

nucléaire des dangers que courent en ce moment de nombreuses espèces, alors qu'en fait, le péril atomique devrait se trouver au centre même de la crise écologique — comme une sorte d'Everest noyé dans les nuages et dont les attaques les plus immédiates et les plus visibles perpétrées contre l'environnement ne constitueraient que le pied. Les efforts déployés pour préserver l'environnement, et ceux fournis dans le but de sauver l'espèce de l'extinction par l'arme nucléaire, gagneraient en puissance et en efficacité si l'on reconnaissait cette nouvelle définition. Le problème nucléaire, qui est aujourd'hui écarté du reste de la vie comme s'il s'agissait d'un véritable maléfice, acquerrait un contexte, et le mouvement écologiste qui, entièrement préoccupé par les animaux et les plantes, affecte une attitude frisant la misanthropie, et considère l'homme comme un intrus dans un monde naturel autrement sans défaut, prendrait la coloration humaniste qui devrait se trouver au cœur même de ses soucis.

Si on l'observe à l'échelle planétaire, la lente montée de la domination de l'homme sur la nature a entraîné une augmentation certaine du pouvoir de la mort sur terre. La capacité que possède un organisme de se régénérer et de se reproduire pendant la durée de sa vie dépend de l'intégrité de ce que les biologistes appellent l' « information » emmagasinée dans ses gènes. Ce qui subsiste — qui vit — dans un organisme n'est pas un groupe particulier de cellules, mais une configuration de cellules, dictée par l'information génétique. Parallèlement, c'est une configuration plus importante qui se prolonge dans une espèce, englobant tous les individus de cette espèce. Un écosystème a une configuration bien plus vaste encore, dans laquelle une immense variété d'espèces forme un tout équilibré qui se reproduit et évolue extrêmement lentement. L'écosphère terrestre — la « cellule » du docteur Lewis Thomas — est enfin la plus vaste configuration vivante et constitue en soi un système parfaitement réglé, équilibré et qui se perpétue. A chacun de ces niveaux, la vie observe une cohérence, dont la perte — le brusque glissement vers le chaos — équivaut à la mort. Vu sous cet angle, la vie correspond à l'information et la mort à la perte de l'information, ce qui renverrait la substance de l'être à son errance première. Cependant, la mort d'une espèce ou d'un écosystème joue un rôle très différent de la mort d'un organisme dans l'ordre naturel. Si un organisme pris individuellement tend, dès sa naissance, vers une mort inéluctable, une espèce est au contraire une source de vie nouvelle dont la fin n'est pas fixée. Un organisme est une configuration dont la mort est prédéterminée ; ainsi, dans le cadre de la vie d'une espèce, le décès de chacun des membres tient une place fixe, délimitée et nécessaire, de sorte que mort et naissance ont un parcours harmonieux assurant aux populations un certain équilibre leur permettant de coexister et de survivre dans un écosystème bien défini. Par ailleurs, une espèce peut survivre aussi longtemps que l'environnement lui est favorable. Rappelons en outre qu'un écosystème se renouvelle sans cesse. Mais, lorsque le rythme des décès s'accélère trop rapidement, à cause de l'intervention humaine dans le milieu ou de tout autre événement, la mort devient puissance d'extinction, entraînant la perte de l'espèce et de l'écosystème. Ce ne sont plus alors les seules créatures prises individuellement qui périssent, mais la source de toutes les créatures à venir de cette race qui se tarit, et une partie de la variété et de la force de la vie terrestre tout entière qui disparaît pour toujours. Ainsi, quand l'homme acquit la possibilité d'intervenir directement dans le fonctionnement de cette « cellule » globale et donc, d'exterminer des espèces entières, l'influence qu'il pouvait avoir sur la vie augmenta considérablement et en vint à menacer l'équilibre du système vivant de toute la planète.

Deux puissances adverses se disputent dorénavant le milieu terrestre — une première naturelle, dont l'action s'étend sur des millénaires en vue de renforcer et de multiplier les formes de vie, et une seconde conçue, régie par l'homme et qui, d'une façon générale, dès qu'elle n'est plus ni contrôlée ni dirigée tendrait plutôt à réduire l'immense diversité des formes de vie. Il est tout à fait étonnant que ces gigantesques moteurs du changement sur terre dépendent tous deux des stocks d'informations que se transmettent les générations les unes aux autres. C'est de l'évolution qu'il faut en fait rapprocher le progrès scientifique. Ce dernier est en effet constitué d'une masse d'informations qui s'accroît régulièrement et permet à l'homme de créer une gamme de plus en plus impressionnante de produits, de même que l'évolution consiste en une masse toujours croissante d'informations grâce auxquelles se développent des créatures plus complexes et plus étonnantes

129

encore — dont l'homme, qui menace aujourd'hui de balayer à la fois les structures humaine et naturelle, représente le couronnement. Nous serions tentés de penser que seul le site organique de l'information génératrice d'évolution a changé, — passant des gènes au cerveau. Cependant, étant donné l'extrême rapidité du progrès technologique par rapport à l'évolution naturelle, celle-ci se trouve dans l'incapacité de remplacer les espèces décimées, mettant ainsi tout le stock génétique de la vie en danger. La mort, que l'humanité a rendue plus puissante, a perdu la place qui lui était réservée dans l'ordre naturel et est devenue une force anti-évolution, capable de détruire en quelques années, voire quelques heures, ce que l'évolution a mis des millénaires à créer. Un tel processus est en fait une menace pour la mort elle-même, car ne fait-elle pas finalement partie intégrante de la vie ? Les pierres ne vivent pas, mais elles ne meurent pas non plus. La question qui se pose maintenant à l'espèce humaine est donc de savoir qui de la mort ou de la vie va dominer la terre. Il ne s'agit pas là d'une métaphore, mais de l'exacte description de la situation actuelle.

On pourrait alléguer qu'en créant, après des milliards d'années, des êtres doués de volonté et de raison, la nature confia son destin, dirigé jusque-là par le mouvement lent et inconscient de l'évolution naturelle, aux décisions conscientes de l'une de ses espèces. Lorsque ce transfert intervint, l'activité humaine, jusqu'alors contenue dans les limites du domaine historique — qui lui-même suivait un courant biologique bien plus vaste — abattit ces frontières et commença de menacer à la fois l'histoire et la biologie. La pensée et la volonté devinrent plus fortes que la terre qui leur avait donné naissance. Les êtres humains sont désormais devenus acteurs des temps géologiques et les lois qui régissaient le développement et la pérennité de la vie ont peu à peu été détrônées par des processus se déroulant dans l'esprit de l'homme. Cependant, à ce moment-là, il n'y avait plus de lois ; il ne restait plus que des choix ainsi que la pensée et les sentiments pour guider ces choix. L'état de la nature préhistorique, si stable, si rassurant et indépendant, s'est effacé pour faire place aux jugements, décisions et humeurs de l'humanité, qui se sont imposés avec une force terrifiante et sans doute imprévue.
Si on le considère objectivement comme un épisode dans le

développement de la vie sur terre, un holocauste nucléaire qui provoquerait l'extinction de l'humanité et des autres espèces en mutilant l'écosphère ne constituerait qu'un recul de l'évolution d'une portée peut-être limitée. Ce serait le premier recul provoqué par une action délibérée de ses propres victimes, mais il ne se révélerait pas forcément plus grave que ceux déjà enregistrés par l'évolution, comme la disparition des dinosaures, dont on possède aujourd'hui les preuves géologiques. (S'il semble bien entendu impossible de prévoir quelle forme prendrait l'évolution après l'extinction de la race humaine, les exemples donnés par la préhistoire suggèrent que la réapparition de l'homme est fort improbable. L'évolution a engendré une infinie variété de créatures, mais nous n'avons pas connaissance qu'une espèce soit réapparue après son extinction. Il est difficile de savoir si, se conformant à quelque loi du progrès de l'évolution, la nature produirait ou non un nouvel être doué de raison, de volonté et capable de construire, donc peut-être de détruire, un monde à sa mesure, mais on imagine mal ce nouvel animal se penchant sur les vestiges de notre auto-destruction pour méditer nos erreurs et en tirer les enseignements. Si cela devait se produire, alors la remarque de Kafka prendrait tout son sens : « Il existe un espoir infini, mais il n'est pas pour nous. » D'un autre côté, si, comme le laisse entendre jusqu'ici l'histoire de la vie, l'évolution terrestre ne peut engendrer qu'une seule fois le miracle consistant à réunir en une même créature les « qualités » de l'homme, l'espoir ne s'applique qu'au seul être humain.) Cependant, d'un point de vue subjectif, c'est-à-dire du point de vue de l'humanité à laquelle nous appartenons tous, et à propos d'un avenir possible, l'extinction de l'espèce prend des proportions terrifiantes et insaisissables. L'essence même de la condition humaine est de naître, de vivre pendant une période donnée puis de mourir. Nous pouvons également périr prématurément à la suite d'accidents de toutes sortes, et un holocauste nucléaire provoquerait un nombre de morts prématurées dépassant toutes les catastrophes imaginables : tous les habitants de la terre disparaîtraient. Mais si le brusque décès de tous les êtres humains constitue en soi une perte immense, il priverait surtout la planète de toutes les générations futures, ce qui paraît plus grave encore. Si l'on s'en tient à la Bible, Dieu punit Adam et

131

Eve d'avoir mangé le fruit défendu en leur ôtant le privilège de l'immortalité et en les condamnant, eux et leurs descendants à mourir. Aujourd'hui, notre espèce continue de mordre dans le fruit défendu et se voit contrainte d'affronter une deuxième mort — celle de l'humanité. Nous avons ainsi provoqué un changement fondamental du contexte dans lequel la vie nous a été donnée, ce qui revient à dire que nous avons modifié la condition humaine. La distinction existant entre cette deuxième mort et le décès de chacun des hommes vivant sur la terre peut être illustrée par deux hypothèses de catastrophes globales. Imaginons tout d'abord un cataclysme dans lequel la majorité des habitants de la terre seraient tués par un holocauste nucléaire, mais à la suite duquel survivraient quelques millions de personnes sur une planète restée propice à la vie humaine. Des milliards de gens périraient mais l'espèce survivrait et parviendrait peut-être un jour à repeupler entièrement notre monde. Supposons maintenant que soit libérée dans l'environnement une substance ayant un effet stérilisant mais par ailleurs inoffensive pour les êtres humains. Au fur et à mesure que les gens mourraient de leur mort naturelle, la terre se dépeuplerait jusqu'à devenir un désert total. Aucune atteinte n'aurait été portée à la vie de quiconque, mais l'espèce s'éteindrait. En cas d'extinction provoquée par l'arme nucléaire, il se produirait à la fois la mort de l'espèce et celle de chacun des habitants de la terre, mais il est important de distinguer ces deux faits ; en effet, l'esprit déjà atterré par l'idée du meurtre de tant de milliards d'êtres vivants pourrait esquisser un mouvement de recul avant d'avoir compris qu'au-delà de ce désastre inimaginable l'attend l'anéantissement de toutes les générations futures.

Le pouvoir qu'ont maintenant les vivants d'annihiler le développement de toutes les générations futures nous oblige à nous poser certaines questions fondamentales concernant l'essence même de notre existence ; la plus radicalement nouvelle d'entre elles serait de nous demander ce que représentent pour nous ces générations à venir, dont nous ne connaîtrons de toute façon que quelques représentants même si nous les laissons s'épanouir. Personne avant nous n'avait même songé à se poser une telle question car aucune génération avant la nôtre n'avait jamais eu pouvoir de vie et de mort sur l'ensemble de l'espèce humaine. Mais, éprouvant tellement de difficultés à appréhender le massacre de milliards de personnes déjà en vie au cours d'un conflit atomique, comment pourrions-nous envisager la mort éventuelle de l'infinité d'hommes à naître ? Qui sommes-nous, simple fraction de la vie de l'humanité, pour nous écarter d'elle et la contempler tout entière dans le but d'évaluer la portée de sa disparition ? Tuer un être humain s'appelle un meurtre — certains qualifient aussi de meurtre l'avortement d'un fœtus — mais de quel crime s'agit-il quand sont exterminés une infinie multitude de gens qui n'existent pas encore ? De quel jugement ce crime est-il passible ? Contre qui aura-t-il été commis ? Quelle loi viole-t-il ? Si le péril nucléaire nous paraît quelque peu abstrait et si nous avons tendance à nous en décharger totalement sur les « spécialistes de la défense » et autres personnes soi-disant qualifiées, cela s'explique sans doute partiellement par le fait que le concept de génération future est véritablement abstrait — c'est-à-dire que ces êtres à venir manquent de la tangibilité et des caractères spécifiques qui nous rendent les vivants si réels. Si ce problème nous semble tellement « impersonnel », peut-être est-ce également parce que les hommes à naître, les plus directement menacés par l'extinction, ne sont pas encore des êtres humains. Mais alors, qui sont-ils ? L'individualité que nous associons souvent à la notion d'existence sacrée leur manque et, à première vue, ils ne semblent dotés que d'une existence floue et trop générale. Où sont-ils ? Doit-on les représenter alignés dans une sorte d'antichambre de la vie, attendant de venir au monde ? Ou ne devons-nous les considérer que comme un peu de substance chimique renfermée dans nos organes reproducteurs et envers laquelle nous n'avons pas la moindre obligation ? Quelle position devraient-ils occuper dans notre société ? Dans quelle mesure leurs besoins devraient-ils entrer en concurrence avec les nôtres ? Jusqu'où l'homme doit-il continuer de ne se préoccuper que de son intérêt, de son bonheur, de sa propre existence ?

L'individu, confronté aux problèmes quasi métaphysiques que pose la méditation sur l'éventuelle disparition de personnes n'existant pas encore — considérable effort d'imagination qui, apparemment, consiste d'abord à visualiser dans l'esprit l'infinité des membres que compteraient les générations futures pour tenter ensuite de livrer ces multitudes irréelles à un néant plus profond encore — pourrait se demander pourquoi il devrait se préoccuper de la mort des autres quand il lui faut déjà assumer la sienne. Notre mort individuelle étant déjà synonyme de fin totale et éternelle, l'idée d'une deuxième mort pourra sembler pléonastique. Est-il possible en effet de nous retirer deux fois le même don ? Chacun pourrait penser en outre que si l'humanité devait disparaître, lui-même n'en saurait rien puisqu'il serait déjà mort. La pensée d'être ainsi accompagné dans la mort peut même sembler rassurante. Perdu au milieu de la mort universelle, peut-être aurait-on l'impression de devenir anormal à vouloir vivre. Comme le disait Randall Jarrell dans son poème « Ruines » qui fait référence à son expérience de la Seconde Guerre mondiale : « Ce n'était pas mourir : tout le monde mourait. »

L'individu aurait cependant tort de ne concevoir le péril nucléaire qu'en termes de danger personnel ou de risque menaçant les gens qu'il connaît directement, car c'est avant tout sur la vie au niveau de l'ensemble des hommes et non au niveau de chacun de nous, qui vivons déjà sous la coupe de la mort, que pèse le danger nucléaire. La mort supprime la vie ; l'extinction de la race supprimerait la naissance. La mort envoie chacun de ceux qui sont nés dans le néant d'après la vie ; l'extinction confine d'un seul coup toutes les personnes qui ne sont pas encore nées dans le néant d'avant la vie. Nous sommes des êtres dont l'existence est limitée dans le temps — par la naissance et par la mort — et c'est le commencement de la vie de nos descendants que l'extinction remet en question. Nous avons toujours su donner la mort, mais c'est aujourd'hui la première fois qu'il devient possible d'empêcher toute naissance et donc de condamner à la non-création tous les êtres humains à venir. Le risque de la suppression de toutes les naissances — moment de l'existence qui ne touche plus les personnes déjà nées — ne peut constituer un sujet de préoccupation immédiate et égoïste ; cette menace concerne plutôt ce que partagent tous les hommes, soit la capacité qu'a notre espèce de produire de nouvelles générations assurant la continuation du monde où tous nos actes se matérialisent et prennent leur signification. La mort appartient de façon inaliénable à celui qui doit la subir, mais la naissance, elle, appartient à la communauté humaine.

Il ne faut donc pas chercher la signification d'une éventuelle extinction dans ce que représente pour chacun sa propre existence, mais dans l'importance que chacun de nous accorde individuellement au monde et aux gens.

Selon Hannah Arendt, le monde humain est un « monde collectif » qu'il faut distinguer du « domaine privé » appartenant à chacun personnellement. (Curieusement, Arendt, qui a tant écrit sur les fléaux fondamentalement nouveaux apparus au cours de ce siècle, ne s'est jamais penchée sur les conséquences de l'arme nucléaire ; j'ai cependant découvert dans sa pensée des bases indispensables à toute réflexion sur le sujet.) Le domaine privé, écrit-elle en 1958, dans son livre *La Condition de l'Homme Moderne* se décompose ainsi : « les passions du cœur, les pensées de l'esprit, les plaisirs des sens », et s'achève avec la mort de l'individu, qui constitue l'expérience la plus solitaire de toute la vie humaine. Le monde collectif, par ailleurs, est formé de toutes les institutions, toutes les villes, nations et autres communautés ; de toute la production, qu'elle soit industrielle, artistique, intellectuelle ou scientifique ; en fait, de tout ce qui survit à la mort de chaque individu. Ce qui caractérise le monde collectif, c'est qu'il comprend, outre le présent, le passé et toutes les générations futures. « Le monde collectif est celui dans lequel nous entrons lorsque nous naissons, et que nous laissons derrière nous lorsque nous mourons », écrit Hannah Arendt. « Il transcende notre existence individuelle en recouvrant le passé et l'avenir ; il existait avant notre venue et durera après la fin de notre court séjour sur terre. Il représente ce que nous avons en commun, non seulement avec nos contemporains, mais avec ceux qui nous ont précédés et ceux qui nous succéderont. » Elle ajoute : « Sans cette transcendance qui tend vers l'immortalité potentielle sur terre, aucune politique, au sens strict du terme, aucun monde collectif, aucun domaine public ne serait possible. » La création du monde collectif correspond à ce que nous, êtres humains, et nous seuls parmi toutes les créatures de la terre, avons fait du contexte biologique qui nous a faits individus mortels tandis que notre espèce reste toujours biologiquement, immortelle. Si l'humanité n'avait pas fondé le monde collectif, l'espèce aurait malgré tout survécu à ses membres et aurait conservé son caractère immortel, mais nous n'en aurions pas été conscients et cette immortalité n'aurait servi à rien, comme c'est le cas pour le règne animal ; les générations, ignorantes de l'existence de leurs prédécesseurs et de leurs successeurs, se seraient suivies comme les vagues sur la grève, laissant tout tel qu'elles l'auraient trouvé. En réalité, notre crainte de l'extinction est due entièrement au fait que l'humanité a élaboré un monde collectif. L'homme étant la seule créature sachant qu'elle doit mourir, n'est peut-être même conscient de cette fatalité que parce qu'il vit dans un monde collectif lui permettant d'imaginer un avenir qu'il ne pourra connaître. Ce monde collectif, que ne menace pas la mort individuelle mais qui dépend de la survie de l'espèce, se trouve maintenant exposé au péril nucléaire. La mort et l'extinction sont donc complémentaires ; elles se partagent la tâche de détruire, ou la promesse de détruire, tout ce que sont ou pourraient jamais devenir les êtres humains, la mort achevant la vie de chaque individu et l'extinction mettant en danger le monde collectif partagé par tous. En un sens, l'extinction paraît moins terrible que la mort car la première peut être évitée tandis que rien n'arrêtera jamais la seconde ; mais l'extinction peut également s'imposer comme la plus effrayante — comme un néant plus radical encore — car elle supprime la mort de la même façon qu'elle supprime la naissance et la vie. La mort n'est que la mort ; l'extinction équivaut à la mort de la mort.

Le monde nous est collectif grâce à ce que Hannah Arendt appelle la « publicité », garantissant que « tout ce qui se produit en public peut être vu et entendu par chacun de nous. » Elle écrit également : « Un monde collectif ne peut survivre aux générations qui vont et qui viennent que dans la mesure où il existe devant un public. C'est la publicité du domaine public qui peut annexer tout ce que les hommes désirent sauver de l'usure naturelle du temps, pour le faire rayonner à travers les siècles. » Mais cette publicité ne se limite pas à éclairer les œuvres des hommes ; elle met également en lumière les fondements même de la vie, nous donnant la possibilité de comprendre quelles sont nos origines. Par conséquent, cette publicité nous permet non seulement de conférer une certaine immortalité à ce que nous créons, mais aussi de découvrir et d'apprécier l'immortalité biologique préexistante de notre espèce et de la vie sur la planète, qui est à la base de toute immortalité terrestre quelle qu'elle soit. Le principal outil mis à la disposition du monde collectif est évidemment le langage, dont beaucoup pensent qu'il est ce qui sépare l'homme de l'animal ; mais il existe également le « langage » de l'art et des sciences. Puis, au-delà de ce langage, il y a surtout ce qu'il exprime : notre raison, notre esprit, notre volonté et notre intelligence, grâce auxquels nous pouvons pénétrer dans la vie des autres et nous rendre compte que nous appartenons à une communauté de personnes différentes aussi vaste que l'est notre espèce. La création d'un monde collectif est une entreprise exclusivement humaine, et le fait de vivre dans ce monde collectif — de se parler et de s'écouter les uns les autres, de lire, d'écrire, de connaître notre passé et d'envisager notre avenir, d'hériter des ouvrages de nos ancêtres et de les transmettre à nos enfants, ainsi que de participer aux travaux des hommes, qui survivront à toute vie individuelle — entre en partie dans le sens que nous donnons à l'expression « être humain » ; en menaçant le monde collectif, l'arme nucléaire menace une partie de notre humanité. Il n'est plus possible de séparer ce monde collectif de la vie que nous vivons actuellement ; il est intrinsèque à notre existence — aussi proche de nous que les mots que nous prononçons et que les pensées exprimées par ces mots. La célèbre formule de Descartes « Je pense, donc je suis » a sans doute été la plus contredite de toutes les assertions philosophiques. Pour la réfuter, Lewis Mumford se contente de décrire ce que doit chaque individu au monde collectif et à l'héritage biologique commun révélé par le monde collectif. « Descartes a oublié que, avant de prononcer les mots " je pense... " il lui a fallu la contribution d'innombrables êtres humains, contribution qui commença des milliers d'années auparavant, avec le début de l'Histoire sainte, avant d'aboutir à la connaissance cartésienne », écrit Mumford dans *The Pentagon of Power,* livre sorti en 1970. « Nous savons de plus qu'il a eu besoin du concours d'un passé plus éloigné encore, dont l'humanité ne connaît l'existence que depuis peu de temps : les millions d'années nécessaires à ses ancêtres pour évoluer du stade d'animal à celui d'être humain doué de conscience. » Dans la longue et pénible ascension qui nous a éloignés des ténèbres biologiques, nous paraissons avoir oublié notre dette envers le monde naturel de nos origines, et nous risquons en conséquence de nous plonger dans des ténèbres plus profondes encore. Le problème nucléaire constitue donc sous tous ses aspects une crise de la vie telle qu'elle existe dans le monde collectif. Il ne peut y avoir menace contre ce monde collectif et ses assises naturelles que dans la mesure où ce monde, dans lequel la connaissance concernant le monde physique s'est accumulée avec chaque génération, a une réalité. Nous ne pouvons nous inquiéter, ou même avoir conscience, de cette menace que dans la mesure où ce monde collectif, grâce auquel nous avons une idée des autres générations et de la nature terrestre dont la vie de l'homme fait partie intégrante, existe bel et bien. Et ce n'est enfin que dans la mesure où ce monde a une réalité que nous pouvons espérer, en concertant nos actions, nous sauver nous-mêmes et sauver la terre.

Le monde collectif est l'œuvre de toutes les générations qui ont vécu depuis les âges les plus reculés. Un peu comme le poète prend d'abord les mots qui sont à sa disposition puis les déforme pour les besoins de l'œuvre, nous léguant ainsi des sens altérés, le commun des mortels poursuit des buts divers dans l'univers malléable que constitue notre monde, et, par ses actes, en modifie le caractère. Cependant, quoique le monde reçoive l'empreinte de toutes les vies qui le traversent, aucune génération ne peut se targuer de l'avoir marqué plus que les autres. Même le pire des régimes totalitaires n'est pas parvenu à régenter complètement la vie de ses citoyens. Il suffit de penser à Alexandre Soljenitsyne, qui a grandi en Union soviétique mais a tiré toute sa substance spirituelle des siècles de la Russie tsariste, ou de songer à la Chine, où tant de coutumes et de traits caractéristiques du peuple chinois ont survécu à ce qui fut probablement la prise d'assaut la plus longue et la plus concentrée dans l'histoire des traditions nationales de son propre pays par un gouvernement, pour se rendre compte à quel point le passé d'un peuple est intimement mêlé à son présent.

Les liens unissant les morts, les vivants et ceux qui sont à naître ont été décrits par Edmund Burke, le grand homme du parti whig anglais du dix-huitième siècle, comme une « association » des générations. « La société », écrit-il, « est en fait un contrat... C'est une association dans la science ; une association dans l'art ; une association dans la vertu et la perfection. Etant donné que le fruit d'une telle association ne pourra être cueilli qu'après bien des générations, celle-ci devient une association entre les vivants, mais aussi avec les morts et ceux qui sont à naître. » Dans son oraison funèbre, Périclès nous donne une image similaire, mais pas identique, de la vie partagée par toutes les générations en disant qu'Athènes constituait tout entière un « sépulcre » à la mémoire des soldats morts pour défendre leur ville. Ainsi, là où Burke parle de tâches collectives nécessitant le travail de nombreuses générations, Périclès insiste sur l'immortalité que confèrent les vivants aux morts en se rappelant leur sacrifice. Le président américain Abraham Lincoln semble combiner ces deux conceptions lorsqu'il déclare dans son discours de Gettysburg [1] que le sacrifice des soldats morts à Gettysburg contraint les vivants à se vouer à la cause des victimes. En réalité, tous les observateurs ou acteurs politiques quelque peu clairvoyants ont compris que la vie, pour être pleinement humaine, devait prendre en compte les morts et les générations futures.

Mais aujourd'hui, notre responsabilité de citoyens de ce monde collectif s'est considérablement élargie. Dans le monde collectif pré-nucléaire, nous étions tous associés dans la défense des arts, des institutions, des coutumes et de la « perfection » de la vie ; nous le sommes désormais également dans la défense de la vie elle-même. Burke parle des œuvres que les générations se transmettent, comme d'un héritage commun. « Grâce à une politique constitutionnelle fonctionnant sur le même modèle que la nature, écrit-il, nous recevons, nous détenons et nous transmettons notre gouvernement ainsi que nos privilèges, de la même façon que nous possédons puis léguons nos biens et nos vies. Les institutions de la politique, les biens de fortune et les dons de la Providence nous sont donnés avant que nous ne les donnions à notre tour, en un rite immuable. » Ces citations sont extraites des *Réflexions sur la Révolution en France* de Burke à qui la révolution faisait horreur dans la mesure où il y voyait l'héritage de plusieurs siècles anéanti violemment par une seule génération en l'espace de quelques années. Mais, qu'il ait eu ou non raison en pensant que le patrimoine français était gaspillé

1. Ville de Pennsylvanie où les fédérés remportèrent une victoire importante pendant la guerre de Sécession. (*N.d.T.*)

par les légataires, ceux-ci, et les générations qui suivirent, ne s'en trouvèrent pas modifiés, du moins biologiquement. De nos jours cependant, les donataires se trouvent eux-mêmes inclus dans cet héritage en péril. Chacune des générations de l'humanité reçoit encore, détient toujours et continue de transmettre le legs du passé, mais à partir de maintenant, elle fait partie intégrante de ce patrimoine, celui qui reçoit et celui qui est reçu, qui détient et est détenu, qui transmet et est transmis se confondant désormais. Pourtant, le danger qui nous menace ne représente qu'un élément du péril qui pèse sur toute la vie, car la pièce la plus importante du legs dont nous sommes les donataires, les détenteurs, puis les transmetteurs, est l'écosphère dans sa totalité. Le changement apporté par ce nouveau péril dans la structure même de la vie humaine est si profond qu'un examen rétrospectif des préoccupations de Burke concernant la « perfection » de la vie, aussi nécessaire soit-elle aujourd'hui à la qualité de notre existence, ne nous montre ces préoccupations que comme une légère allusion par rapport aux obligations que nous impose le problème nucléaire. Burke nous apparaît presque comme un prophète lorsqu'il cherche à décrire la permanence des affaires humaines qu'il valorise tant en employant des métaphores empruntées au monde naturel — comme la société qui doit fonctionner sur « le même modèle que la nature » — donnant ainsi l'impression d'avoir eu une prémonition selon laquelle l'humanité, prenant des habitudes révolutionnaires, finirait un jour par s'attaquer à la nature elle-même après avoir désorganisé la société. Parlant de la société dans laquelle chacun de nous vient au monde, Burke demande avec colère s'il peut être juste de « massacrer ainsi cette mère si âgée ». Ses mots ont aujourd'hui pris une signification plus profonde qu'il n'aurait pu s'en douter car la mère dont il parle n'est plus seulement la société, mais la terre tout entière.

Si tous les buts humains, personnels ou politiques, présupposent l'existence de l'homme, la tâche de protéger cette existence devrait monopoliser toute l'énergie dont nous disposons. Cependant, le danger qui menace la vie de l'humanité n'a pas fait taire les revendications de chacun pour conduire sa propre vie, c'est-à-dire penser surtout à sa propre survie. Tant que

nous saurons nous préserver de l'extinction, l'histoire continuera de s'écouler à son rythme habituel, les désirs, les besoins,
les craintes, les intérêts et les idéaux qui ont toujours fait
avancer les hommes s'imposant avec la même intensité malgré
la menace que constitue désormais pour eux l'anéantissement
possible de toute l'humanité. Ainsi, quel que soit leur désir de
voir survivre l'espèce, les gens veulent aussi être libres, vivre
dans l'aisance, être traités avec équité, etc. Il nous faut donc
revoir ces valeurs individuelles au profit de la valeur accordée à
l'existence humaine dans son ensemble. Mais alors que nous
sommes habitués à peser chacune des priorités de notre
existence quotidienne individuelle, nous ne sommes pas prépa-
rés à cette nouvelle tâche collective. Sur quoi devrions-nous
nous fonder pour évaluer notre valeur en tant qu'espèce et
comment sommes-nous censés mesurer l'écart entre cette valeur
et celle de choses qui dépendent entièrement de notre existence ? Ces questions ne sont en aucun cas arbitraires. Chaque
gouvernement, chaque citoyen du monde — mais particulièrement les gouvernements et citoyens américains et soviétiques
— doit décider quelle importance accorder à la survie du
monde comparée aux exigences des affaires humaines dans ce
monde. En général, lorsque nous nous considérons les uns les
autres, ou que nous considérons le monde, nous nous repérons
grâce à l'utilisation d'étalons. Pour évaluer le produit de notre
travail, nous pouvons nous servir d'un étalon d'utilité ; pour les
activités politiques, d'un étalon de justice ; pour le travail
artistique et intellectuel, d'un étalon de beauté et de vérité ;
pour le comportement humain en général, d'un étalon de
bonté. Et quand les choses que nous apprécions dans la vie
s'opposent, nous les mesurons les unes par rapport aux autres
à l'aide de l'étalon peut-être indéfinissable mais néanmoins
bien sensible du bien public. Mais aucun de ces étalons,
celui du bien public inclus, n'est adapté pour évaluer la
valeur de l'humanité tout entière, car aucun d'entre eux n'a
la moindre signification ou application à moins que l'on ne
suppose d'abord l'existence de cela même dont ils sont censés mesurer la perte ; à savoir l'humanité. Quiconque estime
l'utilité des choses suppose l'existence de l'être humain
auquel elles sont destinées ; quiconque apprécie la justice
suppose l'existence d'une société dont les membres sont amenés

141

à entretenir des relations justes ; quiconque aime la beauté et la vérité suppose l'existence d'esprits susceptibles de les recevoir ; quiconque aime la bonté suppose l'existence de créatures capables d'en faire preuve et d'en avoir besoin ; quiconque espère encourager le bien public suppose l'existence d'une communauté dont il pourrait harmoniser les objectifs divergents. Ces échelles de valeur, et toutes les autres que nous n'avons pas citées, ne sont utiles que pour comparer tout ce qui fait partie de la vie, mais elles ne permettent pas d'évaluer la vie elle-même. Nous ne pouvons, par exemple, déclarer tout simplement que la fin du monde est mauvaise et sa survie bonne, l'humanité n'étant elle-même ni bonne ni mauvaise mais source des deux notions puisqu'elle constitue le théâtre dans lequel sont commises les bonnes et les mauvaises actions, ainsi que les acteurs qui les accomplissent. (Jamais une pierre, un arbre ou un lion n'a fait quoi que ce soit de bon ou de mauvais.) De la même façon, nous ne pouvons affirmer que l'humanité est utile. En effet, à qui serions-nous utile ? Personne n'a besoin nulle part de la vie humaine ; disons plutôt qu'elle est le siège même du besoin qui lui-même représente l'un des modes de notre existence.

Déterminer la valeur de chaque individu, ou la valeur de l'humanité tout entière, soulève la question de savoir « à quoi » pourrait servir la vie — en admettant bien sûr qu'il soit possible de dire que la vie puisse *servir* à quelque chose — mais à la différence fondamentale que l'individu peut sacrifier sa vie *aux* autres, tandis que l'humanité n'en a pas la possibilité, puisqu'elle inclut en elle-même tout « autre » éventuel. Confrontés à la contradiction selon laquelle nous pouvons tenter d'évaluer chaque partie de la création en nous demandant quelle est son utilité pour l'humanité, alors que celle-ci, ne semblant pas devoir servir à quoi que ce soit, apparaît « sans valeur », certains philosophes ont essayé de résoudre le problème (Kant, par exemple) en décidant que l'homme est une « fin en soi » ou un « but final », entendant par là que servir l'être humain était le bien fait suprême et que l'on ne pouvait considérer la vie humaine comme un moyen de réaliser un autre bienfait plus « suprême » encore. Cependant, on peut critiquer cette théorie en soulignant que placer l'homme au tout dernier stade d'une série de moyens et de buts divers revient à suggérer que l'homme s'est créé lui-même — le processus consistant à parvenir à une fin par l'utilisation de moyens étant purement humain — alors qu'il a en réalité été créé par des forces sur lesquelles il n'avait aucune influence. Peut-être serait-il plus approprié de dire que l'homme est un commencement puisque toute la chaîne des moyens et des fins, quels que puissent en être les buts ultimes, naît de l'homme, dont elle présuppose l'existence, pour alors refermer la boucle en lui, démontrant ainsi qu'elle est entièrement prisonnière de la vie humaine. En ce sens, l'homme n'apparaît donc pas tant comme un « but final », que comme l'initiateur de tous les moyens et les fins, les modelant et les définissant en fonction de sa nature et de sa volonté. Mais il nous est très difficile de discerner ce « commencement » dont l'existence, en ce qui nous concerne, est un *fait accompli*[1], car à peine commençons-nous à penser, vouloir, apprécier ou faire quelque chose, que nous l'avons déjà admis (« l' » désignant en fait nous-mêmes et les autres êtres humains). La vie humaine peut se manifester sous un nombre infini de formes bien définies et souvent visibles, mais l'humanité — la structure de base de la vie humaine à partir de laquelle peuvent s'opérer toutes les combinaisons — n'apparaît jamais en tant que telle et reste, d'une certaine façon, invisible.

L'une des raisons pour lesquelles nos étalons habituels de mesure ne nous sont d'aucune utilité pour tenter de déterminer la valeur de notre espèce est qu'ils sont destinés à nous fournir une référence permettant d'évaluer les individus à l'intérieur de certaines catégories, alors que l'humanité n'entre dans aucune catégorie encore déterminée. Il est théoriquement possible, bien sûr, que l'on découvre un jour dans l'espace d'autres créatures douées des facultés mentales, psychologiques et spirituelles qui sont pour l'instant des caractéristiques spécifiquement humaines et que nous puissions alors nous évaluer par rapport à elles selon les critères adaptés qui s'imposeront à ce moment-là. D'ailleurs, nous sommes dès aujourd'hui libres d'imaginer qu'un dieu ou qu'une créature extraterrestre soit déjà en mesure d'évaluer le prix de notre disparition en la considérant comme la suppression d'un type et d'une valeur spécifiques dans l'échelle d'une création universelle dont nous n'avons pas encore connaissance. Cependant, ce procédé

---

1. En français dans le texte. (*N.d.T.*)

ambitieux, par lequel nous troquons notre perspective humaine contre une vision surhumaine relevant de la pure spéculation, ne constitue en fait qu'une échappatoire car il nous décharge de la situation difficile dans laquelle nous nous sommes mis et que nous devons affronter. En inventant une intelligence susceptible d'échapper à l'extinction et de contempler notre disparition, en dotant cette intelligence de caractéristiques étrangement humaines, nous refusons et fuyons même la réalité de l'extinction puisque nous nous fabriquons en secret un survivant. (Le goût actuel pour la science-fiction et autres formes de fantaisie pure ne découle-t-il pas justement du fait que croire à d'autres formes de vie dans l'univers nous rassure? Les nouveaux mondes que nous propose la science-fiction nous permettent peut-être d'échapper en imagination au piège qui se referme en réalité sur notre espèce.) D'un point de vue religieux, vouloir ainsi atteindre à une perspective réservée à Dieu serait une tentative de l'homme d'usurper l'omniscience divine, soit une forme de blasphème. Une deuxième raison pour laquelle nos étalons de mesure ne nous sont d'aucune utilité est que notre extinction supprimerait également l'emploi des seuls étalons en notre possession ou applicables par nous — à une échelle humaine — et que nous nous retrouvons donc confrontés à un jugement dont il manquerait les juges.

Une déformation plus grave encore de la religion est due à certains chrétiens fondamentalistes qui voient en un holocauste nucléaire l'Armageddon, ou menace du Seigneur, annoncé par la Bible. Ceci revient à une usurpation non seulement de la connaissance divine, mais aussi de la volonté de Dieu. Ce n'est pourtant pas Dieu qui, triant parmi ceux qu'Il a Lui-même créés, menace notre existence; nous sommes seuls responsables. Qu'il soit dit également que l'extinction par l'arme nucléaire ne sera pas non plus le jour du Jugement dernier au cours duquel le Seigneur anéantit le monde mais ressuscite les morts avant de rendre justice à tous ceux qui ont jamais vécu sur terre; il ne s'agirait que de la destruction absolument dépourvue de sens et injustifiée de l'humanité par l'homme lui-même. S'imaginer que Dieu guide notre main dans cette action serait littéralement l'ultime dérobade pour fuir notre responsabilité en tant qu'êtres humains — responsabilité qui est effectivement nôtre car le Seigneur (pour continuer avec l'interprétation religieuse) nous **a** dotés du libre arbitre.

L'être humain a une valeur — une valeur sacrée. Mais c'est par rapport aux *autres* êtres humains qu'il a cette valeur sacrée, comme c'est pour eux que tous les autres éléments de la création ont une valeur propre (même si le fait que nombre de nos besoins et de nos désirs soient également ressentis par les animaux nous rappelle le lien indissoluble qui nous unit au reste de la nature). En conséquence, si nos échelles de valeur font référence à ce que la vie peut offrir de meilleur, elles renvoient aussi à l'existence des nécessiteux, des malheureux ou des heureux, des désespérés, des enthousiastes ou de toutes les personnes ouvertes spirituellement pour lesquelles chaque chose a une certaine valeur ou au contraire, en est dépourvue. Pour employer un langage philosophique élémentaire, les membres de notre espèce ne constituent, en tant qu'objets, qu'une fraction de tout ce qui a aux yeux des hommes une valeur dans l'existence, mais, en tant que somme de tous les sujets humains possibles, l'espèce réunit tous les « yeux des hommes » et devient en ce sens le seul créateur de toutes les valeurs telles que nous les percevons. La mort d'un individu consiste en la disparition d'un sujet ainsi que de tous ses besoins, ses attentes, ses souffrances et ses enthousiasmes — de son être. L'extinction de l'espèce va plus loin encore et fait disparaître de l'univers connu le *type* de l'être humain, qui diffère de tous les autres types que nous connaissions jusqu'à présent. C'est surtout la mort de l'humanité en tant que source immortelle de tous les sujets humains, et non la mort de l'humanité en tant qu'objet, qui donne à l'extinction son caractère unique et « impensable ». Si elle se produisait, les ténèbres s'abattraient sur le monde, non pas parce que les lumières se seraient éteintes, mais parce que les yeux susceptibles de voir ces lumières se seraient fermés. Non que seul existe ce que l'œil humain peut voir. Rien dans un holocauste ne peut remettre en question l'existence du monde physique qui, n'en doutons pas, subsistera, que nous nous détruisions ou pas. Nous sommes même libres de supposer qu'en un certain sens, la valeur intrinsèque des choses continuera d'exister, dans l'attente que réapparaissent des créatures capables de l'apprécier. Cependant, sans vouloir entrer dans la discussion de savoir si la beauté réside dans l'œil de celui qui regarde ou dans

145

l' « objet lui-même », nous pouvons au moins dire que sans personne pour la voir, la beauté se perd. L'univers continuerait d'exister, mais tel qu'il est imprimé dans l'âme humaine il disparaîtrait. L'une des nombreuses valeurs spécifiques des choses est qu'elles nous donnent un spectacle privé et que dans la mesure où elles agissent sur le monde physique, elles ne le font qu'en vertu de la réaction qu'elles tireront de nous. Ainsi, une œuvre d'art qui survivrait à notre extinction se retrouverait dans un vide dépourvu de tout regard pour la contempler et s'enfermerait dans une sorte d'isolement. (Les qualités physiques des objets, elles, continueraient d'interagir entre elles sans notre intervention.) Autrement dit, c'est en nous que les valeurs trouvent leur seul refuge dans un univers par ailleurs neutre et inhospitalier. Il me semble que c'est un peu ce que voulait exprimer Rilke lorsqu'il écrivait, dans les « Elégies de Duino » :

O Terre, n'est-ce pas là ce que tu veux : invisible,
Lever en nous ? Ton rêve n'est-il pas
d'exister, invisible, une fois ? O Terre ! Invisible !
Sinon cette métamorphose, quelle est ta pressante mission ?
Oh ! Terre aimée, j'ai ce vouloir. Ah ! Crois bien qu'il n'est plus besoin
de tes printemps pour me gagner : un seul, ah !
un unique printemps, et pour le sang c'est déjà trop [1].

Etant ceux qui détiennent tout ce qui vaut d'être possédé, tenter d'assigner une valeur à notre espèce reviendrait à pénétrer dans un cercle vicieux intellectuel. En effet, notre tâche serait alors d'évaluer l'utilité de l'utilité, le bien du bien, la valeur de la valeur, ce qui ne peut aboutir à aucun résultat. L'humanité ne doit pas être considérée comme une entité possédant une certaine valeur (quoique chacun de nous en ait une aux yeux de l'autre), c'est-à-dire un degré quantifiable d'utilité, de beauté ou de bonté (car tout en étant utiles, beaux ou bons, nous sommes également destructeurs, laids ou mauvais), mais comme la source inépuisable de toutes les formes de valeur possibles qui, sans la vie humaine, n'existent plus ou du moins n'ont plus de signification. L'homme n'est pas, pour reprendre

1. Extrait de la « Neuvième Elégie » traduite de l'allemand par Armel Guerne. (*N.d.T.*)

la formule de Protagoras, la mesure de toute chose ; il est celui qui mesure tout en étant lui-même hors de toutes les mesures.

Pour les générations qui ont aujourd'hui la charge de décider s'il faut ou non risquer l'avenir de l'espèce, la place unique qu'occupe cette espèce dans l'ordre du monde implique que, tant que celui-ci aura une valeur dans la vie de l'homme, nous ne devrons jamais élever cette valeur au-dessus de la vie de l'homme, ni au-dessus du respect que nous portons à l'existence même de cette vie. Aller contre ce précepte reviendrait à faire de nos idéaux les plus chers autant d'épées par lesquelles nous détruire. En essayant de calculer la valeur de notre espèce par des références à certains étalons, objectifs ou idéologies, aussi nobles et élevés soient-ils, nous ouvririons la voie de l'extinction car nous annihilerions alors mentalement et presque sensoriellement toutes les possibilités illimitées du développement humain qu'annihilerait physiquement l'extinction. Quantifier la vie et les réalisations de notre espèce ne serait envisageable que dans un seul contexte : il faudrait que nous soyons déjà morts. Mais alors, personne ne serait là pour procéder aux calculs. Seule une génération persuadée de détenir la vérité absolue et finale pourrait se croire en droit de mettre fin à la vie humaine, et seules des générations conscientes des limites de leur sagesse et de leurs vertus soumettraient leurs intérêts et leurs rêves aux intérêts non encore conçus et aux rêves non encore rêvés des générations futures pour laisser la vie humaine suivre son cours.

Il ne peut par conséquent y avoir aucune justification pour exterminer la race humaine, et rien ne peut donc justifier le fait qu'une nation entraîne le monde dans un conflit nucléaire qui, une fois amorcé, conduirait inéluctablement à un holocauste et peut-être à l'extinction. Ce qui n'entraîne cependant pas que tout soit permis pourvu que cela aille dans le sens de la sauvegarde de l'espèce. Les fondements de ces deux assertions s'éclairent quand on examine la nature de l'obligation éthique. L'aspect éthique semble particulièrement important dans la mesure où l'autre argument généralement avancé pour justifier une action militaire — l'intérêt personnel — ne peut évidemment pas légitimer l'extinction, attendu que celle-ci signifierait le suicide du responsable, et que le suicide, quoi qu'il en soit, entre rarement dans l'intérêt de celui qui le commet.

Je poserai le comportement de Socrate lors du procès qui le condamna à Athènes, au ive siècle avant J.-C., pour avoir corrompu la jeunesse et n'avoir pas respecté les dieux, comme modèle du comportement éthique. L'exemple de ce philosophe nous ramène directement au problème nucléaire, car toutes les tentatives faites pour justifier l'emploi de l'arme atomique s'appuient sur quelques variantes de la certitude qu'il a lui-même exprimée, par des mots qui conservent encore toute leur force, selon laquelle le bien-suprême n'est pas la vie elle-même — le simple fait de survivre — mais la vie morale. L'application éventuelle du principe de Socrate au problème de l'extinction est évidente : s'il est du devoir de l'individu de sacrifier sa vie sous certaines circonstances, pour quelque chose de plus important, n'en irait-il pas de même pour l'humanité dans d'autres circonstances ? C'est ce que pensait le philosophe Karl Jaspers, qui fut l'un des rares à oser l'avouer franchement. Il écrit dans son livre *La Bombe atomique et l'avenir de l'homme* publié en 1958 : « L'homme est né pour être libre, et la vie libre qu'il essaie de préserver par tous les moyens possibles est plus que la vie tout court. D'où il suit que la vie au sens d'existence — la vie individuelle comme la vie dans sa totalité — peut être mise en jeu et sacrifiée pour une vie qui vaille la peine d'être vécue. » Puis il s'interroge : « Mais si l'on ne parvient pas à trouver ce moyen [d'atteindre une vie valant la peine d'être vécue], la substance de l'humanité résiderait-elle alors là même où l'échec ne constitue plus un obstacle — là où l'authentique et ultime but véritablement sérieux de l'homme serait sa mort ? » A quoi il répond « Cela s'avérerait peut-être nécessaire en tant que sacrifice fait au nom de l'éternité ». J'ai déjà noté ici que la mort ne pouvait en aucun cas se présenter comme un but humain, véritablement sérieux ou pas, mais plutôt comme la fin de tous les buts humains, qui ne pourront jamais être atteints en dehors de la vie humaine.

La conclusion opposée à laquelle arrive Jaspers dépend, me semble-t-il, du fait qu'il applique à toute l'espèce une règle morale qui ne concerne absolument que chaque homme pris individuellement. On a souvent considéré les commandements éthiques comme « absolus » pour l'individu (et justifiant donc tous les sacrifices faits en leur nom), et Socrate lui-même, dans un certain sens, les envisageait ainsi. Il alla même jusqu'à prétendre qu'une « voix », ou un « dieu » lui ordonnait parfois de ne pas accomplir certaines actions. Ces commandements étaient absolus pour deux raisons. D'abord, une fois que la voix, que nous pourrions appeler la voix de la conscience, avait parlé, le philosophe n'avait plus la possibilité de se soustraire à son ordre en s'en remettant à quelque autorité extérieure, par exemple à la voix de la majorité de la communauté. Ensuite, ces commandements étaient irrévocables et devaient être suivis jusqu'à la mort s'il le fallait. Ainsi, lorsque la cité d'Athènes l'amena devant les juges, Socrate ne fut pas libre de rejeter ce que lui imposait sa conscience pour sauver sa vie. Il reprocha au contraire à ses juges d' « essayer de conduire un innocent à la mort » et ajouta pour la bonne mesure que, puisque à son avis, commettre une telle injustice serait bien pire que d'en être la victime, « loin de plaider ma cause, comme on pourrait le croire, c'est la vôtre que je défends ». Par ces paroles et ces actes téméraires, qui lui coûtèrent la vie, Socrate prouva la souveraineté absolue de sa conscience sur ses actes. Mais, une fois prouvée cette souveraineté, il n'alla pas jusqu'à supposer qu'il avait ainsi gagné le droit d'en exercer une similaire sur les autres. Bien au contraire, l'essence même de sa conduite lors du procès puis de l'exécution, fut qu'il se plaça tout entier au service de la communauté et que c'est cela même qui lui fit croire en la valeur de ses actions. Sa revendication radicale concernant l'indépendance de sa conscience ne pouvait donc se séparer d'une subordination non moins radicale de ses intérêts à ceux de sa ville. Cet assujettissement apparaît clairement dans sa décision de se prêter au jugement, puis, après celui-ci, de rester à Athènes pour y subir le châtiment au lieu de fuir (comme ses amis le lui conseillaient), ainsi que dans les paroles qu'il prononça tout au long du procès. Socrate persista à vouloir se vouer à la cause de sa communauté même lorsque celle-ci décida pour tout remerciement de le condamner à mort. Un tel dévouement rappelle bien sûr celui du Christ qui vint au monde pour « servir tous les hommes », et abandonna sa vie pour le salut du peuple qui le mit à mort.

Si l'on revient au contexte actuel et si l'on prend Socrate pour exemple, il n'existe pas d'éthique sinon celle de se mettre au service de la communauté humaine, et donc aucun commandement éthique susceptible de justifier l'extinction de l'humanité. L'obligation morale part du fait que nous avons naturellement tendance à rechercher notre propre intérêt et, en conséquence, exige de nous que nous tenions compte des intérêts des autres — que nous nous comportions vis-à-vis des autres comme nous voudrions qu'ils se comportent avec nous. Mais si l'on admet que l'extinction annihile la communauté formée par les autres, elle ne peut être considérée comme un acte moral. Prétendre le contraire reviendrait à dire que tuer les enfants d'une école serait pour eux une excellente expérience pédagogique, ou encore que faire mourir toute une nation de faim serait pour celle-ci une mesure économique tout à fait salutaire. Et même si l'on envisageait que tous les habitants du monde parviennent d'une façon ou d'une autre à se persuader que leur mort serait justifiée (en évitant par conséquent de se demander pour qui ou pour quoi elle le serait), cet acte suicidaire resterait encore condamnable dans la mesure où il serait également responsable de la disparition de toutes les générations futures complètement innocentes et qui, elles, n'auraient pas été consultées. (Où trouver plus d'innocence que chez ces êtres non encore nés ?) En réalité, personne bien sûr ne suggère le suicide collectif de tous les habitants de la terre ; tout au contraire, le principal sujet de contestation réside dans le fait qu'un ou deux pays seulement ont le pouvoir et le droit de menacer tous les autres pays, ainsi que les générations futures, au nom de certaines convictions. Ainsi, ceux qui tentent de défendre la décision de risquer volontairement l'extinction en parlant tout d'abord du devoir moral de l'individu de se sacrifier, puis en généralisant cette théorie de façon à en faire une obligation pour « toute vie » (selon le terme de Jaspers), passent en fait d'un principe de sacrifice individuel à un principe d'agression de la part de quelques-uns contre tous — « tous » incluant en l'occurrence les générations à naître.

La question subsiste de savoir s'il pourrait y avoir quelque principe suréthique ou supraterrestre, d'inspiration religieuse peut-être, susceptible de justifier la destruction du monde. Serait-il possible par exemple qu'un jour au nom de Dieu nous soyons contraints de passer outre à la fois les intérêts humains et la morale des hommes ? Nous avons déjà derrière nous une longue histoire de guerres faites au nom de tel ou tel dieu, mais s'ils devaient servir de justification à un holocauste nucléaire, les principes théologiques joueraient alors un rôle d'une importance capitale car ils sembleraient offrir une raison de se « battre », raison qui serait donc censée subsister après le cataclysme. Ainsi, l'extinction d'une humanité « mauvaise » pourrait être un sacrifice destiné à apaiser un dieu en colère — ou tout au moins l'accomplissement de quelque dessein divin (par exemple l'identification de l'holocauste à l'Armageddon faite par les fondamentalistes chrétiens). Lorsqu'une armée prend l'étendard religieux, la souveraineté « absolue » de la conscience individuelle de chacun sur ses propres actes se transforme en un désir de prétendre à une souveraineté absolue sur les autres ; la soumission absolue de chacun à la voix de sa conscience se métamorphose alors en la prétention de la part de ceux qui, en tant que représentants de la foi orthodoxe, se croient en droit de parler au nom du Seigneur, de soumettre tous les autres. Le commandement chrétien selon lequel il faut se sacrifier pour son prochain si Dieu l'exige, devient alors la permission de sacrifier son prochain pour le salut de Dieu. Au cours de l'histoire, de telles prétentions ont conduit à des massacres considérables ; dans une ère nucléaire, elles aboutiraient à l'anéantissement de l'espèce humaine. D'ailleurs, tout cela n'est-il pas infiniment loin des enseignements du Christ qui répéta aux hommes de ne pas tuer leurs ennemis, mais de leur pardonner et de les aimer, et qui préféra mourir plutôt que de lever la main contre ses tortionnaires ? Quand le Dieu chrétien apparut sur la terre sous forme humaine, non seulement ne sacrifia-t-il aucune vie humaine pour sauver la sienne, mais encore souffrit-il une mort humaine particulièrement dégradante, douloureuse et angoissante afin de sauver le monde, et cela suffit à réfuter n'importe quelle légitimation chrétienne de la destruction du monde.

Aucune des paroles du Christ ne suggéra jamais que les deux grands commandements — aimer Dieu et aimer son prochain — puissent être séparés de quelque façon que ce soit, ou que le premier puisse un jour justifier que l'on viole le second. En fait, il expliqua clairement que toute foi religieuse niant l'amour des êtres humains était vide de sens et même dangereuse. Ainsi, Jésus a dit : « Donc, lorsque tu vas présenter ton offrande sur l'autel, / si, là, tu te souviens que ton frère a quelque chose contre toi, / laisse ton offrande là, devant l'autel, / va d'abord te réconcilier avec ton frère, / et ensuite viens présenter ton offrande. » Nous qui avons projeté la mort de centaines de millions de nos frères avons encore beaucoup à faire avant de pouvoir retourner devant l'autel. Il paraît évident que la dépouille de l'humanité serait la dernière des offrandes à présenter sur l'autel de son Dieu.

Rien dans les enseignements de Socrate ou du Christ ne pourrait justifier l'extinction de l'humanité — nous n'y trouvons rien en fait qui n'aille dans le sens de nous en empêcher — et rien non plus n'y apparaît pour justifier des crimes perpétrés dans le but de prévenir l'extinction. Les deux hommes enseignaient qu'aux pires maux, il ne faut pas répondre par plus de mal encore, mais par le bien. Ce refus de se laisser entraîner par le mal vers le mal semble peut-être ce qui se rapproche le plus de la notion d' « absolu » dans leurs enseignements. (Je me demande si Jaspers n'avait pas à l'esprit cette idée de refus absolu de céder au mal quand il avança qu'afin d'éviter certains maux, il était permis de commettre l'extinction.) On s'aperçoit plutôt que le précepte à la fois antichrétien et antisocratique selon lequel la fin justifie les moyens a constitué la base sur laquelle se sont appuyés de tous temps les gouvernements pour s'autoriser à perpétrer tous les crimes imaginables ; la *raison d'Etat*[1] des gouvernements contient en fait l'exact contraire du principe socratique car elle implique que les Etats soient libres de faire virtuellement tout ce qu'ils veulent en vertu de leur survie. L'extinction annule cependant toute la justification fins-moyens en anéantissant toute fin qui pourrait justifier un tel moyen (la *raison d'Etat* n'aura pas été bien servie si la nation est exterminée biologiquement), mais l'objectif consistant à *prévenir* l'extinction, s'il devait devenir une fin, pourrait conférer à cette thèse une portée illimitée : si la fin justifie les moyens, et si la fin est en l'occurrence la survie de l'humanité, tous les moyens les plus destructeurs deviendraient autorisés du moment qu'ils évitent l'extinction. C'est là que réside un autre péril du problème nucléaire — quoiqu'il soit beaucoup moins grave que l'extinction en soi dans la mesure où

1. En français dans le texte (*N.d.T.*).

n'importe quel système politique, aussi protégé qu'il puisse être, finit toujours par se modifier et s'affaiblir, tandis que l'extinction, elle, est éternelle. Pour la plupart des pays, la « sécurité nationale » représente une justification suffisante pour que tous les droits de l'homme puissent être violés, et nous n'osons imaginer ce que les gouvernements se croiraient en droit de faire en prétendant défendre non seulement une cause nationale, mais la survie de toute l'humanité.

Les gouvernements actuels ne se sont pas trompés en insistant lourdement sur la nécessité absolue de défendre la survie humaine ; cependant, la période de détente entre les Etats-Unis et l'Union soviétique a donné au monde une idée de ce que pourrait être une politique qui, sous prétexte d'éviter l'extinction, pratiquerait la répression à outrance. Les deux grandes puissances, sans abandonner pour autant leurs intérêts nationaux, ont observé une transition très adroite en passant de la légitimation de la répression par les intérêts nationaux, à une justification de cette même répression par la sauvegarde de l'humanité. En Union soviétique, pays totalitaire, les autorités ont depuis peu allongé leurs listes d'accusations contre les opposants au régime en leur reprochant de « saper la détente » et ainsi de suite. Aux Etats-Unis, pays démocratique, mais dirigé à l'époque par une administration à tendance criminelle et autoritaire, le président Nixon s'empressa de faire croire au public que ses usurpations de pouvoir et ses violations de la Constitution étaient un prix bien faible à payer pour que le pays puisse, avec l'Union soviétique, entreprendre la grandiose « construction de la paix » qu'il pensait mettre en œuvre. Cette alliance naissante des champions de la paix dans le cadre de la répression s'intensifia encore lorsque les dirigeants soviétiques se mirent à défendre verbalement les abus constitutionnels de Nixon lors de la crise du Watergate. Il est également à noter que l'administration Nixon ne cessa de conserver un silence suspect à propos de la violation des droits de l'homme en Union soviétique. On pourrait regretter que la paix serve aussi facilement que la guerre à justifier la répression. Il existe même une ressemblance superficielle entre la paix et la répression — toutes deux se font sans éclats — qui devrait nous mettre sur nos gardes. Durant la période de détente, la première, quelques pas furent accomplis en direction d'un contrôle des armes nucléaires (la tentative allait par la suite s'enliser), mais l'ombre du totalitarisme s'intensifia de façon évidente un peu partout dans le monde.

Ayant dit que chaque génération était soumise à l'obligation de survivre afin de permettre aux générations futures de naître, je voudrais m'assurer d'avoir été bien compris. Il a été souvent avancé, ces derniers temps, que dans des circonstances extrêmement pénibles — par exemple un séjour en camp de concentration — la survie personnelle devient un principe moral qui, en fait, l'emporte sur l'obligation de traiter les autres convenablement. Si l'on généralisait cette notion, le principe socratique selon lequel la seule survie est dépourvue de sens et seule une vie honorable vaut la peine d'être vécue serait alors rejeté et l'on inciterait chacun à se comporter avec son prochain comme il l'entend du moment qu'il préserve sa survie. Il est à souligner que le devoir qu'a l'espèce de survivre ajoute encore à cette vision des choses. Cependant l'obligation dans laquelle se trouve chaque génération de survivre n'entraîne en fait pas plus l'individu à agir de même que le devoir qu'a l'individu de se sacrifier n'implique le sacrifice obligatoire de toute l'espèce. Bien au contraire, l'obligation qu'a l'espèce de survivre fait peser sur l'individu un nouveau devoir le contraignant à négliger ses intérêts personnels en faveur de l'intérêt général. (Après tout, la survie individuelle ne pouvant de toute façon excéder le délai naturel de la vie, elle ne peut en aucun cas contribuer à la survie de l'espèce puisque ce n'est pas la dénatalité qui menace le monde.) Dans la mesure où il n'existe pas de principe pratique, éthique ou divin englobant l'humanité tout entière et susceptible de fournir une justification à son autodestruction, l'humanité englobe encore l'individu comme elle l'a toujours fait, et le somme parfois d'agir dans un but qui le dépasse.

Quoiqu'il soit déjà explicite dans tout ce que j'ai dit jusqu'ici sur le problème nucléaire, il y a un point déconcertant que j'aimerais maintenant relever car il conduit, me semble-t-il, au cœur même de notre réponse — ou plus exactement, de notre absence de réponse — au problème nucléaire. J'ai déjà fait remarquer que, en tant qu'habitante d'un monde collectif, l'espèce était ce que les générations passées nous transmettaient de plus précieux ; il ne suffit pourtant pas de souligner cette importance primordiale, qui paraît sous-entendre qu'en prenant notre décision au sujet de l'extinction nous serions confrontés à un choix entre, disons, la liberté d'un côté, et la survie de l'espèce de l'autre. En effet, non seulement l'espèce prévaut sur tous les avantages de la vie dans le monde collectif mais elle les englobe ; parler de sacrifier l'espèce en vertu de l'un de ces avantages serait donc une absurdité puisque cela reviendrait à vouloir détruire un ensemble pour en conserver une partie, comme brûler sa maison pour faire refaire la salle de séjour, ou tuer quelqu'un pour lui améliorer le caractère. Pourtant, même en faisant ressortir une telle absurdité, on ne parvient pas à évaluer pleinement le danger d'extinction car l'humanité n'est pas un quelconque objet inestimable, distinct de nous et que nous devons protéger si nous voulons continuer à en profiter ; elle est en fait nous-mêmes, sans qui tout ce qui existe perd sa valeur. Autrement dit, l'extinction est unique, non en ce qu'elle détruit l'humanité en tant qu'objet, mais en ce qu'elle détruit l'humanité source de tous les sujets humains possibles, ou encore l'extinction est une deuxième mort, car la mort de chacun ne représente en soi la fin d'aucun objet de la vie, mais plutôt du sujet qui perçoit tous les objets. L'idée de la mort plonge l'esprit dans l'embarras. L'une des caractéristiques les plus troublantes de la mort — de « l'annulation du lendemain », selon l'expression de Dostoïevski — consiste précisément en ce qu'elle supprime la personne elle-même au lieu de la priver d'une partie de sa vie et semble ainsi n'offrir aucune prise à l'esprit. D'une certaine façon, il pourrait même paraître inadéquat d'essayer de parler « de » la mort, comme si elle était distincte de nous et pouvait se prêter à une observation objective alors qu'en réalité, elle est en nous et forme même une partie essentielle de notre être. Peut-être serait-il plus approprié de dire que la mort, en tant qu'élément fondamental de nous-mêmes, « pense » en nous et à travers nous à tout ce à quoi nous pensons, teintant nos réflexions et nos humeurs de sa présence tout au long de notre existence.

L'extinction constitue elle aussi un élément intangible, incompréhensible et pourtant essentiel, qui entoure et imprègne la vie sans jamais se manifester directement. L'extinction est en vérité moins tangible encore que la mort, car tandis que celle-ci ne cesse de frapper les gens autour de nous, nous rappelant ainsi ce qu'est la mort et que nous aussi devons mourir, l'extinction ne peut, par définition, frapper qu'une seule fois et nous est par conséquent totalement inconnue; personne n'a jamais assisté à l'extinction et personne n'y assistera jamais. L'extinction forme donc *un avenir humain qui ne pourra jamais devenir un présent humain*. Qui donc alors subira cet anéantissement que nous considérons d'une certaine façon comme suprême? Nous, les vivants, n'en souffrirons pas car nous serons morts. Ce ne sont pas les êtres à naître qui verseront la moindre larme sur leur espoir perdu d'exister un jour; ils devraient pour cela exister déjà. Toute la question de l'extinction est donc troublante en ce qu'elle apparaît à la fois comme la pire catastrophe pouvant arriver à l'humanité et comme un cataclysme qui ne toucherait personne; nous nous demandons donc quel serait le point d'impact de l'extinction et qui en subirait les conséquences.

Lucrèce a écrit : « Sais-tu pas que la mort ne laissera survivre, / Qui puisse te pleurer, aucun autre toi-même / Debout sur ton cadavre? » Et Freud reprend : « Il est tout à fait impossible de s'imaginer sa propre mort : à chaque fois que nous nous y essayons, nous nous rendons compte qu'en réalité nous existons toujours en tant que spectateurs. » Notre pensée et nos sens tentent d'entrevoir ce que peut être la mort, mais ils ne finissent par rencontrer que leur propre décès car la mort, c'est *leur* mort. De la même façon, lorsque nous nous efforçons d'imaginer l'extinction, nous nous heurtons au fait que les facultés humaines nous permettant de voir, sentir, entendre ou comprendre cet événement sont inhibées par lui et nous laissent donc face à un « néant », à un « vide ». D'ailleurs, ces deux termes eux-mêmes sont en réalité trop expressifs — trop chargés de réactions humaines — puisqu'ils font inévitablement référence à l'*expérience* humaine du néant et du vide alors que l'extinction représente justement la fin de cette expérience. En conséquence, il semble dans la nature de l'extinction de repousser l'émotion et d'étouffer la réflexion. Et si l'esprit, contraint d'affronter l'idée d'extinction, se laisse submerger par une sorte d'épuisement et d'abattement, c'est certainement en

156

grande partie parce que l'humanité n'a pas plus que le simple mortel la possibilité d'assister à ses propres funérailles.

Il paraîtrait judicieux d'examiner quelques instants la forme résolument nouvelle du trouble mental et émotionnel que le péril nucléaire suscite en nous — trouble dû non à une défaillance psychologique ou à une inadéquation de l'esprit humain, mais à la nature même de ce à quoi nous nous efforçons de réfléchir. Aussi étrange que cela puisse paraître, il nous faut apprendre à penser à l'extinction d'une façon sensée. (Cela étonne moins quand on songe que, si les gens éprouvent une aversion naturelle pour la mort, ils ne sont dotés d'aucun instinct pour lutter contre l'extinction — quoique dans la quasi-totalité des cas, ils réagissent spontanément contre cette idée. De même qu'en ce qui concerne la menace d'extinction, la prise de conscience de ce péril et le fait d'en comprendre toute la portée ne peuvent résulter que de la vie en commun dans le monde collectif — comme s'il s'agissait en fait non du produit de l'instinct, mais du produit de la civilisation. Les autres espèces ne résistent pas à l'extinction car elles n'en sont pas même conscientes ; le dernier ectopiste migrateur n'avait aucun moyen de savoir qu'il *était* le dernier de son espèce, et encore moins la possibilité de faire quoi que ce soit pour y remédier.) Lorsque l'on considère les conséquences d'un holocauste nucléaire, on est d'abord frappé par le fait qu'au-delà d'un certain point, plus l'attaque envisagée est importante, moins il y a de commentaires à faire. A des niveaux d'attaque relativement « bas » — de l'ordre de quelques dizaines ou centaines de mégatonnes — il faut se pencher sur la complexité des innombrables souffrances qu'endureraient les gens ainsi que des bouleversements sociaux et écologiques éventuels. Mais à des niveaux plus importants — de l'ordre de plusieurs milliers de mégatonnes — cette complexité s'efface progressivement devant l'infinie simplicité du néant et de la mort. Peu à peu, les « spectateurs » assistant à ces « funérailles » — ceux qui souffriraient véritablement de la catastrophe, qui lui conféreraient une réalité humaine et par lesquels elle pourrait entrer dans le domaine de l'expérience humaine — s'éteindraient jusqu'à ce qu'il y ait effectivement extinction, que tous les

157

« spectateurs » ne soient plus que des dépouilles, et que ne restent plus pour assister à la fin que les pierres, les étoiles ainsi, peut-être, que quelques algues et lichens.

Pourtant, même si l'extinction semble un bien piètre sujet d'inspiration pour l'imagination, nous ne pouvons compter que sur cette imagination pour tenter de l'appréhender. Toute possibilité d'expérience étant exclue, il ne nous reste plus que la pensée puisque l'extinction demeurera pour nous enfermée dans un futur voué à ne jamais devenir présent. De la même façon que la pensée « Je n'existe pas », la pensée « L'humanité s'est éteinte » ne peut être conçue par aucune personne rationnelle car, dès que l'extinction *est,* nous *ne sommes plus.* Lorsque nous imaginons tout autre événement, nous anticipons sur un moment qui entre encore dans le fil du temps à l'échelle humaine, c'est-à-dire sur une période au cours de laquelle des êtres humains continueront d'exister, de réagir à ce qu'il verront, de se représenter le passé et d'envisager l'avenir, lui-même compris dans les limites de l'ère humaine. Mais lorsque nous imaginons l'extinction, nous plongeons notre regard au-delà de cette durée purement humaine, dans un temps mort qui n'a plus rien à voir avec le passé, le présent et le futur des hommes. En nous insérant dans un état d'esprit froidement scientifique, nous parvenons à nous représenter une telle inertie, mais l'exercice n'apporte pas grand-chose et ne semble curieusement donner aucune indication sur la signification profonde de l'extinction. Au lieu de cela, nous découvrons que tout ce qui pourrait susciter notre intérêt ou éveiller notre attention — même pour provoquer un mouvement de rejet — a disparu. A force de lutter ainsi pour tenter de saisir le sens de l'extinction, nous pourrions être amenés à nous demander si réellement il est possible d'appréhender ce sens, et à soupçonner la nature de nous avoir dotés d'un élan instinctuel vers la perpétuation de l'espèce, sachant combien notre conscience et notre volonté étaient mal préparées à cette tâche.

Le rôle que jouent nos facultés mentales dans toute tentative de pactiser avec l'extinction étant tout à fait particulier, il n'est pas très surprenant que la plupart des textes concernant la stratégie nucléaire se distinguent par un ton extrêmement abstrait. Le surnom que l'on donne aux institutions dans lesquelles est mené ce genre de travaux, les « boîtes à cerveaux », caractérise bien l'atmosphère qui baigne l'entreprise en général. En effet, le terme, qui évoque un univers de pensée des plus hermétiques, reflète exactement le contexte intellectuel dans lequel doivent travailler ces spécialistes, chargés de déterminer à partir de la théorie pure, sans les enseignements de l'expérience, ce qui arriverait si un conflit nucléaire éclatait. Mais, comme le faisait justement remarquer Herman Kahn, directeur de l'une de ces boîtes à cerveaux (l'Institut de Hudson) et auteur, entre autres, de *Thinking about the Unthinkable* : « Il ne servirait à rien de s'en prendre aux théoriciens ; dès que l'on touche à ce domaine, tout le monde se révèle un terroriste. » Ainsi, tandis que Kahn a raison de qualifier l'holocauste nucléaire d' « impensable », il est également vrai, comme le suggère sa remarque, que nous ne disposons pour tenter de comprendre la nature de ce danger *que* de la pensée.

Il n'existe pas de précédent aux difficultés intellectuelles et affectives qu'implique l'effort d'appréhender le fait nucléaire (à moins que l'on ne considère la mort individuelle comme un précédent), mais certaines barrières qui ont entravé l'accueil fait à d'autres réalisations soudaines et révolutionnaires des temps modernes les laissaient en quelque sorte présager. Dans *De la démocratie en Amérique,* Tocqueville, parlant de la révolution démocratique de son temps, écrit : « Quoique la révolution qui s'opère dans l'état social, les lois, les idées, les sentiments des hommes, soit encore bien loin d'être terminée, déjà on ne saurait comparer ses œuvres avec rien de ce qui s'est vu précédemment dans le monde. Je remonte de siècle en siècle jusqu'à l'Antiquité la plus reculée ; je n'aperçois rien qui ressemble à ce qui est sous mes yeux ; le passé n'éclairant plus l'avenir, l'esprit marche dans les ténèbres. » Mais si, au temps de Tocqueville, le passé n'éclairait plus l'avenir, le présent — qui se déroulait devant ses yeux — pouvait encore le faire. Même si la révolution démocratique n'était pas encore « terminée », elle battait néanmoins son plein et lui donna matière suffisante à remplir les deux épais volumes qui constituent cette œuvre. A partir de cette matière factuelle, il fut lui-même en mesure de jeter une lumière sur l'avenir telle qu'elle nous éclaire encore aujourd'hui.

La nouveauté radicale des événements entrava de façon

plus troublante encore la compréhension des révolutions totalitaires de notre siècle. Hannah Arendt, qui, plus que tout autre, remplit le rôle d'un Tocqueville en faisant la lumière dans le domaine du totalitarisme, a écrit : « Le fossé séparant le passé de l'avenir cessait d'être une condition inhérente à l'activité de penser, limitée à n'être qu'une expérience réservée à ceux qui avaient fait de la réflexion leur principale occupation. Ce fossé devint une réalité tangible, source de trouble, pour tous ; ce qui revient à dire qu'il devint un fait d'ordre politique. » Les régimes totalitaires se sont, bien entendu, efforcés très activement de revoir, ou de gommer, les témoignages du passé comme du présent. Ces tentatives n'ont cependant pas abouti et, malgré le sentiment d'irréalité que nous éprouvons en examinant les actes des régimes totalitaires, le totalitarisme a imprimé dans l'histoire des marques sanglantes qui, lorsque des témoins dignes de foi nous relatent les événements, nous emplissent d'horreur. L'Allemagne d'Hitler comme l'Union soviétique stalinienne ont été le théâtre d'épisodes cauchemardesques, tellement effrayants que le sens commun en refuserait l'existence s'il n'y avait les preuves historiques pour le détromper. Dans *Eichmann à Jérusalem* Hannah Arendt rapporte une description de l'envoi par les nazis de Juifs polonais dans la chambre à gaz :

Voilà ce que qu'Eichmann a vu : Les Juifs se trouvaient dans une grande pièce ; on leur ordonna de se déshabiller ; ensuite, un camion arriva, qui s'immobilisa juste devant l'entrée de la pièce, et les Juifs nus reçurent l'ordre de monter à l'intérieur. On referma les portes et le camion démarra. « Je ne saurais dire [combien de Juifs montèrent dans le camion, dira plus tard Eichmann] j'ai à peine regardé. Je ne pouvais pas ; je ne pouvais pas ; c'était trop. Les cris, et... J'étais trop bouleversé, écœuré, comme je l'ai dit après à Müller en lui faisant mon rapport ; ce rapport ne lui a d'ailleurs pas appris grand-chose. Ensuite, j'ai suivi le camion à bord de la voiture et c'est alors que j'ai assisté au spectacle le plus horrible qu'il m'ait jamais été donné de voir. Le camion se dirigea vers une grande fosse, les portes étaient ouvertes, et l'on déchargea les cadavres dont les membres étaient encore si souples qu'ils paraissaient vivants. On les jeta dans la fosse, et je revois encore un homme, en civil, en train d'arracher les dents avec des tenailles. »

Nous refusons d'y croire ; nous sommes dans l'impossibilité absolue d'y croire. Mais notre incrédulité pleine d'espoir doit pourtant se soumettre au fait historique brut et glacé : cela *s'est passé* et nous sommes bien contraints d'y croire. Mais l'extinction, elle, ne *s'est pas passée* et se dissimule derrière le voile d'un temps futur que l'œil humain ne peut percer. Il est vrai que les témoignages laissés par les survivants des bombardements d'Hiroshima et de Nagasaki nous donnent une vision particulièrement forte de ce qu'est une catastrophe nucléaire, mais cette vision, qui semble déjà épuiser toutes nos réserves de réactions émotionnelles, n'englobe qu'un infime fragment de ce que serait un holocauste nucléaire et, de toute façon, n'effleure même pas la question de l'extinction, qui, au lieu de nous confronter aux pires scènes d'horreur, y met fin au contraire, tout comme elle met fin à toutes les autres scènes mettant en jeu les êtres humains. Après plusieurs siècles passés à faire entrer dans la réalité toute une série de futurs cauchemardesques, nous en avons désormais inventé un, tellement incroyable et accablant qu'on ne pourra jamais dire de lui qu'il est arrivé. (« Est arrivé » correspond très exactement à ce qu'on ne pourra jamais déplorer à propos de l'extinction de l'humanité. Elle signifierait en effet la disparition des créatures qui séparent le temps en passé, présent et futur — des créatures qui pourraient témoigner que c' « est arrivé ».) Privés à la fois de l'expérience passée et présente pour nous guider dans nos efforts pour regarder en face le problème nucléaire, il ne nous reste plus qu'à demander, sans beaucoup d'espoir, à l'avenir de s'orienter lui-même.

Tout en nous penchant sur l'éventualité de la disparition de l'homme, nous nous disons en secret, et les faits nous donnent raison, que puisque tout le monde sera mort, personne n'aura alors à s'en inquiéter ; ainsi pourquoi donc s'en préoccuper maintenant ? Si l'on suivait un tel raisonnement, on pourrait être tenté de se conformer à l'indifférence qui, depuis plus de vingt-six ans, semble caractériser la réaction consciente de la plupart des gens au péril nucléaire. Si l'extinction ne correspond à rien, la réaction logique ne serait-elle pas de ne pas en avoir du tout ? Cependant, nos pensées et nos sentiments, impuissants à concevoir la disparition des générations futures, ne se trouvent plus si démunis dès qu'il s'agit d'envisager une quelconque restriction pour ces générations à venir — lorsque l'on imagine par exemple l'épuisement total des gisements de pétrole ou une pénurie de nourriture ou même un éventuel déclin de leur civilisation. Ainsi, en déployant au maximum le respect que nous avons pour la vie individuelle, nous parvenons à nous représenter leur situation, à compatir à leurs souffrances et peut-être même à entreprendre quelque action pour prévenir le mal. Il s'ensuit que nous respectons encore le précepte éthique selon lequel nous devons nous comporter envers les autres comme nous voudrions qu'ils se comportent avec nous, mais en élargissant, comme Burke, notre notion de l'autre aux êtres à naître. Cela nous est parfaitement naturel car, pour reprendre l'idée de Burke, dès que nous réfléchissons un instant, nous prenons conscience de ce que nous devons aux générations précédentes. Néanmoins, en élargissant ainsi l'intérêt que nous portons aux autres, nous admettons de façon tacite qu'il y *aura* des générations futures et il nous semble aller de soi que la nature, agissant en nous et à travers nous, se chargera de les faire venir au monde, comme elle l'a toujours fait. Et effectivement, tout au long de l'histoire, jusqu'à ce qu'il soit en notre pouvoir d'exterminer l'espèce humaine, la confiance que nous mettions en la nature se justifiait. Mais aujourd'hui, c'est la création même des êtres humains qui est remise en cause ; ainsi, lorsque nous essayons d'appréhender non pas les souffrances et la mort des générations futures mais avant tout le fait qu'on les empêcherait de voir le jour, la compassion devient inadéquate car elle ne peut s'adresser qu'à des êtres vivants tandis que l'extinction est l'élimination de la vie. Nous ne saurions ici ressentir le frisson d'angoisse qui peut nous parcourir quand nous apprenons que quelqu'un d'autre est menacé car la nature même de l'extinction est de supprimer cette notion de l'autre.

Parce qu'elle anéantit à la fois la victime et la souffrance, l'extinction se rapproche une fois encore de la mort. Si l'on se rappelle Montaigne, « la mort peut mettre fin quand il nous plaira et couper broche à tout autres inconvénients » et l'on est bien sot de se tourmenter quand il s'agit de passer à un état où l'on sera débarrassé de tout tourment ! Il en va de même pour l'extinction, qui, au lieu d'apporter la souffrance, nous en libère. La douleur et la joie sont pour nous des sentiments opposés mais qui, toutes deux et comme tous les autres sentiments, sont des expressions de la vie, ce qui les rend incompatibles avec l'extinction et la mort. N'ayant jamais eu à affronter la fin de la vie humaine, nos habitudes mentales nous forcent à réagir comme s'il ne s'agissait que d'une catastrophe quelconque, susceptible de plonger les gens dans la souffrance et dans la peine. Nous nous évertuons alors à percevoir une réaction qui, à notre grand étonnement, ne vient pas, pour la bonne raison que l'extinction n'a rien à voir avec une catastrophe : dans le concept d'extinction n'entrent ni bâtiments effondrés, ni tués, ni blessés, ni existences brisées, ni survivants affligés. Tout cela disparaît avec lui, ainsi que tout ce qu'englobe la notion même de vie. Il ne nous reste plus qu'à tenter d'évoquer ces futures générations semblables à des fantômes qui, pour employer une métaphore, attendent depuis le commencement de l'histoire de venir un jour au monde mais s'apprêtent maintenant à être définitivement rejetés par nous.

La distinction existant entre le mal qu'on peut causer aux habitants du monde et la fin de ce monde — ou même la fin d'*un* monde, comme cela s'est produit pour le peuple juif sous Hitler — nous donne une idée de la nature de ce qu'Arendt appelait, pour reprendre l'expression de Kant, « le mal radical » en parlant des crimes sans précédents de l'Allemagne hitlérienne et de l'Union soviétique stalinienne. La « véritable empreinte » du mal radical, « dont la nature nous est si peu connue », explique-t-elle, est que nous ne savons ni comment punir ces offenses ni comment les pardonner ; par conséquent, ces crimes « transcendent le domaine de l'activité humaine ainsi que les potentialités du pouvoir humain tout en les détruisant radicalement dès qu'ils interviennent ». Par ces crimes qui « transcendent le domaine de l'activité humaine et les potentialités du pouvoir humain », Hannah Arendt entend sans doute des crimes tellement importants qu'ils ne sont plus du ressort d'aucun système de jurisprudence existant, ni d'aucune procédure humaine organisée. Arendt poursuit : « A ce moment-là, quand l'acte lui-même nous prive de tout pouvoir, il ne nous reste plus qu'à répéter avec Jésus : " Il serait préférable pour lui de se voir suspendre autour du cou une de ces meules que tournent les ânes et d'être englouti en pleine mer. " » Je voudrais suggérer que le mal devient radical dès qu'il dépasse le meurtre de simples individus (quel qu'en soit le nombre) et qu'il porte de surcroît une atteinte au *monde* qui peut en quelque sorte réagir contre — et donc, dans une certaine mesure, racheter — les morts endurées. C'est sur une grande échelle que les régimes totalitaires modernes ont démontré cette caractéristique du mal : pour employer une image, ils ont tenté de faire des déchirures, des trous impossibles à raccommoder, dans la toile du monde — trous dans lesquels disparaîtraient des classes, voire des peuples tout entiers sans laisser la moindre trace. Mais ce mal radical se manifeste aujourd'hui pleinement dans la possibilité qu'ont les hommes de s'autodétruire, ce qui, en mettant un terme au monde connu, nous priverait pour toujours « de tout pouvoir ». Lorsque les crimes revêtent une certaine forme ou atteignent une certaine ampleur, ils annihilent notre capacité de réagir de façon adéquate car ils pulvérisent le contexte humain dans lequel la disparition des hommes acquiert une signification. Quand il s'agit de l'anéantissement de toute une communauté ou de tout un peuple, la plupart de ceux qui auraient pu pleurer les victimes, poursuivre les criminels en justice, leur pardonner ou tout simplement se souvenir de ce qui s'est passé, ont eux aussi disparu. Si cette communauté correspond à l'humanité tout entière, le contexte humain est alors totalement détruit et il ne subsiste plus personne pour réagir. Lorsque nous nous représentons un tel acte, nous avons le choix entre réagir tout de suite, avant qu'il ne soit perpétré, et éviter ainsi qu'il le soit un jour, ou attendre, c'est-à-dire perdre toute chance de pouvoir réagir un jour, et sombrer dans l'oubli.

Si l'on admet cette interprétation, toute manifestation du mal radical constitue déjà en soi une petite extinction et doit être considérée sous cet angle. Entre la mort individuelle et l'extinction biologique, il existerait ainsi d'autres niveaux d'effacement d'une frange de l'humanité, présentant certaines des caractéristiques de l'extinction. La « fin de la civilisation » — la désorganisation et le démantèlement de la vie humaine par la suppression de la jonction entre le passé et le futur de l'humanité — est une chose. Le génocide — l'extermination méthodique d'un groupe ethnique — que l'on peut considérer comme une extinction à *l'intérieur* de l'humanité, puisqu'il élimine l'un des éléments multiples qui constituent l'espèce humaine, en est une autre ; en fait, le génocide, et notamment la tentative d'Hitler de supprimer le peuple juif représente ce qui se rapproche le plus de l'extinction de l'espèce depuis le début de l'histoire. L'anéantissement de la civilisation, le génocide et l'extinction ont tous trois en commun de s'attaquer non seulement aux personnes et aux choses existantes, mais aussi à l'héritage biologique et culturel que les êtres humains se transmettent de génération en génération ; c'est-à-dire que tous trois sont des crimes perpétrés contre l'avenir. Un autre fait soulignant la relation entre le génocide et l'extinction est qu'en cas de conflit nucléaire (et sans parler pour le moment des « effets additionnels »), la première intention des grandes puissances serait de commettre un génocide contre l'autre — d'effacer de la surface de la terre l'autre camp en tant que peuple et culture. L'extinction de l'humanité est et sera toujours par nature sans précédent, mais les manifestations du mal radical dont le monde a déjà été le témoin nous avertissent qu'un crime, si énorme et dément paraisse-t-il, ne saurait être évité simplement parce qu'il est « impensable ». Il n'en devient au contraire que plus probable. Heinrich Himmler, l'un des responsables de la mise en œuvre du génocide juif, répétait à ses hommes que leurs efforts étaient d'autant plus nobles qu'en se chargeant ainsi de débarrasser l'Europe de ses Juifs, l'Allemagne entreprenait « un combat que les générations futures n'auront plus à mener ». Cette remarque pourrait tout aussi bien s'étendre à un holocauste nucléaire susceptible de débarrasser la terre des hommes. Cela constituerait un combat (et le mot semble aussi peu approprié en ce qui concerne l'holocauste nucléaire que le massacre de millions de Juifs) que « les générations futures n'auront plus à mener ».

Si les réactions que suscitent habituellement en nous le malheur et les catastrophes ne sont pas adaptées au danger d'extinction, il nous faut alors en chercher le sens dans une autre partie de

165

nous-mêmes. Une fois encore, la mort individuelle nous fournit un point de départ. Pendant toute notre existence, nous nous rapprochons de la mort, et pourtant nous n'y parvenons jamais car au moment où nous nous apprêtons à la toucher du doigt, nous avons déjà disparu. Ainsi, quoique la mort ne se confonde jamais avec la vie, elle ne l'en conditionne pas moins puissamment. D'après Montaigne, « vous êtes en la mort pendant que vous êtes en vie. Car vous êtes après la mort quand vous n'êtes plus en vie. Ou si vous aimez mieux ainsi, vous êtes mort après la vie ; mais, pendant la vie vous êtes mourant, et la mort touche bien plus rudement le mourant que le mort, et plus vivement et essentiellement. » De même, nous sommes « en l'extinction » tant que nous sommes en vie et nous nous trouverons « après l'extinction » lorsque nous aurons été exterminés. L'extinction elle aussi touche « plus rudement », « plus vivement et essentiellement » les vivants que les autres qui, en l'occurrence ne seraient pas les morts mais ceux qui n'auraient pas pu naître. L'extinction, comme la mort, ne fait pas souffrir après s'être produite mais avant, évoquant un voile de ténèbres jeté sur l'ensemble de la vie. La réponse à la question de savoir qui subit l'extinction, et quand, est donc que c'est nous, les vivants, qui en souffrons et cela tout au long de notre existence. En conséquence, même s'il est vrai en un certain sens d'affirmer que l'extinction ne se confond jamais avec la vie, et ne peut jamais toucher personne, il est tout aussi défendable de prétendre qu'elle imprègne complètement notre vie et ne cesse jamais d'intervenir. Si nous voulons découvrir la signification profonde de l'extinction, il nous faut d'abord considérer d'un œil nouveau les hommes, c'est-à-dire nous-mêmes, le monde dans lequel nous vivons ainsi que l'existence que nous menons. Il ne s'agit plus de se demander quelles sont les formes et les caractéristiques de l'extinction, mais plutôt ce qu'elle révèle de nous, et comment elle agit en nous qui préparons notre propre extermination.

Du fait que le péril naît de la connaissance scientifique fondamentale, qui durera vraisemblablement aussi longtemps que l'humanité, il semble devoir rester permanent. Cependant, la présence même de ce danger implique la possibilité de réponses absolument opposées dans le domaine des sentiments et surtout de l'action ; la qualité de la vie que nous menons dépend totalement de l'orientation des réponses que nous choisissons. C'est véritablement l'alternative de deux modes de vie radicalement opposés. La première possibilité serait de refuser de voir le péril et donc de continuer à accumuler les instruments de notre perte jusqu'à ce qu'un jour, accidentellement ou volontairement, nous les fassions exploser. La seconde possibilité serait de reconnaître le danger, de détruire les armes et d'assainir la politique de la planète de façon à éviter leur reconstruction. J'ai déjà fait remarquer que nous n'avions pas deux terres à notre disposition — une pour y pratiquer des essais d'holocauste, et l'autre pour y vivre. De même n'avons-nous pas deux âmes — une pour réagir au péril nucléaire et l'autre pour continuer à mener une vie normale. A long terme, si nous restons froids et indifférents à propos de la vie en général, nous finirons par devenir froids et indifférents en ce qui concerne la vie prise dans ses détails — les événements quotidiens qui forment l'existence — tandis que si la vie tout entière continue d'éveiller notre attention et même de nous passionner, la vie de tous les jours conservera un caractère intéressant, voire passionnant.

On pourrait considérer comme un record le fait qu'en plus de vingt-six ans de menace nucléaire nous soyons restés pour la plupart insensibles à ce problème, et j'aimerais examiner plus attentivement les conséquences de cette indifférence pour le monde. Pascal, constatant ce que la condition de mortel a d'intellectuel, écrivit en substance qu'il est plus facile de supporter la mort en n'y pensant pas que de supporter la pensée de la mort sans mourir. Cela correspond parfaitement à notre réaction face au péril nucléaire : il nous a été beaucoup plus facile de creuser notre propre tombe que de réfléchir au fait que nous étions en train de la creuser. Nous avons presque tous pris plus ou moins conscience de la menace nucléaire, mais pas suffisamment pour que cela puisse avoir une quelconque influence sur nos sentiments et notre comportement. En effet, si l'on cite des propos récents de George Kennan, les grandes puissances ont agi par rapport à la construction de leurs arsenaux nucléaires, « comme les victimes d'une certaine forme d'hypnotisme, comme les personnages d'un rêve, comme des lemmings se précipitant vers la mer ».

Durant la très courte période qui a précédé puis suivi la première explosion d'une arme nucléaire, une poignée d'hommes extrêmement influents semblaient prêts à traiter le problème nucléaire à sa juste valeur. L'un d'eux était Henry Stimson, ministre de la Guerre, qui connaissait le projet Manhattan et rapporta dans son journal, en mars 1945 — soit quatre mois avant l'essai d'Alamogordo — une discussion qu'il avait eue avec Harvey Bundy, l'un de ses plus proches collaborateurs, au sujet de l'arme nucléaire. « Nos préoccupations, raconte-t-il, allèrent directement aux problèmes de fond que constituaient la nature humaine, la morale, les gouvernements, et je dois avouer que c'est là la tâche la plus importante et la plus fondamentale qu'il m'ait été donné de remplir depuis mon arrivée au ministère de la Guerre car elle touche à des matières allant bien au-delà des principes gouvernementaux du moment. » Malgré tout, ces profondes pensées ne parvinrent pas à s'implanter durablement dans le cœur des dirigeants américains ou dans celui des dirigeants du monde en général, et la ligne de pensée traditionnelle eut tôt fait de reprendre le dessus en dépit de la nouvelle situation. On entrevit bien la véritable dimension du péril nucléaire et, dans une certaine mesure, sa signification pour l'humanité, mais très vite la conscience du danger s'émoussa et les anciennes exigences de la politique internationale — qui entraînèrent bientôt la guerre froide entre les Etats-Unis et l'Union soviétique — se remirent à monopoliser les passions et l'énergie des peuples. On commença de constituer les arsenaux atomiques et le problème nucléaire, surgissant brusquement de la double obscurité formée par la théorie scientifique et le secret d'Etat, fut aussitôt plongé dans l'ombre nouvelle du monde mystérieux, abstrait et artificiel des théoriciens et de leurs « boîtes à cerveaux », chargés de concevoir les pensées « impensables » sur lesquelles le reste du monde négligeait de se pencher.

C'est ainsi que naquit l'étrange double vie du monde tel que nous le connaissons actuellement. D'un côté, nous reprenions nos affaires habituelles comme si de rien n'était. De l'autre, nous entreprenions de construire les stocks capables de pulvériser à tout instant cette existence apparemment inaltérable. Pour prévenir le président Truman, qui participait alors à la conférence de Postdam, du succès de l'explosion d'Alamogordo, les scientifiques responsables du projet Manhattan lui firent parvenir ce message codé, horrible mais imagé : « Les

bébés sont bien venus au monde. » Depuis lors, ces « bébés »
— qui semblent effectivement les produits d'une espèce nouvelle qui ne serait pas une espèce de vie mais une espèce antivie,
menaçant d'y mettre un terme — ont « proliféré » régulièrement grâce à nos soins attentifs, donnant naissance à plusieurs
générations d'armes toujours plus robustes et plus nombreuses
pour aujourd'hui menacer d'exterminer d'un seul coup tous
leurs géniteurs. Cependant, tout en mettant une telle entreprise
en œuvre, nous entendons, pour reprendre l'expression, empêcher la main gauche de savoir — ou d'influencer — ce que fait
la main droite ; ainsi, la séparation entre notre existence et la
conscience du destin que nous nous préparons a-t-elle été dans
une large mesure maintenue.

Ce qui a sans doute contribué de façon cruciale à ce
divorce, c'est, sur le plan psychologique, que, une fois Hiroshima et Nagasaki « oubliés », le péril nucléaire a évolué de
manière telle que, tout en menaçant désormais sans répit la
planète entière, la bombe atomique n'a plus commis de
catastrophe physique et a par conséquent laissé les gens libres
de ne plus penser à elle si tel était leur choix. Semblable à un
bourreau généreux, l'arme nucléaire laisse ses futures victimes
mener une existence apparemment ordinaire jusqu'au jour où
elle procédera soudain et sans avertissement à l'exécution. (Si
l'on avait fait exploser chaque année une bombe atomique sur
une ville du monde, il est probable que l'attitude du public
serait aujourd'hui fort différente.) L'apparente continuité
observée entre le monde d'avant la bombe et le monde nucléaire, continuité qui n'aurait pu faire illusion sans ces dernières années de non-utilisation de l'arme nucléaire, a joué un
rôle considérable dans le refus du monde de reconnaître le danger, et a permis à un semblant de normalité de se maintenir —
quoique la « normalité » en question semble parfois susciter
une telle ferveur qu'elle trahit la pire insécurité sous-jacente. La
vision de la vie se déroulant normalement entraîne à penser que
le danger ne doit pas être bien grand. Quand nous nous
apercevons que personne ne paraît s'inquiéter, que personne ne
lance la moindre alerte ni ne tente de se sauver, la tentation est
grande de penser avec les autres que tout va très bien. Après
tout, si nous sommes des êtres doués de raison et si nous n'esquis-
sons pas le moindre geste, n'est-ce pas qu'il n'y a aucun dan-

ger ? L'ampleur du péril, son caractère universel, a d'ailleurs contribué à le masquer, car tout et tous étant menacés de la même façon, il ne nous reste plus de fuite possible vers des endroits susceptibles d'être épargnés — pas de fuite des capitaux d'un pays vers un autre, pas de grandes migrations. On a préféré bannir l'idée même du péril nucléaire de la vie éveillée, la reléguant au domaine du rêve ou la réservant à une certaine frange de la société ; la préoccupation active et manifeste d'un tel problème fut dès lors limitée à certains « toqués » dont les idées ne furent pas tant rejetées par la majorité soi-disant sérieuse et « réaliste », que tout simplement ignorées. Dans cette atmosphère, parler du péril nucléaire devint même délicat, comme s'il semblait quelque peu mélo-dramatique de s'appesantir sur une telle question, comme s'il s'agissait là d'un intérêt superficiel réservé à la jeunesse et qui passait en grandissant.

Il fallut, pour que cette pseudo-normalité apparaisse comme une sorte de folie collective, que l'on lève le voile des événements prétendument normaux qui se déroulaient devant nos yeux et que l'on aperçoive le couperet du bourreau suspendu au-dessus de la tête de chacun de nous. Cette folie-là ne se manifestait pas par des cris et une agitation excessive, mais précisément par le fait de ne pas réagir au danger qui nous menace tous, comme si nous avions tous pris des calmants. Il apparaît tout à fait normal que les passagers d'un bateau dînent, prennent des bains de soleil ou profitent de toutes les activités que proposent habituellement les croisières, tant que le navire navigue en eaux calmes, mais si ces mêmes passagers agissent ainsi alors qu'ils se rendent compte que leur bateau est pris dans une tempête et qu'ils risquent tous la mort, leur attitude nous semble complètement insensée. Leur imperturba-bilité prend alors toute l'apparence d'une absence de réactions humaines normales — d'un consentement pathétique et révol-tant au cœur même du massacre. Il se pourrait que les vers de T.S. Eliot « C'est ainsi que finit le monde / Sans éclat mais dans un murmure » ne se vérifient jamais littéralement — il y aurait effectivement un gros éclat — mais en un certain sens, plus caché, ils s'avéreraient certainement ; si nous devons provoquer la fin du monde, la scène risque de ne pas être une explosion d'activité volontaire conduisant au cataclysme final, mais une scène d'apathie, de comportements hébétés, de volontés affaiblies, de stupeur et de paralysie. Et enfin de mort.

N'ayant pas franchement pris la décision de nous autodétruire mais ayant plutôt choisi de vivre au bord de l'extinction, ne nous précipitant régulièrement vers le gouffre que pour reculer à la dernière seconde, nous menons en réalité une existence faite d'incertitude et d'insécurité nerveuse plutôt que de désespoir absolu. Nous savons que nous pouvons tomber au fond du précipice à tout moment, mais nous savons aussi que nous pouvons l'éviter. Alors la vie continue — que pourrait-elle faire d'autre ? — mais d'un pas hésitant, vacillant, comme celui d'une personne marchant à l'aveuglette, en pleine nuit, à l'extrémité d'une falaise. D'un point de vue intellectuel, nous admettons que nous avons nous-mêmes préparé notre propre extermination, et la préparons de mieux en mieux chaque jour, mais sur les plans émotionnel et politique nous ne sommes parvenus à rien. Ainsi, nous nous sommes mis à vivre *comme si* nous ne courions aucun risque, mais faire semblant ne correspondra jamais à la réalité. Nous sommes déchirés entre ce que nous savons et ce que nous éprouvons. Nous rangeons notre vie quotidienne dans un des compartiments de notre existence, et la menace qui pèse sur l'ensemble de la vie dans un autre. Cependant, cette déchirure touche à des sujets trop importants pour se limiter à ces seules matières et elle commence à influencer le reste de notre vie aussi. Très vite, le refus de la réalité se transforme en habitude — en courant dominant de la vie en société — et l'indifférence devient une manière de vivre. La société qui accepte d'être menacée de totale destruction aura bientôt du mal à réagir devant des maux bien moindres, car une société ne peut être à la fois endormie et éveillée, folle et sensée, contre la vie et pour elle.

Affirmer que nous-mêmes et les générations futures sommes menacés d'extermination par le péril nucléaire ne revient pourtant qu'à énoncer une partie du problème. Il faut en effet ajouter que nous sommes les auteurs de cette menace. (Cela est vrai pour les populations des grandes puissances d'une manière active car nous finançons l'extinction et soutenons les gouvernements initiateurs d'un tel danger, tandis que la responsabilité des pays non nucléarisés n'est que passive dans la mesure où ils ne tentent même pas d'enrayer le danger.) Comme chez quiconque a des tendances suicidaires, notre approche de l'acte fatal est double : celle du tueur et celle de la victime. Lorsque nous rêvons, nous nous voyons à la fois comme les créateurs et les persécutés du destin. Cela étant, lorsque nous nous dissimulons les préparatifs que nous avons nous-mêmes mis en œuvre pour notre extermination, nous avons deux motifs principaux : d'une part, nous ne voulons pas reconnaître que l'on pourrait à tout instant nous priver de la vie et réduire notre monde en poussière, d'autre part, nous ne voulons pas admettre le fait que nous sommes tous des meurtriers en puissance. Le coût moral de l'armement nucléaire fait de chacun de nous un souscripteur du massacre de centaines de millions de personnes, et de l'anéantissement de toutes les générations futures — et le fait que chacun des deux camps n'envisage d'accomplir un tel crime qu'en mesure de « rétorsion » ne confère pas à leur cause un caractère plus défendable. En réalité, comme nous allons le voir, cette mesure de rétorsion apparaît comme l'un des actes les moins justifiés qu'on ait jamais envisagés car elle est absolument dépourvue de sens. En effet, l'une des caractéristiques absurdes du fait nucléaire est que tout en plaignant le peuple de la nation adverse d'être victime d'un gouvernement inique, chaque camp se propose de punir l'autre gouvernement en exterminant une population déjà souffrante et opprimée. Et la théorie selon laquelle nous ne possédons pas l'arme nucléaire pour nous en servir mais bien pour éviter justement que l'on s'en serve, ne nous absout pas non plus car cette théorie prévoit que la prévention n'est possible que dans la mesure où elle s'appuie sur la menace d'utiliser l'arme atomique dans certaines circonstances. La stratégie nous implique donc dans des actes que nous ne pouvons justifier par aucun principe moral. Elle introduit dans notre existence tout un domaine que la morale ne comprend pas — un domaine immoral — et d'où sont exclus tous les principes et scrupules que nous nous targuons habituellement de respecter. En un certain sens, il est dégradant d'être toute sa vie, du berceau à la tombe, la victime potentielle d'un massacre aussi aveugle qu'immense, mais en un autre sens, et peut-être plus cruel encore, il est avilissant de menacer les autres d'un tel massacre. Nous nous efforçons de préserver le caractère sacré de la vie, mais en acceptant de jouer ce rôle de victime et de bourreau de la tuerie atomique, nous

172

nous faisons les porteurs d'un message immuable — qui s'imprime plus profondément dans nos âmes au fur et à mesure que les années passent — selon lequel la vie a non seulement perdu son caractère sacré, mais est devenue sans valeur ; selon lequel, si l'on suit cette logique « stratégique » que nous ne pouvons comprendre, le meurtre de chacun d'entre nous est jugé tout à fait acceptable.

Les deux rôles que nous jouons dans le fait nucléaire apparaissent d'ailleurs très nettement sur les photographies de la terre prises à l'aide d'une autre invention technique contemporaine : le satellite artificiel. Ces photographies illustrent, d'un côté notre pouvoir sur la nature, qui nous a permis de gagner les cieux et de contempler la terre comme si elle n'était plus qu'un corps céleste parmi les autres, et de l'autre, la faiblesse et la fragilité que nous ne pouvons manquer d'éprouver face à ce pouvoir lorsque nous découvrons notre planète si petite, isolée, belle et délicate. Observer la terre telle qu'elle a été saisie par la lentille d'un appareil photographique, pas plus grande qu'une balle de golf, remet en question toutes nos échelles de valeurs et nous fait prendre conscience de la nouvelle relation qui nous unit à notre planète : il nous est presque possible d'imaginer cette petite sphère tenue entre le pouce et l'index d'une main gigantesque. De la même façon, le fait de posséder l'arme nucléaire nous dissocie de la nature car nous détenons désormais un instrument d'une puissance cosmique par lequel nous sommes en mesure de faire disparaître la vie, alors que parallèlement, nous faisons partie intégrante de la nature et avons besoin d'elle pour subsister.

Cependant, même si le spectacle de notre planète vue depuis l'espace est inestimable, la seule optique qui importe vraiment est en fin de compte celle que l'on a depuis la terre, depuis le cœur même de la vie — la vue, disons, que l'on pourrait avoir depuis une chambre à coucher dominant une rivière le soir dans une petite ville, ce spectacle teinté de regret, d'espoir ou de tout autre sentiment humain. De n'importe quelle scène venant à l'esprit, naît un autre tableau — plus grandiose encore que les images prises depuis le ciel. Il s'agit de la vision de nos enfants et de nos petits-enfants, ainsi que de toutes les générations à venir de l'humanité s'étendant en avant de nous dans le temps, de la vision non pas d'une seule terre,

173

mais d'une succession d'innombrables terres se découpant en pleine lumière sur l'obscurité infinie de l'espace et de l'oubli. L'idée même d'interrompre le fil de nos générations, d'amputer cet avenir, nous est tellement choquante, nous paraît tellement contraire à la nature et incompatible avec l'impulsion même de la vie, qu'à peine avons-nous conçu une telle pensée que nous nous empressons de la repousser, emplis de répugnance et d'incrédulité. Le caractère proprement incroyable d'un tel acte le protège de nos regards ; l'amour que nous portons à la vie semble brusquement affluer pour nier que nous soyons capables de ce crime. Mais, quoique nous provoquions autant qu'il est possible un blocage de notre conscience dès qu'il s'agit du risque que nous faisons courir à nous-mêmes, nous laissant absorber par les merveilles de la vie pour ne pas voir la menace que nous faisons peser sur elle, nous ne pouvons prétendre ne pas être en fin de compte affectés par ce danger permanent. En effet nous savons et sentons au fond de nous-mêmes que les instants éphémères de nos existences mortelles n'ont de sens que dans le vaste courant de la vie collective, qui nous pousse pour nous faire avancer. Grâce à la fondation du monde collectif, nous nous sommes installés en tant qu'êtres humains dans l'espace toujours plus vaste du passé, du présent et du futur ; ainsi, si nous menaçons de détruire les générations futures, c'est à nous-mêmes que nous causons du tort car cette menace se répercutera sur nous par les voies du monde collectif que nous habitons tous ensemble. Tous ces hommes à naître font véritablement partie de nous-mêmes, et si l'on met en doute leur existence, notre présent n'a pas plus de sens qu'un mot unique tiré d'un poème, ou qu'une seule note sortie d'une chanson. Il n'est plus tout à fait humain.

Si l'on considère que l'idée d'extinction, comme l'idée de mort, influe sur nos vies par le truchement de l'esprit et de l'âme sans pour autant nous atteindre physiquement, il faut admettre que cette influence sur notre manière de vivre est impossible à prouver. Nous pouvons simplement alléguer qu'il est difficilement concevable que le plus grand danger jamais connu au cours de l'histoire — danger qui en fait engloutirait l'histoire — n'affecte en rien nos vies, alors qu'il menace d'anéantir chacune de ses composantes ; or, effectivement, nous semblons constater dans notre manière de vivre des changements prévisibles. Les générations futures étant directement visées, toutes les activités humaines comptant avec l'avenir sont également remises en cause. Le désir, l'amour, la naissance d'un enfant et tout ce qui est lié au renouveau biologique de l'espèce, sont parmi les premières à avoir été touchées par le péril nucléaire. La confiance éternelle et la plupart du temps tacite de l'espèce dans sa survie, malgré la mort individuelle — la foi selon laquelle la vie sur la terre est, dans une certaine mesure, favorisée, ce qu'exprime si magnifiquement le Christ dans les versets : « Considérez comment croissent les lis des champs : ils ne travaillent ni ne filent ; cependant je vous dis que Salomon même, dans toute sa gloire, n'a pas été vêtu comme l'un d'eux » — a été ébranlée, et avec elle la confiance tout aussi tacite que les gens mettaient en leurs propres instincts naturels. Il semble significatif que Freud, celui qui initia notre siècle à la conscience de la sexualité humaine, soit justement l'un des premiers observateurs à nous avoir avertis que l'humanité s'engageait sur la voie de l'autodestruction. Dans le dernier paragraphe de *Malaise dans la civilisation* paru en 1930, il écrit :

> La question du sort de l'espèce humaine me semble se poser ainsi : le progrès de la civilisation saura-t-il, et dans quelle mesure, dominer les perturbations apportées à la vie en commun par les pulsions humaines d'agression et d'autodestruction ? A ce point de vue, l'époque actuelle mérite peut-être une attention particulière. Les hommes d'aujourd'hui ont poussé si loin la maîtrise des forces de la nature qu'avec leur aide, il est devenu facile de s'exterminer mutuellement jusqu'au dernier. Ils le savent bien et c'est ce qui explique une bonne part de leur agitation présente, de leur malheur, et de leur angoisse. Et maintenant, il y a lieu d'attendre que l'autre des deux « puissances célestes », l'Eros éternel, tente un effort afin de s'affirmer dans la lutte qu'il mène contre son adversaire non moins immortel [la mort.]. Mais qui peut prédire avec quelle réussite et quel résultat ?

Freud semble avoir perçu que l'équilibre entre la nature animale ou instinctive de l'homme, sa nature « inférieure », tellement crainte et rejetée par les religieux et les philosophes

175

tout au long de l'histoire en tant que force entravant le développement spirituel de l'homme, et sa nature rationnelle, dite « supérieure », penchait désormais en faveur de cette dernière — ainsi, l'homme n'a plus tant à craindre aujourd'hui que le danger vienne d'instincts violents et incontrôlés enfonçant les barrières de la raison et de la maîtrise de soi, que d'une raison frénétique opprimant et détruisant les instincts et la nature humaine. On s'est alors rendu compte qu'une raison frénétique pouvait causer plus de ravages que des instincts trop violents. La bestialité compte à son actif bien des horreurs, mais elle n'a jamais menacé l'humanité d'extinction ; l'instinct de conservation fonctionnait encore. Seule une Raison « extrinsèque » pouvait concevoir cette idée d'extinction. L'attitude à la fois clémente et affectueuse de Freud pour l'animal qui sommeille en chacun de nous présageait la sollicitude qu'il nous faudrait maintenant éprouver à l'égard des animaux et des végétaux de notre milieu naturel. La raison doit aujourd'hui s'incliner devant l'instinct et apprendre à respecter l'aptitude miraculeuse de l'instinct pour la création.

Peut-être le fait que la sexualité ait perdu son caractère caché, limité aux confins de la chambre à coucher, pour s'étaler devant le public, devenant matière à débats, conseils et instructions techniques au même titre que tout autre sujet du domaine public, est-il un symptôme du désordre toujours croissant qui s'installe dans notre vie instinctuelle. A l'époque de Freud, débattre ouvertement des questions sexuelles permit aux gens de se libérer du joug de la morale victorienne, mais il apparaît aujourd'hui que dévoiler ainsi en public tout ce qui a trait à la sexualité traduit plutôt un certain malaise et une volonté de lutter contre celui-ci. En faisant entrer la sexualité dans le domaine public, les hommes semblent reconnaître indirectement que nos instincts se heurtent à certains obstacles, ce qui est tout à fait vrai, et ont besoin du secours de la société tout entière, ce qui est tout aussi vrai. Aussi curieux que cela puisse paraître, le dérèglement de notre vie privée, ou autrefois privée, pourrait exiger des solutions politiques, car le désir devra peut-être attendre que l'avenir de l'homme redevienne certitude pour retrouver sa place naturelle dans la vie humaine.

La continuité biologique de l'espèce se traduit en une continuité humaine, propre à notre monde, grâce en particulier à l'institution du mariage. Le mariage confère à l'amour une permanence et une forme publique. Les serments du mariage sont faits mutuellement par l'homme et la femme, mais ils sont également prononcés devant l'ensemble du monde, qui joue virtuellement le rôle de témoin. Le mariage *solennise* l'amour, donnant ainsi au sentiment le plus intime que nous puissions éprouver une forme extérieure, reconnue et respectée de tous. En se jurant leur amour en public, les amants font savoir également que leur union présente toutes les conditions nécessaires pour mettre au monde des enfants — pour recevoir ce que la Bible nomme « le don de la vie ». De même que le monde, en mettant l'accent sur une telle cérémonie et en remplissant son rôle de témoin, annonce son engagement dans sa propre perpétuation. En conséquence, tout en étant en un sens l'un des actes les plus personnels qui soient, le mariage appartient en un autre sens à tout le monde. En un monde sans cesse bouleversé par la naissance et la mort, le mariage — et c'est pourquoi on le qualifie à juste raison d' « institution » — constitue l'une des bases de la stabilité d'un monde humain conçu pour abriter toutes les générations. De ce point de vue, comme sur un plan purement biologique et affectif, l'amour crée le monde.

La menace d'extinction enveloppe cet amour d'une aura de doute. Un monde vacillant, prêt à sombrer dans l'autodestruction, ne fait pas une terre bien riche pour que l'amour puisse y croître durablement. L'extinction démolirait tout ce que l'amour a si patiemment construit. « Eros, le bâtisseur de cités » (selon l'expression qu'emploie Auden dans son poème dédié à la mémoire de Freud, qui venait de mourir) est évincé. Ou, si l'on veut employer une image brutale, mais néanmoins appropriée, chaque génération qui fait de la terre l'otage de la destruction par l'arme nucléaire place le canon d'un revolver contre la tempe de sa propre progéniture. En disposant ainsi ce piège prêt à engloutir l'espèce, nous ne faisons preuve que de mépris pour nos enfants et les traitons avec la dernière indifférence. L'amour proprement dit vit, lui, dans l'instant et l'instant, comme nous-mêmes, est mourant tandis que l'amour s'étire au-delà de l'instant pour atteindre à une sorte de permanence. En effet :

177

Du temps l'amour n'est pas le fou, quoique lèvres et joues roses
De l'inlassable faucille tombent sous la coupe ;
Les heures et les semaines laissent l'amour inaltéré,
Et même le portent aux confins du destin.

Mais si la fin des temps est pour bientôt, la portée de l'amour se restreint et s'altèrent ses intentions. La proximité de l'extinction confine l'amour dans son instant éphémère et tend ainsi à détruire les liaisons durables qui, devant déjà endurer toutes les vicissitudes quotidiennes, ont encore à subir les effets de la menace qui pèse sur l'ensemble du monde.

Dans le monde nucléarisé existe en fait une curieuse similitude entre l'amour et la guerre. Les hostilités militaires ont été bannies des champs de bataille par la peur de l'extinction et sont désormais reléguées à un niveau strictement mental — au niveau de la théorie stratégique et des jeux militaires, où les généraux du moment restent assis devant leurs terminaux d'ordinateurs à commander des guerres factices dans le but avoué d'éviter que n'éclatent de véritables conflits. Même s'il n'a pu être totalement évincé, l'amour a lui aussi, d'une certaine façon, perdu son champ d'action privilégié — le monde qui comprend aussi les générations futures — et tend également à rester prisonnier d'un niveau purement mental qui le transforme en une affaire de plus en plus solitaire : impersonnelle, détachée, pornographique. Le fait que nous qualifiions la pornographie, comme la destruction nucléaire, d'« obscène » n'est certainement pas fortuit. Dans la première, le désir est dépouillé de tout autre sentiment ou attachement humain. Dans la seconde, la violence ne se justifie plus par aucun objectif humain, pour la bonne raison que tous les buts disparaîtraient dans un holocauste.

Autrefois, les Japonais appelaient leurs quartiers de débauche des « mondes flottants ». Aujourd'hui, c'est notre monde entier, coupé de son avenir comme de son passé, qui est devenu un « monde flottant ». La cohésion de l'univers social — la trame dense et si élaborée de la vie que nous décrivent, entre autres, les romans du XIXe siècle et qui nous inspire une sorte de nostalgie — se désagrège, et les individus semblent dériver vers un isolement effrayant. On nous offre en compensation la liberté de jouir plus pleinement de l'instant ; mais le moment présent et les plaisirs qu'il peut donner ne sont qu'un bien pauvre refuge pour échapper au creux et à la solitude de notre monde désormais irréel, chancelant, crépusculaire. Incapable de soutenir la pression anormale de l'attente, l'instant présent se déforme et s'altère. Les gens espèrent de l'instant ce qu'il ne peut donner — et surtout pas lorsqu'on le lui commande. Arraché au vaste courant de la vie, l'instant — qu'il soit d'amour, de paix spirituelle ou de plaisir simplement culinaire — ne parvient plus à se dérouler normalement, paisiblement, mais est sans cesse traqué, pressé, manipulé par trop de conseils et d'instructions, marchandé et tellement malmené qu'en est souvent exclue toute joie ou fraîcheur.

Il est parfaitement compréhensible que, face à des relations humaines s'en allant à vau-l'eau dans un monde menacé, naisse un désir de mener une existence sociale plus confortable, plus stable, plus satisfaisante. Malheureusement, au lieu de nous inciter à prendre des mesures politiques susceptibles d'écarter le danger et de remettre la vie sur ses rails de toujours, ces désirs n'en restent trop souvent qu'au stade du simple *souhait* de voir le monde revenir en arrière pour retrouver ce qu'on appelle les « valeurs traditionnelles ». Plutôt que de reconnaître les causes fondamentales du déclin de la société dans le but de tenter d'y remédier, ces nostalgiques du passé ont tendance à nier l'existence d'une situation nouvelle. De la même façon, le refus de voir que la guerre ne peut plus exister sous sa forme traditionnelle, qu'une bataille ne saurait plus désigner un vainqueur mais signifierait la destruction du monde, n'est en fait qu'une des composantes — et sans doute la plus dangereuse — de cette attitude irréaliste. Dans le passé, le conservatisme en matière de questions sociales et personnelles allait souvent de pair avec le militarisme ; une telle combinaison devient aujourd'hui considérablement plus périlleuse qu'autrefois. Elle sous-entend en effet la négation de l'état actuel du monde et pourrait entraîner la fin de celui-ci. Si une nation entretient l'illusion qu'une guerre, même nucléaire, est encore possible et qu'elle peut aboutir à une « victoire », elle risque de provoquer par erreur sa propre perte et celle du monde. Au contraire, le conservateur vigilant et réaliste s'apercevra que tout ce que l'on souhaiterait conserver est menacé par l'arme nucléaire et il saura voir en cette arme un danger non seulement pour les valeurs anciennes, mais aussi pour toutes les valeurs quelles qu'elles soient. Aussi se mettra-t-il au premier rang des mouvements en faveur du désarmement au lieu de continuer à rêver aux guerres révolues du temps passé.

La politique telle qu'elle existe aujourd'hui est encore plus exposée au péril d'extinction que ne le sont la vie privée et la vie sociale. Le mariage trace la carte des lignées sur le territoire vierge des générations successives et façonne les premiers éléments du monde collectif à l'aide de la reproduction biologique qui, sans le mariage, se poursuivrait en tout état de cause, comme ce fut le cas avant la naissance de la civilisation, et comme c'est toujours le cas chez les animaux. Le mariage reste donc à moitié immergé dans la vie biologique instinctive et inconsciente de l'espèce, et émerge pour l'autre moitié au « grand jour » (pour citer Hegel) de l'histoire et du monde collectif. Au contraire, la politique reste une création du monde collectif et ne pourrait subsister sans lui. (Si les humains ne possédaient ni la raison ni le langage, ils seraient toujours en mesure de se reproduire, mais pas de fonder des gouvernements.) Il n'existe pas d' « instant » politique comme il existe des instants de sensualité, sur lequel se rabattre pour échapper à la futilité d'un monde collectif condamné. Ainsi la politique ne peut se détacher de la situation absurde selon laquelle elle bâtit d'une main un avenir que l'autre main se prépare à détruire. Chaque fois qu'un homme politique prend la parole pour nous parler de construire un monde meilleur pour nos enfants et nos petits-enfants (ce qui constitue en fait l'objectif premier de la politique), la menace d'extinction est là pour le contredire : peut-être n'y aura-t-il *ni* enfants *ni* petits-enfants. Quand les politiciens laissent percer leur désir de « marquer l'histoire », ce n'est même pas leur vanité ridicule qui suscite notre colère, mais la présomption dont ils font preuve en s'imaginant marquer une histoire que leurs actes menacent de supprimer.

Depuis Aristote, il a été dit et répété que les deux objectifs fondamentaux de toute association politique étaient, premièrement, d'assurer la survie des membres de la société (c'est-à-dire de protéger la vie) et, deuxièmement, de permettre à ces membres de se réaliser en tant qu'êtres humains (soit de leur donner la possibilité de mener une vie digne et agréable). Le risque d'autodestruction annule ces deux objectifs et place la politique actuelle dans la position grotesque de ne pouvoir tendre à la fin qui justifiait jusqu'à présent son existence. Si notre économie se mettait à produire de l'argenterie, de la verrerie et du linge de table à profusion, mais plus de nourriture, les gens se révolteraient très vite pour exiger des changements. Le système politique mondial, qui vise actuellement à doter la vie de toutes sortes de biens matériels mais ne lèverait pas le petit doigt pour sauver la vie elle-même, nécessiterait lui aussi des changements radicaux. Les hommes ne peuvent faire confiance plus longtemps à des institutions incapables de reconnaître les besoins les plus urgents de l'espèce et il n'est donc pas surprenant que les citoyens considèrent de plus en plus leurs politiciens avec mépris, même s'ils ne savent pas toujours exactement pourquoi.

Tant que la politique refusera de prendre en main le problème nucléaire, elle se rapprochera plus que toute autre sphère d'activité du mensonge que nous sommes tous en train d'alimenter — mensonge selon lequel la vie peut continuer indéfiniment malgré les arsenaux nucléaires. Pourtant, on nous conseille de ne pas trop nous attaquer au problème nucléaire, mais bien plutôt de nous y accoutumer : de nous entraîner à ne voir qu'une partie des choses en laissant de côté le plus évident ; à endormir notre système nerveux de façon qu'il ne réagisse plus, même au danger le plus périlleux et imminent ; à entretenir un mode de pensée politique particulier, très étriqué, dans lequel nous sommes autorisés à tourner autour du problème crucial de la vie de notre espèce, mais jamais à l'aborder de front. Dans ce mode de pensée timoré, presque atrophié, on qualifie de « réaliste » toute certitude dont le trait marquant est de ne pas prendre en compte la réalité la plus fondamentale de notre époque, le gouffre qui menace d'engloutir notre espèce ; on qualifie dédaigneusement d' « utopique » tout projet témoignant d'une volonté sérieuse d'empêcher l'espèce de se détruire (s'il est « utopique » de vouloir survivre, sans doute est-il « réaliste » d'être mort). Le système politique qui nous maintient toujours au bord de l'anéantissement est considéré comme « modéré » et donc, « respectable », tandis que les nouvelles méthodes susceptibles de nous éloigner de quelques pas du danger sont « extrémistes » ou « anarchistes ». En employant de telles épithètes qui trahissent un esprit borné et pusillanime, les partisans du statu quo défendent le caractère anachronique de leur raisonnement et s'efforcent de tuer dans l'œuf la révolution de l'acte et de la pensée qui serait nécessaire à la survie de l'humanité.

Les œuvres d'art, l'histoire et la réflexion qui produisent ce que Hannah Arendt appelle la « publicité » indispensable à l'établissement d'un monde collectif intergénératif, sont minées à la base par la menace d'extinction. Chacun de ces ouvrages est le réceptacle de l'essence d'une quelconque pensée, sensation ou expérience qu'une génération transmet à l'autre. En 1970, dans le discours qu'il prononça à l'occasion de son prix Nobel, Soljénitsyne déclara : « Malheur à la nation dont la littérature est perturbée par l'intervention du pouvoir. Car il ne s'agit pas là d'une simple violation de la " liberté d'expression ", cela revient à condamner le cœur de la nation, à briser sa mémoire. » En nous rappelant ainsi que le gouvernement totalitaire soviétique cherche à effacer ce lien qui unit les générations et se prête si mal à toutes les campagnes monomaniaques du régime, Soljénitsyne aurait tout aussi bien pu nous démontrer que le totalitarisme est en fait l'un des précurseurs du péril d'extinction qui, lui, détruirait totalement toutes les générations. (A la différence près que le totalitarisme cherche à faire disparaître les souvenirs tandis que l'extinction anéantit tous ceux qui se souviennent.) Une œuvre d'art célèbre souvent ce que la vie offre de plus évanescent — un regard, un vague désir, une ombre — mais dès que l'artiste saisit son crayon ou ses pinceaux, il prend place dans le monde collectif immortel que se partagent toutes les générations. Comme nous le répètent depuis toujours les poètes, l'art sauve l'amour et les autres expériences humaines périssables de l'épreuve du temps. Il ne permet pas seulement aux artistes de se prolonger au-delà de leur existence, il donne également cette possibilité aux lecteurs, aux auditeurs et autres amateurs d'art qui, lorsqu'ils se trouvent en présence d'un chef-d'œuvre, en deviennent les contemporains, comme ils le sont de ceux qui ont déjà admiré et de ceux qui admireront encore la même œuvre. Grâce à l'art, « nous pouvons partager le pain avec les morts, et sans cette communion avec les morts, une vie pleinement humaine est impossible » (Auden). L'éternel pouvoir de fascination des plus grands chefs-d'œuvre de l'art plus que toute autre chose témoigne de notre humanité et constitue l'un des arguments de base nous autorisant à penser qu'une communauté politique embrassant la terre entière et l'ensemble des générations est également possible.

Le pendant de la communion artistique avec les morts (ce qu'illustre si joliment Camus en disant : « En tant qu'artiste... je commençai par admirer les autres, ce qui est d'une certaine façon le paradis sur terre ») est la communion avec les générations à naître. Aucun de nos actes ne compte davantage avec les générations futures que la création artistique. La véritable préoccupation de l'artiste doit être de s'adresser aux publics à venir, et il n'est donc pas étonnant qu'il soit souvent doué — probablement plus que tout autre observateur, du moins à l'heure actuelle — d'une vision prophétique. (Si l'on pense à notre siècle, le nom de Kafka, auteur qui sut prévoir avec force détails l'histoire de notre temps, s'impose immanquablement à l'esprit.) D'ailleurs, les grandes œuvres d'art sont parfois tellement tournées vers l'avenir qu'elles doivent attendre plusieurs décennies pour être comprises. Sans aucun doute, l'art, pénétrant telle la proue de l'avenir les circuits de la pensée et des sentiments du présent, voit sa situation changer radicalement si le futur est remis en cause. Lorsqu'il se met au travail, l'artiste sent le sol de moins en moins sûr sous ses pieds. Autrefois, l'artiste qui souhaitait être à l'origine d'une communion entre les générations futures et son époque pouvait craindre que son œuvre ne soit pas à la hauteur de la postérité et sombre dans l'oubli ; dans le monde nucléaire, cette crainte existe toujours, mais s'y ajoute le souci de se dire que, même s'il s'agit d'un chef-d'œuvre éternel, l'auteur ne peut être certain que son ouvrage entrera dans l'histoire car la postérité devient aléatoire. Un chef-d'œuvre ne peut plus être éternel si le temps s'interrompt. La nouvelle incertitude ne réside pas en ce que l'œuvre pourrait être ensevelie puis oubliée dans le tumulte de l'histoire, mais en ce que l'histoire, notre seul espoir de sauver quoi ou qui que ce soit du complet anéantissement, risque d'être engloutie par l'indifférence d'un monde posthumain, entraînant avec elle toutes les créations de l'homme. Ces deux fins, qui constituent désormais une double menace pour la création artistique, sont totalement différentes. En ce qui concerne la première fin, celle de l'œuvre, c'est la vie — d'après Arendt, l' « assaut des générations » — qui détruit l'œuvre tout en continuant de se poursuivre. Avec la fin de l'histoire, c'est la mort qui fait disparaître et la vie et l'œuvre. Le premier cas de figure nous fait sentir avec plus d'acuité notre condition d'individus mortels, mais, et pour cette raison même, intensifie la perception que nous avons d'une vie commune à toute l'espèce ; ces sentiments pourraient tous deux nous pousser à accroître notre effort dans l'intention d'offrir au monde ce que nous désirons lui transmettre avant de mourir. Le second péril ne menace pas chacune des œuvres individuelles, mais le monde auquel elles sont destinées ; il nous fait comprendre que même si nous sommes parvenus au but que nous nous étions fixé, tous nos efforts auront été vains et il sape ainsi toute volonté d'accomplir quoi que ce soit.

Il serait ridicule d'essayer d'établir ce que l'art « peut » ou ne « peut pas » faire, comme si nous avions aujourd'hui le pouvoir de prédire les formes que l'art prendra demain, et que, tels des critiques omniscients, nous soyons à même d'en accepter certaines et d'en rejeter d'autres ; mais il nous reste la possibilité d'étudier ce qui s'est déjà produit et de s'interroger sur le rôle qu'ont pu jouer les événements politiques et autres sur telle ou telle évolution artistique. Sans perdre de vue le mystère irréductible de la création artistique, nous pouvons remarquer que certaines manifestations artistiques de ces vingt dernières années témoignent d'une adaptation logique, sinon inconsciente, à la situation désormais périlleuse de l'humanité. Harold Rosenberg, critique d'art ainsi qu'observateur en matière politique et sociale, parlait d'une « dé-définition » de l'art, entendant par là un effacement progressif des frontières traditionnelles entre la création artistique et les autres activités humaines. Citons parmi les anciennes séparations — qu'elles soient tombées en désuétude ou aient été délibérément enfoncées — la distinction faite entre l'artiste et son œuvre, entre l'œuvre et son public. Rosenberg voit en l'*Action Painting* (« abstraction gestuelle »), mouvement pour lequel la signification de l'œuvre tient plus à l'acte de peindre qu'à la toile obtenue, la première rupture avec le passé ; il trouve la seconde dans les « happenings », ces spectacles où la notion de public disparaît presque complètement dans la mesure où « c'est l'événement lui-même qui produit l'effet esthétique, sans que le spectateur-participant ait à intervenir ». En cherchant ainsi à se passer d'un produit artistique durable, continuant d'exister indépendamment de son auteur, ainsi que du public, et en se concentrant sur l'acte créateur, ces artistes, qui « abandonnaient l'art », semblaient travailler pour un art qui se suffirait à lui-même et serait l'œuvre de l'instant — comme l'acte sexuel détaché de tout contexte passé ou futur — laissant de côté la communion avec les générations passées et à venir ; cela revient en fait à libérer l'art du monde collectif, qui suppose l'existence d'un avenir de l'homme. Si l'art pouvait atteindre un tel but, il parviendrait alors à ne plus s'efforcer en vain de communiquer avec des générations qui pourraient bien ne jamais voir le jour. La politique n'a absolument aucune possibilité de se couper ainsi du futur et de se resserrer pour donner un présent extraordinairement riche (même si certains étudiants extrémistes des années 60 donnaient parfois l'impression de vouloir y arriver), mais l'art a peut-être un retard plus grand à rattraper en matière d'expérimentation car la tâche qui lui est traditionnellement assignée d'immortaliser les éléments les plus fugitifs de la vie le rapproche fondamentalement de l'instant. Savoir si ces expériences peuvent aboutir à quelque chose de valable est une autre question. Rosenberg parle de « tous ces subterfuges » auxquels l'art a eu recours pour survivre ces dernières années, « consistant à s'observer pour se nier ensuite de la façon la plus provocante », et il exprime son doute que de tels procédés durent encore longtemps. Si l'on considère la menace qui pèse sur l'espèce tout entière, l'art se révèle être dans une situation plutôt difficile. On le voudrait à la fois reflet de l'époque qui le produit et œuvre éternelle. Mais si l'on veut aujourd'hui qu'il soit le miroir fidèle de la réalité actuelle, dont la principale caractéristique est le risque encouru par l'avenir de l'humanité, l'art devra disparaître, alors que si nous choisissons de produire des œuvres éternelles, l'art ne devra rien laisser transparaître de cette réalité et sera donc, en un sens, fallacieux. L'art ne peut sortir tout seul de ce dilemme, et les artistes, comme les amants, ont besoin de l'aide des hommes d'Etat et de tous les citoyens.

En menaçant de la sorte les générations futures, le péril nucléaire ne se contente pas de semer le désordre dans toutes nos activités ayant un lien avec elles, il perturbe aussi les relations que nous entretenons avec les générations passées. Il nous faut la certitude qu'un futur nous succédera pour être en mesure de supporter le poids du passé — un passé qui, sans la promesse de l'avenir, correspondrait parfaitement à l'expression « le passé est bien mort » et ne serait plus que le fardeau insoutenable de millénaires de corps et de poussières. Sans la certitude que nos descendants nous relayeront, que nous pourrons leur transmettre ce que nous tenons du passé, il devient par trop déprimant de fouiller les tombes pour y retrouver ce que nous avons oublié ; sans ces trésors, pourtant, la vie serait très pauvre. Le présent forme l'axe sur lequel s'équilibrent le passé et l'avenir. Si l'avenir nous est ôté, alors le passé sombre aussi, et disparaît.

La mort occupe le cœur même de l'existence de chacun, mais il faut chercher en partie la signification de la mort dans le fait qu'elle intervient à l'intérieur d'un monde social et biologique qui lui survit. Personne ne peut assister à ses propres funérailles, mais d'autres le peuvent, et le simple fait d'imaginer leur présence, qui témoigne de la permanence de la vie et de tout ce que cela sous-entend pour une créature mortelle, représente une consolation pour celui qui envisage la mort. L'idée de l'extinction nous enlève jusqu'à cette consolation. La mort semble alors un trou menacé d'être à son tour englouti par un autre trou plus vaste encore — la mort dans la mort. Lorsque l'anéantissement menace la vie tout entière, on ne peut envisager sereinement sa mort individuelle. La mort des autres, elle aussi, prend un aspect plus redoutable ; dans cette atmosphère emplie de mort, chaque décès devient plus difficile à affronter. Lorsqu'une personne meurt, nous avons tendance à nous remémorer le bien qu'elle a fait de son vivant — ce qu'elle a donné au monde, et qui prolongera l'affection que celui-ci lui porte. (Quand un être particulièrement malfaisant meurt, la victoire de la mort semble plus complète, dans la mesure où le monde ne désire pas en conserver grand souvenir. Nous voudrions même enterrer sa mémoire plus profondément qu'aucune tombe ne saurait l'engloutir.) Mais quand le monde entier, et avec lui, d'une certaine façon, les morts, sont menacés, la volonté de préserver et de se souvenir perd son sens, et la vie, comme la mort, risque de sombrer dans l'insignifiance.

Notre siècle compte un nombre impressionnant de morts qui évoquent ce qui se produirait lors d'un holocauste nucléaire : la disparition des millions de personnes qui ont péri dans les camps de concentration de régimes totalitaires désireux non seulement d'exterminer leurs victimes, mais aussi de les effacer de l'histoire. Le camp ayant constitué pour les prisonniers le risque de tomber dans l'oubli en même temps que de mourir, certains survivants se sont fait un devoir quasi sacré d'entretenir le souvenir de ce cauchemar. Lorsque Soljénitsyne accepta le prix Nobel, il s'évertua à rappeler au monde qu'il s'exprimait au nom des millions de compagnons qui n'avaient pas survécu. De la même façon, toute son œuvre retraçant l'historique du système des camps soviétiques se dresse contre la volonté d'oublier des régimes totalitaires. Rappelons également l'injonction si souvent entendue dès que l'on parle de l'extermination des Juifs par les Nazis : ce « n'oubliez jamais » est important dans le sens où, en plus de chercher à éviter qu'une telle horreur ne se reproduise, le seul fait de se souvenir anéantit la tentative des Nazis consistant à faire disparaître toute trace de ce peuple. Etant donné que le génocide, en cherchant à empêcher les descendants d'un peuple déterminé de venir au monde, commet un crime contre l'avenir, les générations suivantes se trouvent en quelque sorte dans l'obligation de statuer sur ce crime, même si les coupables sont morts depuis longtemps. Ce furent d'abord les anciens prisonniers qui éprouvèrent le besoin de porter témoignage, l'ensemble de la communauté ne les rejoignant que plus tard dans cette résolution d'attester les faits. Le journaliste français David Rousset, rescapé de plusieurs camps et notamment de Buchenwald, raconte son expérience :

> Combien ici croient encore qu'une protestation ait même une importance historique ? Ce scepticisme constitue le véritable chef-d'œuvre des SS. Leur grand triomphe. Ils ont corrompu la solidarité humaine. Ici, la nuit s'est faite sur l'avenir. Quand il ne subsiste plus de témoins, il ne peut y avoir de témoignage. Manifester alors que la mort ne peut plus être remise revient à essayer de donner à la mort une signification, à agir au-delà de sa propre mort. Pour être réussie, une action doit avoir une portée sociale.

187

Nous sommes des centaines de millions ici, à vivre dans la solitude la plus absolue.

Grâce à quelques témoins héroïques et à l'existence, à l'extérieur du monde totalitaire, d'un monde non totalitaire capable d'apprendre ce qui s'est passé, puis de s'en souvenir, le lien entre les victimes des camps et le reste de l'humanité ne s'est jamais véritablement rompu. Il y a *eu* des témoignages, l' « importance historique » des événements qui se sont produits dans les camps a *été* préservée, la « solidarité humaine » a *été* retrouvée, même si cela a pris beaucoup de temps, et le « chef-d'œuvre » des SS a été sérieusement abîmé. En fait, si nous lisions les récits de ces rescapés de la mort avec un regard suffisamment pénétrant, cela pourrait peut-être nous aider dans notre effort pour éviter l'extinction. Dans son étude désormais classique *Le Système totalitaire,* Hannah Arendt établit la relation :

Ici [dans les camps], il n'y a de lois ni politiques, ni historiques, ni simplement morales mais tout au plus la prise de conscience que dans la politique moderne entre un élément qui n'appartenait pas à la politique traditionnelle telle que nous l'entendions, à savoir le tout ou rien — tout, posé pour une infinité encore imprécise de formes de cohabitation humaine, ou rien, impliquant qu'une victoire du système concentrationnaire aurait pour effet la fin inexorable des êtres humains, de même que l'utilisation de la bombe à hydrogène entraînerait l'anéantissement de la race humaine.

Il nous faut cependant insister, me semble-t-il, sur le fait que l'extinction causée par l'arme nucléaire nous plongerait dans un oubli beaucoup plus insondable, puisque la possibilité même que se reconstitue une mémoire ou un peuple — que puissent exister un Soljenitsyne ou un Rousset pour témoigner, une Hannah Arendt pour étudier leurs témoignages, des lecteurs pour méditer les faits et s'en affliger — n'existerait plus. Ce n'est qu'avec l'extinction, et elle seule, que le lien unissant les victimes au reste de l'humanité serait rompu à tout jamais ; le « chef-d'œuvre » des exterminateurs serait alors

188

parfait car la nuit se serait alors éternellement « faite sur l'avenir ». De tous les crimes perpétrés contre le futur, l'extermination totale est le pire. Elle constitue véritablement le meurtre de l'avenir. Et comme ce meurtre anéantit tous ceux qui pourraient s'en souvenir, de la même façon qu'il annihile ses victimes immédiates, l'injonction « n'oubliez jamais » se reporte sur nous, les vivants. Il nous revient dorénavant — à nous qui avons le choix entre commettre ce crime ou l'éviter — d'attester, de nous souvenir, de porter un jugement.

Un holocauste nucléaire détruirait les êtres vivants et à naître d'un seul coup, mais, comme nous l'avons déjà dit plus haut, il serait possible, du moins en imagination, de supprimer les générations ultérieures en stérilisant les vivants, ce qui ne provoquerait pas leur mort physique. Quoique par définition, l'état d'après l'extinction ne puisse en aucun cas entrer dans le domaine de l'expérience, ces morts en sursis — les cellules vivantes du cadavre de l'humanité — se verraient contraints, comme un condamné à mort connaissant la date de son exécution, de regarder l'extinction en face, alors qu'actuellement, il nous reste toujours l'échappatoire de nous dire que nous pouvons encore l'éviter. Pour ces condamnés à ne pas procréer, toutes les activités du monde collectif — le mariage, la politique, l'art, le savoir et, en l'occurrence, la guerre — deviendraient vite totalement vaines. Ces hommes assisteraient à l'effondrement des liens réunissant les individus en communautés et en espèce ; ils sentiraient le flux de la vie en commun se figer en eux. Puis, au fur et à mesure que la mort les faucherait, les derniers survivants seraient les témoins du triomphe de la mort sur la vie. On pourrait d'ailleurs se demander si, dans de telles circonstances, les gens auraient envie de continuer à vivre — s'ils ne préféreraient pas mettre eux-mêmes fin à leurs jours. En nous exterminant très vite, l'arme nucléaire nous épargnerait ces dizaines d'années d'une existence nue et amère passée à regarder et à sentir la mort venir. Au point où nous en sommes, nous ne connaîtrons jamais cette lente et inexorable approche de l'extinction et devrons nous contenter d'une incertitude tout aussi irrémédiable. Néanmoins, le spectre de l'extinction plane sur notre monde et soumet nos existences à une pression aussi invisible que terrible. Il nous accompagne désormais toute notre vie, depuis la naissance jusqu'à la mort. Il nous suit où que nous allions et assiste au moindre de nos gestes. Il se lève avec nous le matin, ne nous quitte pas d'un pas de toute la journée et se couche avec nous la nuit venue. Il nous attend à la maternité, assiste à notre mariage et veille près de notre lit de mort. Ce spectre de l'extinction est la vérité qui justifie notre actuelle façon de vivre. Mais cette existence-là ne peut durer indéfiniment.

Puisque les générations à venir ne connaîtront jamais à proprement parler leur anéantissement, c'est à nous qu'il revient de chercher les conséquences de l'extinction avant qu'elle ne se produise, dans nos propres vies où cette menace permanente prend la forme d'un mal spirituel qui corrompt nos pensées, nos états d'esprit et nos actes à leur naissance même. La nécessité de mettre ainsi l'accent sur nous-mêmes ne signifie cependant pas que nous ne devions éviter d'annihiler nos descendants que pour mieux les soumettre à nos propres besoins — pour qu'ils deviennent les admirateurs de nos œuvres d'art, les mains tendues, prêtes à recevoir nos bienfaits (satisfaisant ainsi toutes nos impulsions charitables trop souvent frustrées), les esprits qui nous rendront immortels en se rappelant nos paroles et nos actes, les successeurs qui justifieront notre existence en poursuivant les tâches que nous avons commencées ou continuées. Adopter un point de vue aussi avantageux reviendrait à faire la même erreur monumentale que celle commise par le philanthrope qui se sert des nécessiteux pour prouver sa supériorité morale, ou, plus communément et d'une façon plus grave, par le politicien qui ne considère ses électeurs que comme les barreaux de l'échelle qui mène au pouvoir. Cela nous rapprocherait également de ceux qui, poursuivant bien souvent de grands buts chimériques à caractère social, commettent l'erreur inverse, mais non sans rapport, de soumettre les générations *actuelles* à leurs propres besoins — les prenant pour de vulgaires briques et pour du ciment destinés à la construction d'un palais merveilleux où vivront les générations futures. (Il nous suffit de nous rappeler combien de gens ont été massacrés dans le but de « faire avancer l'histoire » pour avoir conscience du coût terrible de ces erreurs.) Que nous tentions de subordonner les générations futures ou les gens qui existent déjà, le fait de réduire les êtres humains à un rôle auxiliaire dans l'accomplissement de grandes tâches concernant toutes les générations supposerait que nous placions les réalisations de la vie plus haut que la vie elle-même, comme si nous étions tellement éblouis par la demeure d'un ami que nous en oubliions qui vit dedans. Pourtant, jamais un être humain, vivant ou à venir, ne doit être considéré comme un accessoire. Même si les hommes doivent s'acquitter de certaines obligations, personne n'a le droit de voir en eux des bêtes de somme dont l'unique objectif dans l'existence serait de participer à des entreprises qui les dépassent prétendument en grandeur et en magnificence, car en dernière analyse, ces entreprises, dont l'ensemble forme le monde collectif, sont destinées à servir la vie et non le contraire. La vie n'a pas été créée pour se mettre au service des gouvernements, des bâtiments, des livres ou des tableaux ; tout cela n'existe que dans l'intérêt de la vie. Les créations de l'homme sont incommensurables, mais l'homme l'est plus encore.

S'il faut tant insister sur les générations actuelles, ce n'est pas parce qu'elles sont plus importantes que leurs descendants, mais simplement parce qu'à n'importe quel moment, et en vertu du seul fait d'exister, elles sont celles qui créent le danger, qui en subissent les conséquences dans leur vie et qui peuvent répondre de ce péril devant toutes les autres générations. Pour aimer la vie — que ce soit la sienne ou celle de quelqu'un d'autre, une vie d'aujourd'hui ou à naître — il faut déjà vivre et seuls les vivants ont ce privilège. La question que suscite chez tous les vivants la menace d'extinction est donc : qui regretterait la vie humaine si celle-ci venait à disparaître ? Ce à quoi la seule réponse honnête ne peut être que : personne. Cela étant, il nous faut bien admettre que l'extinction ne constituerait pas une perte puisqu'il n'y aurait personne pour la déplorer ; nous sommes donc contraints de chercher la signification de l'extinction par anticipation, ce qui dénature et ronge notre vie. Par ailleurs, il existe encore un autre aspect de cette question. S'il est vrai que l'extinction ne peut être ressentie par ceux dont elle est le destin — les hommes à naître qui jamais ne verront le jour — il n'est évidemment pas possible d'en dire autant de la survie. Si nous interdisons à nos descendants de naître, ils n'auront jamais l'occasion de le déplorer, mais si nous les laissons venir au monde, la chance leur sera souvent donnée de se réjouir d'avoir pu naître malgré tout. L'idée de réchapper à l'anéantissement avant même d'être né nous paraît fort étrange, car nous n'y sommes pas habitués, mais soyons sûrs que pour des générations autorisées à naître dans une ère nucléaire déjà bien avancée, et conscientes de ne devoir leur venue au monde qu'à la sagesse et à la retenue de la longue succession des générations qui les ont précédées, cette idée deviendra naturelle.

On pourrait dire, de tous les autres legs que le présent fait au futur, que si chacun d'eux était accepté avec gratitude en cas de transmission, ils seraient amèrement regrettés dans le cas contraire. La vie constitue le seul exemple où, tandis qu'on la reçoit avec reconnaissance, son annulation ne cause aucun regret. La menace d'extinction, en nous faisant comprendre cette réalité, attire notre attention sur le fait pourtant simple et fondamental qu'avant de pouvoir parler de bien et de mal, de bienfait ou de préjudice, de malheur ou de joie, il *faut qu'il y ait la vie*. (Même pour les êtres maléfiques qui ne pensent qu'à exploiter et faire souffrir leurs prochains, il est d'abord nécessaire que les autres existent.) Lorsque l'on envisage le péril d'extinction, notre tout premier désir doit être par conséquent que nos descendants naissent, pour eux, et pour aucune autre raison. Tout le reste — notre volonté de servir les générations futures en leur léguant un monde décent et agréable, notre désir de mener nous-mêmes une existence décente dans un monde collectif que le souci des générations futures aura rendu plus sûr — en découlera. La vie vient en premier. Le reste est secondaire.

Pour récapituler : Lors d'un holocauste nucléaire suffisamment important pour provoquer l'extinction de l'espèce, tous les individus de la terre mourraient, mais s'y ajoute le fait, distinct du précédent, que les générations à naître seraient privées de la possibilité même de jamais exister. Cependant, et justement parce qu'ils ne sont pas nés, les hommes à naître n'ont pas conscience du danger qu'ils courent, danger dont la signification doit être cherchée parmi les vivants, qui partagent un monde collectif avec les morts et les êtres à venir, et qui se rendent compte qu'en se désintéressant de leurs descendants, en leur refusant la vie, leur propre existence devient de plus en plus altérée, vide et désespérante. D'un autre côté, si au lieu de nous demander quel est le sens de l'extinction, nous nous interrogions sur la signification de la survie — et dans le monde nucléaire, la survie devient un choix délibéré — nous découvririons que le lien entre les générations se reconstitue et que nous pouvons de nouveau nous poser des questions sur la façon dont nos actes seront perçus par les autres qui, s'ils sont censés exister, sont aussi censés réagir. En faisant en sorte de sauver l'espèce et de repeupler le futur, nous faisons éclater l'isolement générateur de claustrophobie d'un présent condamné, et ouvrons la voie des grands espaces — les seuls qui conviennent à l'existence de l'homme — du passé, du présent et de l'avenir. Nous retrouvons soudain la faculté de penser et de sentir. Il suffit d'imaginer un instant durant que le péril nucléaire n'existe plus et que l'humanité a retrouvé une position sûre sur la terre, pour éprouver les prémices d'un infini soulagement, d'une immense paix. Mais nous ne pourrons ouvrir cette voie que si nous désirons faire en sorte que nos descendants existent pour eux-mêmes et pour eux seuls. Nous décelons les effets de l'extinction dans notre propre monde parce que nous ne pouvons les voir nulle part ailleurs, et aussi importants qu'ils puissent nous sembler, ces effets déplorables ne sont en fait que les effets secondaires de notre manquement à notre principal devoir : estimer les êtres humains de demain à leur juste valeur. Et si cette tâche nous paraît quelque peu abstraite, il nous suffit de nous rappeler que nous aussi, nous avons été pour d'autres les « générations futures », et que chacun de ces êtres à venir vivra et comptera pour lui-même tout autant que nous attachons de prix à notre propre existence. Pour parvenir à acquérir une perspective juste de l'extinction, tenter de se représenter le vide inhumain d'un univers après l'homme est vain, il nous faut simplement essayer de nous mettre à la place d'un de nos descendants, susceptible, justement parce qu'on lui a permis de naître, de se réjouir d'être vivant.

Avec les générations qui n'ont jamais connu le monde à l'abri du péril nucléaire, commence une nouvelle catégorie de générations. Chaque individu de cette catégorie doit assumer sa part de responsabilité en vue d'assurer l'existence de toutes les générations futures. Et de ce nouveau sens des responsabilités devrait naître un programme d'action mondial visant à préserver l'espèce, ce qui équivaudrait à une garantie d'existence pour les hommes à venir, et permettrait d'évaluer l'honneur et l'humanité des hommes déjà en vie. Sa mise en œuvre marquerait la fondation d'un nouveau monde collectif qui, par son importance et la solidité de ses liens, transcenderait largement l'ancien, celui d'avant la nucléarisation. En l'absence d'un tel programme, rien de ce que nous entreprenons ensemble ne peut acquérir de sens moral ou même pratique. Ainsi, tout en mettant pour la première fois dans l'histoire l'ensemble du monde collectif en danger, le péril nucléaire introduit dans ce monde collectif de nombreux éléments autrefois délaissés, et en particulier l'héritage biologique de la terre. La menace qui pèse sur notre substance biologique affecte jusqu'aux composants de ce qu'Arendt appelle le « domaine privé », de sorte que les institutions, les arts, les sciences — les structures solides et durables du monde — ne sont pas les seuls à être altérés ; les éléments fugitifs — la sensation, le désir, « l'éclair estival du bonheur individuel » (Alexandre Herzen) — subissent les mêmes modifications. Le caractère désormais doublement mortel de la condition humaine rend les éléments fugitifs plus incertains et plus fragiles encore, plus dépendants de notre protection et de nos soins attentifs.

En menaçant la vie dans sa totalité, le péril nucléaire crée de nouvelles relations entre les composantes de l'existence humaine — une nouvelle alliance du public et du privé, du politique et de l'affectif, du spirituel et du biologique. Parlant de l'aptitude de l'individu à agir, Hannah Arendt faisait remarquer avec une extraordinaire pertinence que « nous nous insérons dans le monde collectif par nos paroles et nos actes, et cette insertion évoque une seconde naissance nous permettant d'assurer et d'assumer le fait brut de notre apparition physique primitive ». C'est aujourd'hui l'espèce entière qui est sommée d'assumer le fait brut de son apparition physique primitive — dans le but de protéger notre existence par un acte de notre volonté. Auparavant, le futur nous était acquis ; désormais, il doit être mérité. Il nous faut devenir les cultivateurs du temps. Si nous ne semons pas, puis ne cultivons pas les futures années de la vie humaine, jamais nous ne pourrons les moissonner. Cet effort de notre conscience, c'est-à-dire de notre raison et de notre volonté, représenterait en somme la contrepartie de notre impulsion instinctive à procréer. Cela permettrait en outre de compléter et de parfaire le monde collectif encore rudimentaire d'avant l'ère nucléaire, grâce auquel, jusqu'à l'invention de l'arme atomique, l'humanité pouvait apprendre et subir, mais pas agir en tant qu'entité.

En nous obligeant à prendre soin de nos descendants, le péril nucléaire nous ramène au principe antique selon lequel la vie humaine est sacrée, mais il emprunte pour cela une nouvelle voie. On ne nous demande plus de ne pas tuer notre prochain, mais de le laisser naître. Si l'on devait chercher le bénéfice à tirer du péril nucléaire, il faudrait dire qu'il nous incite à devenir plus conscients du miracle que constituent la naissance et le renouveau du monde. « Un enfant nous est né. » Voilà une « heureuse nouvelle ». Pourtant, lorsque de l'extinction, dont le néant nous laisse sans voix, nous nous tournons vers l'exubérance de la vie, nous ne trouvons pas non plus de mots car le spectacle qui s'offre à nos yeux est cette fois-ci trop riche. Si la mort est un mystère, la vie en est un autre, et bien plus grand encore. Nous nous trouvons confrontés avec le caractère insondable, incommensurable et néanmoins essentiel de l'espèce. (Auden faisait observer que la nature humaine est indéfinissable car la définition est un acte historique susceptible de bouleverser la réalité humaine qu'elle cherche à expliquer.) Nous ne pouvons ressentir qu'un profond respect mêlé d'un peu de crainte devant le mystère que nous sommes et qui pourtant dépasse notre entendement.

Si nous ne parvenons pas à percer ce mystère, peut-être nous serait-il possible d'appréhender le devoir que nous avons de sauver l'espèce simplement comme une nouvelle relation entre les êtres humains. La volonté de sauver l'espèce revenant à vouloir sauver les autres plutôt que soi-même, elle représente une sorte de respect pour les autres, et même, pourrait-on dire, une certaine forme d'amour. (Au contraire, la volonté d'empêcher un holocauste, qui exterminerait tous les êtres vivants sur la terre, fait intervenir l'intérêt personnel et naîtrait partiellement d'un sentiment de peur. Ainsi, lorsque nous envisageons le problème nucléaire dans sa totalité, l'amour et la peur entrent tous deux en jeu, mais ils sont inspirés par deux menaces bien distinctes.) Cet amour me semble se rapprocher de l'amour parental ; ceux qui désirent mettre des enfants au monde comprennent en effet ce qu'est l'espoir d'un renouveau de la vie. Ils savent que, lorsqu'un enfant naît, c'est le monde entier qui renaît avec lui, comme au lever du soleil, car le monde humain n'a d'existence que dans l'esprit, le cœur et l'âme des hommes. Si la fraternité correspond à la relation idéale entre les êtres vivants, cette relation idéale serait entre les vivants et les hommes du futur un rapport de parenté. La fraternité universelle, visant à sauvegarder les êtres existant déjà, incarne tout ce qu'il y a d'attention et de protecteur dans l'amour ; son principal commandement est donc ; « Tu ne tueras point. » La parenté universelle, visant à faire jaillir la vie du néant, incarnerait la créativité et la générosité débordante de l'amour ; son commandement serait donc : « Croissez et multipliez-vous. » Mais ce dernier commandement ne serait pas d'essence strictement biologique. Que nous ayons ou non des enfants, le péril nucléaire fait de nous les parents de toutes les générations futures. L'amour parental, qui commence avant même la naissance de l'enfant, est inconditionnel. Il n'est pas lié aux qualités éventuelles de l'être aimé ; seule compte l'existence de ce dernier. Mais tout amour, véritablement profond, tend à se manifester ainsi, et celui qui aime se montre prêt à pardonner toutes les faiblesses de l'être cher. « L'amour n'est pas l'amour qui s'altère dès qu'il trouve un motif », écrivait Shakespeare, et ignore-t-on que « quand on aime on ne compte pas » ?

Nous pourrions considérer le monde collectif lui-même comme le produit de la fécondité exubérante de la vie. Il apparaît comme un excédent — le reste de ce que chaque génération ne parvient pas à consommer — qui s'enrichit au fur et à mesure qu'il est transmis et permet à toutes les générations de participer à la *vie* de l'humanité, vie qui transcende l'existence individuelle et que la mort individuelle laisse intacte. Nous pouvons dire que cette vie est une deuxième vie qui ne peut être détruite que par une deuxième mort, l'extinction.

Puisque les générations futures ne manqueront sûrement pas de faire du mal et de le subir, il revient également à cet amour de pactiser avec lui. L'amour prend la relève de Job : il

196

doit accepter et s'incliner devant la création tout en ayant parfaitement conscience de l'injustice et de la souffrance incommensurables qu'elle suppose. En conséquence, si notre faculté de compatir aux malheurs des autres ne nous aide pas à comprendre l'extinction, car celle-ci supprimerait tous les malheurs (ainsi que toutes les autres expériences humaines), il serait faux de prétendre que le problème de la souffrance humaine ne se pose pas. En effet, en *épargnant* les générations futures, nous les soumettrons à toutes les peines qui jalonnent la vie de l'homme. Il faut se rendre à l'évidence que ce n'est pas l'extinction, mais la vie, qui apporte la souffrance et la mort et donc voir là la preuve que l'extinction n'a absolument rien à voir avec une calamité ordinaire. C'est bien la survie qui équivaut à une véritable infortune — infortune qui durera tant que la vie sera régie par le hasard et la folie. Le monde collectif d'autrefois visait à préserver toutes les générations des maux que nous pouvions combattre ; il doit aujourd'hui s'efforcer de transmettre à toutes les générations l'ensemble des souffrances qui font partie intégrante de la vie au même titre que la respiration pour essayer ensuite de les adoucir. Malheureusement ou heureusement, nous ne sommes pas en mesure de choisir quelles expériences transmettre à nos descendants. Soit nous les privons totalement de la vie, soit nous la leur donnons dans son intégralité.

Préférer dans ces conditions la vie paraît difficile, mais c'est pourtant humain. Preuve nous en est donnée avec l'amour parental et aussi, avec la foi religieuse telle que l'illustre Job. Saint Augustin raconta après sa conversion au christianisme : « Je ne recherchais plus les bonnes choses, parce que je songeais désormais à toutes les choses, et un jugement plus sain m'indiqua que si ce qui est supérieur vaut mieux que ce qui est inférieur, mieux vaut encore avoir toutes les choses que seulement les choses supérieures. » Il ajouta que « toutes les choses, par le seul fait qu'elles existent, sont bonnes ». C'est à peu près la même idée qu'exprimait un moine bouddhiste japonais en disant : « Chaque jour est un bon jour ». On retrouve la même conception dans la plupart des formules prononcées lors des rites sacramentels chrétiens. Les vœux nuptiaux, où les promis se jurent de s'aimer l'un l'autre dans le bonheur comme dans l'affliction, « pour le meilleur et pour le pire », semblent établir à la fois la condition d'époux et la condition humaine tout entière. Lors de certains services funéraires, la formule « La cendre retourne à la cendre, la poussière retourne à la poussière. Le Seigneur a donné, le Seigneur a repris ; loué soit le nom du Seigneur », résume on ne peut plus directement cette conception de la vie humaine.

Le premier principe de la vie dans le nouveau monde collectif serait le respect des êtres humains, nés ou à naître, fondé sur un amour commun de la vie et la menace que font peser sur nous tous nos propres forces et instincts destructeurs. Ce respect découlerait de la gratitude éprouvée par toutes les générations à l'égard de leurs ascendants pour leur avoir permis d'exister. Chaque génération se considérerait comme une délégation du royaume des morts et des hommes à naître, chargée de les représenter sur terre. Les êtres vivants devraient donc voir le don de la vie à la façon dont les députés et tous les hommes politiques envisagent leur élection, c'est-à-dire comme une marque de confiance temporaire à utiliser pour le bien commun. Si la surface de la planète est la grandeur du monde, le temps, que la politique a désormais pour rôle de préserver, en est la profondeur, et nous ne pouvons attendre du monde qu'il soit horizontalement homogène s'il n'est pas verticalement cohérent. Au sein de ce nouveau monde, si les hommes d'aujourd'hui s'acquittent de la tâche qui leur est impartie, ils deviendront les grands-pères les plus vieux de tous les temps et leur rôle sera celui de fondateurs.

Un second principe de la vie dans le monde collectif nucléaire serait le respect de la terre. Il ne s'agit là que de la mise en pratique du principe écologique selon lequel le milieu terrestre ne constitue pas uniquement un environnement plus ou moins agréable à vivre, mais le fondement de la vie humaine et des autres vies. Nous nous sommes déjà aperçus que la terre formait un tout unique permettant à la vie d'exister. Aujourd'hui, quelle que soit la vigueur avec laquelle les hommes d'Etat affirment la « souveraineté » de leurs nations, ils sont en réalité, tout pris dans les mailles de plus en plus serrées de la vie dans son ensemble, où la survie de chaque pays dépend de la survie de tous. Il n'existe aucun droit « souverain » autorisant à détruire la création terrestre dont dépend la survie de chacun (bien que les grandes puissances prétendent justement posséder un tel droit). La terre se met à ressembler de plus en plus à un corps unique, ou, pour reprendre la métaphore du docteur Thomas, à une cellule unique, peuplée de millions de volontés et d'intelligences. En de telles circonstances, l'usage de la violence reviendrait à ce que la main gauche attaque la droite, ou plutôt, à ce que les deux mains d'une même personne s'en prennent à sa gorge. Nous voulons préserver le libre arbitre et l'indépendance intellectuelle de chacun — car c'est en cela que consiste notre liberté — mais cela ne doit pas nous conduire à tuer la forme terrestre dans laquelle nous nous incarnons tous.

Un troisième principe serait le respect de Dieu ou de la nature, ou de tout autre nom dont on préfère désigner la poussière céleste qui est à notre origine. Nous devons conserver à l'esprit que nous ne nous sommes pas créés tout seuls, pas plus en tant qu'espèce qu'en tant qu'individus ; que notre pouvoir, même s'il s'accroît sans cesse, n'est jamais qu'un pouvoir de destruction et non de création. Nous sommes désormais capables d'exterminer tous les êtres humains et de tarir la source de tous les hommes futurs, mais nous ne savons même pas créer un seul être humain, et encore moins les conditions terrestres qui ont permis l'apparition de l'homme et des autres formes de vie. Nous ne pouvons pas même revendi- quer totalement notre puissance destructrice. L'énergie nucléaire étant une propriété fondamentale de la matière, elle est la création de la nature et nous n'avons eu qu'à la découvrir. (Mais le savoir qui nous a permis d'exploiter cette énergie nous appartient en propre.) Une société où l'on respecte la création n'évolue qu'en fonction des miracles accomplis par des forces dépassant l'homme, celui-ci se contentant d'en récolter les fruits. Notre modeste rôle n'est pas de créer l'homme, mais simplement de ne pas nous anéantir. L'autre solution serait au contraire de nous soumettre au néant éternel et absolu : un néant où ne subsisterait plus ni nation, ni société, ni idéologie, ni civilisation ; où jamais plus un enfant ne naîtrait ; où jamais plus un être humain ne réapparaîtrait sur terre et où personne ne serait là pour se rappeler que l'homme a existé un jour.

3
Le choix

LA terre s'est formée il y a quatre milliards et demi d'années. La vie est apparue sur la planète peut-être cinq cents millions d'années plus tard. Ensuite, pendant quatre milliards d'années, la vie n'a cessé de devenir plus complexe, plus diverse et plus ingénieuse, jusqu'à produire il y a environ un million d'années l'espèce la plus complexe et la plus ingénieuse de toutes : la race humaine. Il y a seulement six ou sept mille ans — une durée qui, comparée à l'histoire de la terre, ne représente pas même une minute par rapport à une heure — est apparue la civilisation et l'homme a pu édifier un monde à sa mesure, ajoutant aux prodiges de l'évolution ses propres merveilles : merveilles de l'art, de la science, de l'organisation sociale, du développement spirituel. Mais, tandis que nous construisions de plus en plus haut, les fondations de l'évolution sont devenues de plus en plus vacillantes sous nos pieds et, aujourd'hui, en dépit de ce que nous avons appris et accompli — ou, plutôt, en raison de cela — nous avons donné l'ensemble de la création terrestre en otage à l'arme nucléaire, au risque de la renvoyer dans les ténèbres inanimées d'où elle vient. Et cette extermination de la race, ou cette destruction de la planète, n'est pas simplement quelque chose qui menace de se produire un jour futur si nous négligeons de prendre certaines précautions ; le péril existe aujourd'hui, suspendu au-dessus de nos têtes, partout et à tout moment. La machine infernale est prête, attendant uniquement que le « bouton » soit « poussé » par quelque être humain mal conseillé ou pris de démence, ou encore qu'un ordinateur défectueux donne le signal de l'attaque. Notre esprit se rebelle à l'idée que tant de choses puissent être remises en cause pour si peu — que le fruit de quatre milliards et demi d'années puisse être anéanti à la suite d'un moment d'égarement. Et, pour évaluer toute l'étendue de la perte, il faudrait ajouter les milliards d'années futures de la planète, ces milliards d'années de vie et de civilisation humaines qui ne verraient pas le jour. Le cortège des générations à venir s'étend si loin qu'il se perd hors de notre vue et que, comparés à cette perspective — une société humaine durant plus longtemps que n'a duré l'histoire de la terre des origines à aujourd'hui —, les brefs moments qu'a vécus la civilisation apparaissent quasi infinitésimaux. Pourtant, au nom de nos visées éphémères et de nos fragiles convictions, nous prenons le risque de condamner cette postérité tout entière. Si notre espèce venait à se détruire elle-même, ce serait une mort au berceau — un cas de mortalité infantile. S'agissant du péril que nous courons, la disproportion qui existe entre la cause et l'effet est si grande que notre esprit semble incapable de l'appréhender. De surcroît, nous sommes si bien cernés par ce qui constitue l'objet de la menace, si profondément, si passionnément plongés dans des événements qui sont ceux de notre vie, que nous ne savons pas vraiment comment prendre assez de recul pour considérer tout cela de façon globale. Tout se passe comme si la vie elle-même n'était qu'une immense distraction détournant notre attention de ce qui la menace. Il y a quelque chose de trompeur dans l'apparente durabilité d'un monde en danger de mort. C'est presque une illusion. Nous sommes en train de prendre notre petit déjeuner, de boire notre café et de lire notre journal mais, un instant plus tard, nous pouvons nous trouver au cœur de la boule de feu, là où la température est de plusieurs dizaines de milliers de degrés. Nous nous rendons à notre travail, marchons dans les rues de la ville, mais, dans un instant, nous pouvons nous retrouver au milieu d'une plaine déserte, en train de chercher les restes carbonisés de nos enfants sous un ciel qui s'obscurcit. Nous sommes vivants mais, dans un instant, nous pouvons être morts. La planète terre est peuplée d'êtres humains mais, dans un instant, ils n'y seront peut-être plus.

Nous avons eu naguère le loisir de réfléchir de façon plus tranquille sur le fait nucléaire. Après août 1945, après ce jour où l'on révéla l'existence de l'arme atomique en en faisant usage contre des êtres humains (les habitants d'Hiroshima), s'écoulèrent plusieurs décennies dont on aurait pu tirer parti pour façonner un monde qui fût à l'abri de l'arme nucléaire ; des voix s'élevèrent d'ailleurs pour recommander une réflexion approfondie sur ce péril mettant en cause la survie de la race, et pour demander une action visant à l'écarter. Le 28 novembre 1945, moins de quatre mois après le bombardement d'Hiroshima, le philosophe anglais Bertrand Russell déclarait à la Chambre des Lords :

> Nous ne voulons pas considérer ce problème du point de vue des seules prochaines années ; nous voulons le considérer du point de vue de l'avenir de l'humanité. La question qui se pose est simple : est-il possible à une société scientifique de continuer à exister, ou bien une telle société est-elle inévitablement vouée à l'autodestruction ? C'est une question simple mais tout à fait vitale. Je ne crois pas qu'il soit possible d'exagérer la gravité des possibilités maléfiques résidant dans l'utilisation de l'énergie atomique. Quand je me promène dans les rues et que je vois Saint-Paul, le British Museum, le Parlement et tous les autres monuments nés de notre civilisation, je ne puis m'empêcher d'évoquer une vision de cauchemar dans laquelle ces bâtiments ne sont plus que des décombres entourés de cadavres. C'est une chose à laquelle il nous faut faire face, non seulement dans notre pays et dans nos villes mais de par le monde civilisé tout entier.

Russell ainsi que d'autres, dont Albert Einstein, plaidèrent en faveur d'un désarmement global et total, mais ils ne furent pas entendus. Au lieu de cela, les hommes ont entrepris d'édifier les arsenaux que nous possédons aujourd'hui. Nous n'avons pas su profiter du délai de grâce qui aurait pu nous permettre de parer au péril nucléaire avant qu'il ne devienne une réalité — pas su profiter de la période comprise entre l'invention de la bombe atomique et le moment où l'accumulation de ces armes a mis le genre humain en danger d'extinction — et la menace que pressentait Russell est maintenant au-dessus de nos têtes. Si nous voulons être honnêtes avec nous-mêmes, il nous faut admettre que, sauf si nous nous débarrassons de nos arsenaux nucléaires, l'holocauste atomique n'est pas seulement une chose qui *peut* arriver mais qui *arrivera* — sinon aujourd'hui, du moins demain ; sinon cette année, du moins l'année prochaine. Désormais, nous vivons en sursis : chaque année supplémentaire que passent les hommes sur la terre est une année de sursis, chaque jour un jour de sursis.

Face à cette situation d'une gravité sans précédent, nous n'avons jusqu'à présent rien trouvé de mieux que d'accumuler les têtes nucléaires dans l'espoir, apparemment, de nous inspirer à nous-mêmes une terreur suffisamment forte pour nous dissuader de franchir l'ultime pas. Si l'on songe à tout ce qu'a accompli l'espèce humaine, on peut dire que cette attitude est indigne de nous. Il a fallu que nous tombions bien bas dans notre propre estime pour que nous en soyons réduits à nous raccrocher à un tel espoir. En effet, de tous « les modestes espoirs de l'humanité », celui que l'espèce humaine survivra est le plus modeste puisqu'il s'agit de la condition *sine qua non* de toutes nos autres espérances. En le caressant, nous ne réclamons encore ni la justice, ni la liberté, ni le bonheur, ni rien de tout ce que nous puissions désirer dans la vie. Nous ne demandons même pas nécessairement la survie de notre propre personne, seulement qu'*on nous survive*. Nous voulons être certains qu'après le moment inévitable de notre mort la race humaine continuera d'exister. Cependant, dès lors que l'espèce est menacée d'anéantissement, comme c'est actuellement le cas, l'espoir de la survie de l'humanité devient le plus fervent, tout simplement parce que, faute de cela, toute autre espérance est vaine et ne peut que s'estomper puis disparaître. Vivre en doutant de l'avenir de l'espèce humaine conduit fatalement au désespoir.

Par ce qu'elle a d'infini, de définitif, par la façon dont elle échappe à l'expérience et déroute l'esprit, la mort de l'espèce ressemble à celle de l'individu ; mais, bien sûr, la similitude disparaît dès que l'on parle d'espoir de survie. En effet, si la disparition de l'individu est fatale, l'extinction de la race peut être évitée ; si chaque personne doit mourir, l'humanité peut être sauvée. En conséquence, s'il paraît naturel de songer à sa propre mort avec résignation et acceptation, une réflexion sur l'extinction de l'espèce humaine doit mener exactement aux sentiments opposés : à une prise de conscience, au refus, à l'indignation, à l'action. Devant une telle perspective, on ne doit pas rester passif mais se rebeller. Insister là-dessus peut sembler revenir à souligner l'évidence, mais, d'une façon générale, le monde n'a jusqu'à présent fait preuve face à cette menace que d'apathie et d'inertie, tout comme si l'extinction de la race était aussi inévitable que la mort individuelle. Encore actuellement, devant l'effarante situation à laquelle nous sommes confrontés, les réactions officielles semblent conditionnées par un fatalisme sinistre qui fait de l'espoir des hommes d'être débarrassés des armes nucléaires, et donc de survivre en tant qu'espèce, un idéal « utopique » voire « extrémiste » — comme si vouloir continuer de vivre et désirer donner à nos descendants une chance de venir au monde avait quelque chose de révolutionnaire. Pourtant, renoncer à ces aspirations, c'est renoncer à tout. Or, en tant qu'espèce, nous n'avons jusqu'à aujourd'hui rien fait pour nous protéger nous-mêmes. De ce point de vue, les tablettes sont vierges. S'il existe des organisations vouées à la protection d'à peu près tout ce qui vit, il n'y en a pas pour la protection du genre humain. Les gens semblent avoir décidé que notre volonté collective était trop faible, trop défaillante pour s'élever à la hauteur des circonstances. Considérant la violence comme une constante dans l'histoire de l'humanité, ils en déduisent que le recours à la violence est inhérent à notre espèce. Ils estiment que l'espoir tenace selon lequel il serait possible d'apporter une fois pour toutes la paix à notre terre est une illusion entretenue par quelques personnes bien intentionnées qui refusent de voir en face les « dures réalités » de la vie internationale — réalités qui ont nom égoïsme, peur, haine, agressivité. Les gens en sont venus à la conclusion que ces réalités étaient éternelles et cette conviction rend vain dès l'abord tout espoir d'entreprendre les actions susceptibles d'assurer la survie de l'espèce. Examinant notre histoire, ils demandent ce qui a changé et ne voient pas ce qui pourrait amener qui que ce soit à penser que l'humanité puisse rompre avec son passé de violence et agir désormais de façon plus mesurée. La réponse, bien entendu, est que tout, précisément, a changé. Aux traditionnelles « dures réalités » de la vie internationale s'est récemment ajoutée une autre réalité, incommensurablement plus dure, le péril de l'extinction. A la vérité traditionnelle selon laquelle tous les hommes sont frères s'est ajoutée celle, inexorable, disant que tant sur le plan moral que physique, la nation qui pratique l'agression devra elle-même mourir. Ainsi le veut la doctrine de la dissuasion nucléaire — doctrine de la « destruction mutuelle assurée » — qui « assure » la destruction de la société de l'agresseur. Ainsi le veut également la loi du monde qui, exerçant sa propre forme de dissuasion, adjoint à l'unité de la race humaine celle de la nature, et garantit que, si la puissance de l'attaque dépasse un certain seuil, l'agresseur sombrera dans la catastrophe qui touchera l'écosphère tout entière. A l'obligation de respecter la vie s'ajoute donc désormais la sanction : si nous manquons à cette obligation, la vie nous sera finalement retirée ; individuellement aussi bien que collectivement. Chacun de nous mourra et, tandis que nous agoniserons, nous verrons le monde mourir autour de nous. Si des notions aussi difficiles à définir que la somme des vies humaines, l'intégrité de la création terrestre, et la signification du temps, de l'histoire et du développement de la vie sur la terre, semblaient autrefois des sujets réservés à la méditation et à la recherche spirituelle, elles appartiennent désormais au domaine de la politique et demandent de chacun de nous une réponse politique. En tant qu'acteurs politiques, nous devons, comme avant nous les contemplatifs, fouiller jusqu'au cœur du monde et, tel Atlas, porter la terre sur nos épaules.

Personne ne peut considérer l'autodestruction de notre race comme un acte sensé ou raisonnable ; cependant, même si nous ne sommes pas prêts à l'admettre vraiment, c'est un acte qu'en certaines circonstances nous projetons de commettre. Un tel acte ne pouvant être pleinement intentionnel, à moins que les responsables n'aient perdu l'esprit, il ne peut survenir que de façon malencontreuse — en tant, si l'on veut, qu' « effet secondaire » d'une action, elle, tout à fait réfléchie, comme la défense de la nation, la défense de la liberté, la défense du socialisme ou la défense de n'importe quelle autre valeur en quoi nous croyons. Dans cette mesure, notre incapacité à admettre l'ampleur et la portée du péril est une condition nécessaire pour que soit réalisé l'irréparable. Nous ne pouvons l'accomplir que si nous ne savons pas exactement ce que nous faisons. A l'inverse, si nous étions conscients de l'ampleur du risque, si nous admettions nettement et sans réserve que tout recours à l'arme nucléaire est susceptible d'engendrer un conflit total pouvant mettre un terme à la perpétuation de l'espèce humaine, une telle catastrophe deviendrait non plus seulement « impensable » mais aussi irréalisable. En conséquence, pour qu'il soit imaginable d'aboutir à l'extinction du genre humain, il faut considérer cette question d'une façon qui, partiellement au moins, détourne notre attention de ce que représenterait vraiment un semblable événement. Or, malheureusement, cette dernière manière de voir est celle à laquelle nous poussent nos traditions militaires et politiques qui, fortes de l'expérience acquise au cours de l'histoire, nous enseignent que le monde est ainsi fait que la terre doive être morcelée en Etats souverains et indépendants devant eux-mêmes recourir à la guerre comme à un arbitre ultime pour régler les différends qui s'élèvent entre eux. Cette organisation des affaires politiques du monde n'a pas été préméditée. Personne n'a écrit de livre pour la suggérer ; aucun parlement ne s'est réuni pour débattre de ses mérites puis pour voter sa mise en œuvre. Cela s'est simplement passé ainsi depuis les origines de l'histoire connue et n'a guère évolué jusqu'à l'invention des armes atomiques. Aussi peu concerté qu'il ait été, ce système présentait de nombreuses caractéristiques qui se révélèrent d'une remarquable constance, ainsi qu'un certain nombre d'avantages et de désavantages. Le trait peut-être dominant de ce système, et le plus important en tout cas face au péril nucléaire, était la connexité apparemment indissoluble existant entre la souveraineté et la guerre. En effet, sans l'exercice de la souveraineté, les peuples n'auraient pas été en mesure de préparer et de lancer des attaques contre d'autres peuples, et, sans recourir à la guerre, ils auraient été incapables de préserver leur souveraineté menacée par l'agression ennemie. (Par « guerre », j'entends uniquement les conflits entre nations et non les guerres révolutionnaires, dont je ne parlerai pas.) A la vérité, c'est presque par définition que guerre et souveraineté dépendent l'une de l'autre — un Etat souverain étant un Etat qui jouit du droit et du pouvoir de faire la guerre dans le but de défendre ses intérêts.

209

C'est donc dans un système reposant sur la souveraineté qu'apparurent les bombes atomiques en tant qu' « armes » destinées à la « guerre ». Les années passant, il est devenu de plus en plus improbable qu'elles aient quoi que ce soit à voir avec la guerre ; elles en dépassent trop largement les limites. Cependant, elles se sont intégrées aux modes de pensée militaires. On pourra même dire que leur apparition dans le monde est due, de façon détournée, au mode de pensée militaire traditionnel car ce dernier — inséparable lui-même du mode de pensée politique traditionnel issu du système de la souveraineté — a inspiré les buts intentionnels — les intérêts de la nation — dont la recherche peut aujourd'hui mener, en tant qu'effet secondaire, à l'extinction intentionnelle ou semi-intentionnelle du genre humain. Désormais, le système de la souveraineté est à la terre et à l'humanité ce qu'est une usine polluante à son environnement. La machine engendre certains produits désirés par ses utilisateurs — en l'occurrence, la souveraineté nationale — et, par un malencontreux effet secondaire, entraîne la destruction de l'espèce.

L'ambivalence résultant de la tentative visant à intégrer l'arme nucléaire dans les schémas militaires et politiques traditionnels a conduit à une situation dans laquelle, selon les mots d'Einstein — qui se révéla aussi lucide dans sa pensée politique que dans sa pensée scientifique — « la libération de la puissance de l'atome a tout changé à l'exception de notre façon de penser et nous nous dirigeons en conséquence vers des catastrophes sans précédent ». Comme le laisse entendre cette observation d'Einstein, si la révolution nucléaire est allée relativement loin, elle n'a pas été complète. La question à laquelle il nous faut répondre est de savoir si l'aboutissement en sera l'anéantissement de notre monde ou bien une transformation politique globale — de savoir si les « bébés » que les scientifiques ont mis au monde à Alamogordo auront notre peau ou si, au contraire, c'est nous qui les détruirons. Car ce n'est pas uniquement notre façon de penser, c'est aussi notre manière d'agir et nos institutions — tout ce qui concerne les relations politiques en général — que nous nous sommes trouvés incapables de modifier. Nous n'avons plus les deux pieds dans le même monde. En tant que scientifiques et techniciens, nous vivons dans le monde atomique où, que nous acceptions ou non de le reconnaître, nous possédons des instruments suffisamment dévastateurs pour nous exterminer nous-mêmes. Mais, en tant que citoyens ou hommes d'Etat, nous continuons de vivre dans un monde préatomique, comme si cette autodestruction n'était pas possible et que des nations souveraines pouvaient toujours recourir à la force pour mener à bien une politique — comme si la guerre restait, selon la phrase célèbre de Carl von Clausewitz, le grand théoricien militaire, « une continuation de la politique par d'autres moyens ». En effet, nous essayons de nous arranger d'une politique newtonienne dans un monde einsteinien. Cette combinaison est à l'origine du péril imminent que nous courons. Agissant à l'intérieur d'un système de pays-Etats indépendants, et ne représentant que le peuple de leurs nations distinctes et souveraines, les gouvernements sont conduits à tenter de défendre ce qui n'est en fait que des intérêts nationaux à l'aide de moyens de destruction qui mettent en danger non seulement les parties concernées mais aussi les générations futures et la planète tout entière. Dans notre monde actuel, au sein des assemblées où les décisions sont prises, il ne se trouve jamais personne pour plaider en faveur de l'homme et de la terre, quoique l'un et l'autre soient pourtant menacés d'anéantissement.

Le péril que les scientifiques ont fait entrer dans nos vies découle de propriétés de l'univers physique, jusque-là inconnues, mais il ne s'agit pas pour autant d'une menace extérieure qui aurait surgi d'elle-même — comme si l'on avait découvert que des forces contenues en son cœur allaient un jour faire exploser la terre ou qu'un énorme astéroïde risquait de pulvériser prochainement la planète. Tout au contraire, c'est à nous seuls, à nos seuls actes, que nous devons ce nouveau péril ; si nous n'avions pas cherché à nous nuire les uns aux autres, l'énergie qui existe à l'état latent dans la matière en serait restée prisonnière et personne n'aurait jamais eu à la redouter. En conséquence, le sort de l'humanité face à la menace des armes atomiques est doublement entre nos mains : premièrement, parce qu'il est en notre pouvoir de prévenir une telle catastrophe et, deuxièmement, parce que la catastrophe ne se produira que si nous la provoquons en poursuivant par la violence nos objectifs politiques. Puisque c'est à travers l'action militaire que nous menaçons délibérément d'utiliser notre nouvelle maîtrise de la nature pour nous détruire nous-mêmes, rien, si l'on veut évaluer l'importance du problème nucléaire, ne paraît plus fondamental qu'une juste compréhension de l'influence que les armes atomiques ont eue sur la guerre et, donc, sur le système de la souveraineté dont la guerre a toujours constitué un élément indispensable. Toute guerre est violence mais toute violence n'est pas la guerre. La guerre est un moyen violent auquel une nation recourt pour parvenir à ses fins et, n'étant qu'un moyen, elle est soumise à la règle d'Aristote selon laquelle « les moyens pour parvenir à la fin ne sont pas illimités car c'est la fin qui fixe elle-même la limite de chaque cas ». Les raisons pour lesquelles on fait la guerre sont aussi variées que les désirs et les espoirs humains, allant de la volonté d'arracher une jolie femme à la captivité à celle de conquérir le monde, mais, dans un holocauste nucléaire, tous ces espoirs, tous ces désirs seraient anéantis. Aussi destructrice qu'elle soit, la guerre n'en est pas moins un phénomène humain : complexe, précautionneusement élaborée, et, à sa façon, fragile et délicate — comme le sont ses fauteurs ; les armes nucléaires, elles, si on devait les employer en nombre important, désintégreraient la guerre comme elles réduiraient à néant tout ce qui est humain.

Si l'on considère l'usage qui a été fait des capacités techniques toujours plus grandes de l'humanité, la guerre a ceci de particulier qu'aucun bénéfice n'y est jamais obtenu ni aucun objectif réalisé avant que les puissances concernées n'aient mis en jeu la totalité ou la quasi-totalité de leurs forces. Comme l'écrivait Clausewitz : « La guerre est un acte de violence poussé jusqu'à ses extrêmes limites ; le fait qu'un camp cherche à dicter sa loi à un autre engendre une sorte d'action mutuelle qui doit logiquement aboutir à un paroxysme. » Ce n'est en effet qu'une fois atteintes ces extrêmes limites qu'interviennent la victoire et la défaite — la sanction de la guerre. Même lorsque la victoire et la défaite ne sont pas absolues, les termes du désengagement sont déterminés par le fait qu'un des deux camps est en passe d'être vaincu. Alors, tels des joueurs d'échecs à la fin de la partie, les adversaires prennent conscience de ce que sera l'issue inévitable et font l'économie

212

des derniers coups. Selon Clausewitz : « Tout est soumis à cette loi suprême qu'est la *décision par les armes*. » En conséquence, « toute action... repose sur la supposition que, si l'on choisit de recourir à la force des armes, cette solution sera favorable ». En effet, « dans toute opération, importante ou non, la décision par les armes est ce qu'est le paiement cash dans une transaction commerciale » et « quels que soient la distance séparant les intéressés et le caractère aléatoire du profit à réaliser, elle ne manquera jamais vraiment d'intervenir ». L'arme nucléaire change les données de la guerre en rendant impossible la décision par les armes. Celle-ci ne peut intervenir que lorsque l'un des camps est à bout de force ou, tout au moins, considérablement affaibli. Dans une « guerre » nucléaire, les *deux* parties sont anéanties avant que l'une d'elles puisse accuser le moindre signe de fatigue. En règle générale il ne peut y avoir de vainqueur sans un vaincu dont l'effondrement militaire signale la fin des hostilités et le moment pour le pays victorieux de prendre possession de son butin. Mais, lorsque les deux adversaires sont dotés d'armes atomiques, ce moment-là n'arrive jamais et les forces militaires — les missiles — de chacun des camps continuent de « se battre » après la disparition même des nations en présence. Pour une nation du monde prénucléaire, l'issue d'un conflit semblait une question de force militaire, le camp le plus puissant ayant les meilleures chances de remporter la victoire. Mais, si l'on considère le problème du point de vue d'un monde nucléaire, il devient évident qu'en tant qu'institution — en tant que mécanisme par l'entremise duquel les Etats réglaient leurs différends — l'affrontement dépendait essentiellement d'un certain nombre de faiblesses : les faiblesses du camp vaincu dont l'écroulement rendait possible la décision par les armes (l'objet même de la guerre). Et ces faiblesses étaient à leur tour fonction de l'existence de certains facteurs techniques limitant la capacité de l'humanité en général de se servir des forces naturelles à des fins destructrices. Lorsque les hommes apprirent à transformer la masse en énergie, ces limites cruciales furent franchies, définitivement, et il devint impossible au camp victorieux de compter sur l'effondrement complet de son adversaire. Du fait des énormes moyens mis à sa disposition par la science, la guerre traditionnelle se révèle donc n'être plus qu'un cas de

213

figure parmi d'autres. Nous sommes maintenant en mesure de comprendre que la guerre repose principalement sur la notion de faiblesse et aboutit toujours à un constat d'impuissance. La guerre n'a jamais rien été d'autre qu'un désarmement unilatéral — le désarmement d'une nation par une autre. Mais aujourd'hui, avant qu'on assiste à l'effondrement d'un des deux camps, chaque être serait mort et chacun des objectifs humains — les objectifs poursuivis au cours de la « guerre » et les autres — réduit à néant. Lors d'un conflit nucléaire entre les Etats-Unis et l'Union soviétique — l'holocauste — ce ne sont pas seulement les adversaires mais également les témoins du monde entier qui disparaîtraient. Dans une telle « guerre », on ne pourrait plus dire qu'il y a un camp vainqueur et un camp perdant mais que l'humanité a perdu et que les armes ont gagné. Citons de nouveau Clausewitz : « On ne doit jamais séparer la guerre de la politique mais si, dans une situation donnée, on en venait cependant à le faire, tous les liens correspondant aux diverses relations seraient dans une certaine mesure distendus, et nous aurions alors devant nous quelque chose qui n'aurait plus ni signification ni objet. » La guerre, par exemple, peut dégénérer en simple banditisme, en pillage ou en n'importe quelle autre forme de violence gratuite. Mais, de tout ce qui peut se produire d'absurde quand la violence déployée par la guerre (ses moyens) est dissociée de ses desseins politiques (ses fins), un holocauste atomique est certainement le plus dépourvu de sens. Quant à appeler « guerre » cet acte démentiel, il s'agit tout bonnement d'un abus de langage ; de même, continuer à parler de « guerre nucléaire » et ainsi de suite ne peut que nous embrouiller et nous induire en erreur. Donc, quoique les Etats-Unis et l'Union soviétique soient parfaitement libres de se bombarder mutuellement à l'aide de milliers de têtes nucléaires, ce qui s'ensuivrait ne pourrait être considéré comme une guerre, aucun dessein ne pouvant être poursuivi par ce moyen. Ce serait une entreprise de destruction systématique — un acte dépourvu de « signification ». Depuis l'invention de la bombe atomique, il est devenu impossible d'exprimer la violence par la guerre, ou de réaliser ce qu'on accomplissait autrefois par la guerre. La violence ne peut plus briser la résistance de l'adversaire ; elle ne peut plus mener ni à la victoire ni à la défaite ; elle ne peut plus aboutir à ses fins. La violence n'est plus la guerre.

Il faut insister sur le fait que les armes nucléaires pervertissent non seulement la « guerre atomique » mais aussi toute forme de guerre (entre puissances nucléaires, bien entendu). « La guerre conventionnelle », formule qui recouvre en fait l'ensemble des conflits méritant le nom de guerre, est altérée parce que, tant que les nations ennemies gardent en réserve leurs armes atomiques en vertu d'accords plus ou moins tacites sur le principe d'un « conflit limité », les hostilités n'ont pas atteint ce paroxysme de violence correspondant au moment crucial où l'un ou l'autre des camps est réduit à l'impuissance. Si une décision s'impose alors que le « vaincu » possède encore des moyens de riposte suffisants pour la contrarier, il ne s'agit pas d'une décision « par les armes » mais d'autre chose. Il nous faut supposer qu'en un tel cas, la puissance accepterait sa défaite quoique sachant pouvoir l'éviter en faisant usage de ses bombes. Il est facile de démontrer que les puissances nucléaires sont peu susceptibles d'adopter une telle attitude. Depuis un certain temps circule une opinion assez répandue selon laquelle l'Union soviétique tiendrait à assurer la suprématie de ses forces conventionnelles sur celles des membres européens de l'OTAN tandis que les Etats-Unis se réserveraient le droit de recourir à l'arme nucléaire en Europe plutôt que d'y accepter une défaite conventionnelle. Autrement dit, les Américains ont d'ores et déjà écarté l'idée de rester fidèle à un quelconque principe de « conflit limité », s'il semble devoir signifier la défaite de leur pays. Et il n'y a aucune raison de penser que les Soviétiques soient davantage disposés à accepter la défaite. Considérant ce qui vient d'être exposé, on voit qu'il y a très peu de chances pour qu'une guerre conventionnelle entre puissances nucléaires puisse rester limitée. Cela signifie que les puissances nucléaires ne doivent en aucun cas permettre qu'éclate entre elles un conflit de type conventionnel, car celui-ci serait porteur des mêmes risques cataclysmiques qu'une offensive atomique limitée. Les hommes d'Etat qui gouvernent les puissances nucléaires se sont jusqu'à présent conformés à cette règle. Sans se soucier des théories évaluant les possibilités d'un « conflit limité » — et même d'un « conflit atomique limité » — entre puissances nucléaires, ils se sont bien gardés de s'aventurer dans quelque guerre que ce soit ; de ce fait, depuis trente-six ans que nous sommes entrés dans l'ère atomique, aucun combat, même conventionnel, n'a opposé de façon directe deux puissances nucléaires. On ne peut bien sûr pas en dire autant des conflits mettant en présence l'une de ces nations et un pays ne détenant pas l'arme nucléaire, ainsi que le prouvent la guerre du Vietnam ou l'affaire afghane. Ce type d'affrontement demeure possible — cependant, pour des raisons sur lesquelles je ne m'étendrai pas ici, il ne semble pas qu'ils se révèlent très fructueux.

On dit souvent que les armes nucléaires ont démodé la guerre, mais c'est un contresens. L'obsolescence ne frappe un moyen que quand on en a découvert un nouveau et, en principe, plus efficace, pour remplir la même fonction — c'est ainsi que pour le transport des personnes et des marchandises, les voitures tirées par des chevaux furent remplacées par des engins équipés de moteurs à combustion interne. Mais rien ne s'est substitué à la guerre et ne permet de parvenir de façon plus certaine au même but qui est de jouer le rôle d'arbitre ultime réglant les différends entre Etats souverains. Tout au contraire, la guerre a cessé d'exister sans laisser aucun moyen — qu'il soit meilleur ou pire — d'aboutir aux mêmes fins. Les trois décennies et plus de paix transie entre superpuissances que le monde a connues depuis l'invention de la bombe atomique sont presque certainement la conséquence de cette absence. Il n'est donc aucun besoin d' « abolir la guerre » entre les puissances nucléaires ; c'est déjà chose faite. La guerre ne représente plus l'un des termes de l'alternative. C'est désormais entre la paix d'un côté et l'anéantissement de l'autre qu'il faut choisir. Or l'anéantissement est aussi éloigné du concept de guerre que l'est la paix : plus vite nous prendrons conscience de cela et plus vite nous serons en mesure de sauver l'espèce humaine de l'autodestruction.

Lorsqu'on inventa la bombe atomique, ce fut comme si un tremblement de terre venait d'ouvrir un gouffre gigantesque au milieu du champ de bataille sur lequel deux armées s'étaient affrontées de toute éternité, et cela de telle sorte que, si ces armées avaient tenté de se ruer l'une vers l'autre afin d'engager

la bataille, elles auraient été précipitées dans l'abîme, entraînant avec elles des nations entières. Et ce fut même comme si
les généraux de ces armées, ayant consacré leur vie à cette
guerre et à ressasser les exploits de leurs aînés, oubliaient
périodiquement l'existence du gouffre et envoyaient de temps
en temps leurs troupes sur le champ de bataille — pour
simplement constater la présence du précipice.

La disparition de la guerre est en soi quelque chose dont
nous ne pouvons que nous réjouir (à condition que le prix n'en
soit pas l'extermination de l'humanité ou en tout cas la menace
perpétuelle d'une telle extermination) mais qui a réduit à néant
le système de la souveraineté. La raison d'être même des forces
militaires à l'intérieur d'un tel système — à savoir la défense de
la nation en combattant les armées ennemies et en leur
infligeant la défaite — a disparu d'un seul coup, puisqu'il n'y a
pas de défense possible contre les armes nucléaires. Ne pouvant
plus s'en remettre à l' « arbitre ultime », et vivant désormais
dans la terreur d'être anéanties aussi bien que dans celle de
devoir subir la domination de leurs ennemis, les nations ont été
condamnées à inventer de nouveaux moyens d'assurer leur
survie et de poursuivre leurs divers objectifs dans le monde. Le
système de la souveraineté a cessé de fonctionner. Le monde
dut donc choisir entre renoncer à la souveraineté et à la
« guerre » (qui, soudain, n'avait plus rien de commun avec la
guerre) tout en parvenant à des accords politiques globaux sur
le règlement des différends internationaux, ou tenter de renforcer la souveraineté grâce au déploiement des forces nucléaires,
voire grâce à l'utilisation de ces armes. Lord Russell et
quelques autres se battirent pour la première solution, mais
bien plus nombreux furent ceux qui défendirent la seconde.
D'autres encore s'affirmèrent partisans de la première voie mais
apparurent peu désireux d'engager de façon concrète les changements politiques radicaux qui s'imposaient en conséquence.
S'il était facile de dire, comme beaucoup, que dans un monde
atomique l'humanité devait vivre en paix ou périr, il était
autrement plus difficile de consentir les sacrifices politiques qui,
véritablement, auraient pu permettre d'écarter le péril
nucléaire. Les Nations unies sont le théâtre où, aujourd'hui,
résonnent dans le vide ces bonnes mais vacillantes intentions.
Mais, quoi qu'en disent les gens, ou quoi qu'ils espèrent en

217

vain, le monde a bel et bien choisi la voie consistant à essayer d'adapter le système de la souveraineté aux réalités de l'arme nucléaire.

Il en résulta ce qu'on appelle la doctrine de la dissuasion nucléaire : le fruit intellectuel et politique peu réjouissant de notre désir de vivre simultanément dans deux mondes — celui de la science et du nucléaire d'une part et, d'autre part, le monde politique et militaire d'avant l'ère atomique. Puisque c'est à l'aide de cette doctrine que le monde s'efforce aujourd'hui de différer d'instant en instant la fatalité, elle mérite un examen attentif. Autant par son contenu, que par son impact intellectuel, émotionnel et moral, elle apportait quelque chose de tout à fait nouveau. De façon prévisible, les gens chargés de définir et de mettre en œuvre la doctrine semblent parfois voir double, comme si, par moments, ils se rendaient compte que nous nous trouvons dans un monde nucléaire où la survie de notre espèce est menacée, pour, à d'autres, oublier tout cela et s'imaginer que nous pouvons encore recourir à la guerre sans risquer de nous entre-exterminer. Quand nos stratèges en viennent à formuler leurs « impensables » pensées, ils se sentent obligés de laisser délibérément de côté ce qu'il y a d'humain en eux, leurs sentiments, leur sens moral : rien ne traduit mieux le schisme qui existe entre notre intellect et la réalité qui nous entoure. En effet, les nécessités de la stratégie actuelle les poussent à envisager des actes parfaitement indéfendables, de quelque point de vue moral qu'on se place. Dans un effrayant renversement des valeurs éthiques habituelles, l'un de ces théoriciens de la stratégie a déclaré qu'il fallait une « volonté de fer » à celui qui devait recommander le massacre de centaines de millions de personnes au cours d'une attaque nucléaire — opinion qui rappelle désagréablement celle d'Heinrich Himmler disant aux responsables des SS que, pour mener à bien l'extermination des Juifs, il leur faudrait être « surhumainement inhumains ». Ces deux appréciations nous invitent donc à résister à notre sens moral, comme s'il s'agissait d'une sirène à laquelle seuls les faibles succombent. Une fois acceptée cette « nécessité stratégique » qui permet de projeter la mort de centaines de millions d'individus, nous commençons de vivre dans un monde où la morale et l'action occupent deux domaines distincts et clos. Tout ce qui paraît stratégiquement sensé devient moralement aberrant, et vice versa, si bien qu'il nous faut choisir entre passer pour fou du point de vue de la stratégie ou pour dément du point de vue de la morale. L'impression d'étrangeté qu'inspire la théorie stratégique moderne est encore accrue par le fait — lui-même tout à fait caractéristique des réalités de ce monde atomique — que le stratège doit constamment préparer de futures attaques et contre-attaques alors même que son rôle est de parer à de telles éventualités. Autrement dit, la stratégie a trait entièrement à des événements qui sont censés ne jamais se produire. En conséquence, non seulement la morale est délibérément exclue du raisonnement mais il y a également divorce entre les combinaisons et les actes. Le résultat de toutes ces singulières opérations mentales est une fantastique construction intellectuelle — l'essentiel de la théorie stratégique échafaudée en plus de trente ans — où l'on a permis à la ratiocination de proliférer librement jusqu'à n'être plus qu'une orgie de pure théorie, sans se soucier aucunement de la morale ou des faits. Il n'y a à peu près aucun frein à cette forme de raisonnement et, de ce fait, le massacre de populations entières et l'extinction du genre humain cessent d'être « impensables ». Mais les fossés existant entre le raisonnement et le sentiment, entre la stratégie et la morale, entre les combinaisons et les actes ne sont que les manifestations du fossé plus profond encore qui s'est creusé entre notre approche de la vie politique datant d'avant l'ère atomique et les réalités de notre monde nucléaire. La raison pour laquelle nous ne pouvons supporter émotionnellement et moralement d'envisager les actes que cependant nous préméditons, et la raison pour laquelle le but de toutes nos combinaisons stratégiques doit être de prévenir les actes que nous projetons d'accomplir sont identiques : ces actes, qui mettent en péril l'espèce humaine, relèvent irrémédiablement de la folie pure. Et, tant que nous accepterons les postulats sur lesquels repose cette stratégie, nous serons condamnés à inventer des « scénarios » de futurs qui ne doivent pas être, sans songer à bâtir un futur qui, lui, *pourrait* être et où nous pourrions continuer de vivre.

L'axiome sur lequel s'appuie principalement la doctrine de la dissuasion — le raisonnement duquel dépend en principe le fait que le soleil se lèvera ou non demain matin — veut que le

219

meilleur moyen d'éviter l'holocauste est que chaque puissance nucléaire, ou chaque bloc de puissances, tienne prête une force nucléaire ayant assez de « crédibilité » pour pouvoir détruire la société tout entière d'un quelconque agresseur, même après avoir subi la « frappe en premier » la plus terrible que l'ennemi soit en mesure d'assener. Dans un livre publié en 1968 sous le titre *The Essence of Security*, Robert McNamara qui fut pendant sept ans ministre de la Défense, sous le président Kennedy puis sous le président Johnson, définit ainsi la politique qu'il préconise : « La destruction à coup sûr est le fondement même du concept de dissuasion. Nous devons posséder une véritable capacité de destruction à coup sûr et cette capacité doit de surcroît être crédible. Un agresseur potentiel doit savoir que notre capacité de destruction à coup sûr est tout à fait réelle et que notre volonté de l'utiliser pour riposter à une attaque est tout à fait ferme. » Par conséquent, la dissuasion « signifie qu'une offensive équivaudrait pour l'agresseur à un suicide non seulement de ses forces militaires mais aussi de sa société tout entière ». Voyons ce que cela sous-entend. Il existe deux possibilités : le succès ou l'échec de cette stratégie. Si elle réussit, chaque partie est condamnée à l'inaction par crainte des représailles du camp adverse. Si elle échoue, l'un des camps anéantit l'autre, puis les dirigeants de la nation attaquée décident l'anéantissement de la société de l'agresseur « tout entière », et par suite c'est la terre qui subit les conséquences d'une guerre totale, au nombre desquelles peut figurer l'extinction de la race humaine. En vérité, ni les Etats-Unis ni l'Union soviétique n'ont jamais adopté la doctrine de la « destruction mutuelle à coup sûr » de façon pure et simple ; d'autres objectifs sont venus la compléter : tenter par exemple de limiter les dommages causés par une attaque nucléaire ennemie ou encore accroître la capacité offensive contre les forces nucléaires de l'adversaire. Cependant, sous-tendant ces déviations, est demeurée permanente l'idée selon laquelle on dissuade une première frappe en s'assurant de conserver les moyens d'une riposte dévastatrice. Les stratèges de la dissuasion se sont penchés sur la question qui est au centre de toute politique sensée dans un monde en proie à la menace nucléaire — la question de la survie — et ont apporté cette réponse : c'est l'arme nucléaire elle-même qui nous sauvera de l'extermination par l'arme nucléaire. La possession de bombes atomiques par les grandes puissances dissuadera, nous affirme-t-on, ces mêmes puissances de recourir à ce type d'armement. Ou, pour être plus précis, la menace de leur utilisation par ces puissances préviendra leur emploi. Ou encore, comme l'écrivait Bernard Brodie, l'un des pionniers de la stratégie nucléaire, dans un livre paru en 1946 sous le titre *The Absolute Weapon : Atomic Power and World Order :* « Jusqu'à aujourd'hui, la préoccupation principale de notre commandement militaire a été de gagner les guerres. Désormais, son unique souci doit être de les éviter. Il ne peut plus servir utilement à grand-chose d'autre. » Ou enfin, comme le déclarait de façon plus générale Winston Churchill lors d'un discours à la Chambre des Communes en 1955 : « La sécurité sera l'enfant robuste de la terreur et la survie aura l'anéantissement pour frère jumeau. »

Qu'elle soit formulée de façon détaillée ou plus générale, cette doctrine résume bien l'impuissance du monde face au problème nucléaire. Elle englobe en effet deux desseins irréconciliables. Le premier est d'assurer la survie de l'espèce par la volonté d'inspirer une crainte suffisante pour que personne ne soit tenté de recourir aux armes nucléaires ; le second est de servir les intérêts nationaux, par le fait qu'une nation peut se défendre et protéger ses intérêts en menaçant d'employer l'arme atomique. Les stratèges appelleront volontiers cette cohabitation de deux desseins opposés en une seule doctrine un paradoxe, mais il s'agit en fait d'une contradiction. Nous ne pouvons à la fois nous menacer nous-mêmes de quelque chose et espérer l'éviter en raison de la menace susdite — manifester à la fois l'intention de faire quelque chose et celle de ne pas le faire. L'opposition radicale existant entre les deux objectifs est à l'origine de nombreuses hausses ou baisses de tension dans la politique de chaque superpuissance. A un certain moment l'accent peut être mis sur la « sécurité » dont parlait Churchill, à un autre, la « terreur » peut être au contraire à l'ordre du jour. Et, du fait que la doctrine de la dissuasion associe la sécurité et la terreur, faisant dépendre la première de la seconde, le monde ne peut jamais savoir avec certitude laquelle des deux est présentement prépondérante — dans la mesure, bien sûr, où l'on peut continuer d'opérer cette distinction. La seule chose dont le monde puisse être tout à fait sûr, c'est que les champignons risquent de s'épanouir à tout moment. J'ai déjà dit que nous ne possédons pas deux terres, l'une que nous pourrions faire sauter expérimentalement et l'autre sur laquelle vivre ; nous n'avons pas davantage deux âmes, l'une qui ne serait concernée que par les détails de la vie quotidienne, et l'autre par les périls qui pèsent sur la vie en général. Nous n'avons pas non plus deux volontés, l'une par laquelle nous envisageons de détruire notre espèce et l'autre par laquelle nous avons l'intention de l'épargner. Au bout du compte, il nous faut tous vivre ensemble sur notre unique terre avec une seule âme et une seule volonté.

Pour toutes ces raisons, adopter la doctrine de la dissuasion revenait plus ou moins à reconnaître que la doctrine militaire traditionnelle était désormais dépassée — cette dernière convenant assez bien au monde prénucléaire mais devenue complètement caduque et sans objet du jour où la première bombe atomique explosa quelque part au-dessus du désert du Nouveau-Mexique. Considérant la place qu'a prise la dissuasion, il nous faut constater à quel point elle s'est écartée de la doctrine militaire traditionnelle. Celle-là et la doctrine nucléaire sont fondées sur des circonstances objectives totalement différentes qui correspondent aux réalités techniques de l'époque concernée. Comme je l'ai déjà indiqué, la doctrine militaire traditionnelle reposait sur le principe que les forces susceptibles d'être mises en œuvre par les belligérants étaient suffisamment faibles pour que l'un ou l'autre camp puisse s'épuiser avant que les deux adversaires ne soient complètement anéantis. La doctrine nucléaire, en revanche, repose sur le principe que les forces en présence sont si grandes que les deux camps, et peut-être même l'humanité tout entière, seront anéantis avant que l'un ou l'autre des adversaires n'ait utilisé toutes ses possibilités. Tels des postulats en géométrie, ces prémisses gouvernent entièrement les systèmes de pensée qui en découlent, et il n'est plus possible de parler sérieusement de stratégie militaire avant d'avoir précisé laquelle des deux prémisses on a choisie pour point de départ. Mais, comme je l'ai exposé assez longuement au commencement de ces observations, il ne fait plus guère de doute qu'à notre époque la seconde prémisse est la bonne.

Le principal mérite de la doctrine de la dissuasion

nucléaire est d'admettre le fait que nous vivions dans un monde nucléaire, et ce non seulement sur un plan rhétorique mais aussi sur le plan pratique des combinaisons stratégiques. Elle reconnaît qu'un conflit entre deux puissances nucléaires trop fortement armées, comme les Etats-Unis et l'Union soviétique, ne peut plus aboutir à une victoire de l'une ou l'autre partie. En 1962, le sénateur Barry Goldwater publia un livre dont le titre était *Pourquoi pas la victoire !* A cette question, les stratèges de la dissuasion font une réponse définitive : parce que dans le monde atomique d'aujourd'hui, tout espoir de « victoire » est vain. De ce constat découle la conclusion à laquelle est arrivé Brodie en 1946 et selon laquelle le seul dessein que l'on puisse poursuivre en accumulant des armes nucléaires stratégiques est d'éviter la guerre et non de la gagner. Poursuivre un but consistant à prévenir la guerre plutôt qu'à la gagner implique qu'on adopte d'autres lignes de conduite s'opposant vigoureusement à la tradition militaire. Et, notamment, il s'agit de renoncer à la défense militaire de la nation — de renoncer à ce qui se trouvait depuis toujours au centre de tout système militaire, à ce qui était la justification la plus sacrée de la vocation militaire. La politique de dissuasion n'envisage pas de faire quoi que ce soit pour la défense de la patrie ; elle se contente d'assurer que, si la patrie est anéantie, la patrie de l'agresseur le sera également. En réalité, le principe va plus loin que cela : il exige carrément que chaque camp laisse sa population exposée à une attaque et ne fasse aucun effort sérieux pour la protéger. Cette exigence découle naturellement de la logique de base de la dissuasion qui veut que la sécurité soit « l'enfant robuste de la terreur ». Si l'on suit cette logique, la sécurité ne peut être que proportionnelle à la terreur, qui doit donc demeurer implacable. Si cette dernière devait être partiellement apaisée — en raison par exemple de la construction d'abris antiatomiques susceptibles de protéger une proportion substantielle de la population — alors, la sécurité serait simultanément réduite car les gens ayant accès aux abris pourraient être tentés de recourir à la guerre totale en conservant l'espoir de sortir « vainqueurs » des hostilités. Voilà pourquoi, dans la stratégie nucléaire, la « destruction » doit, de façon perverse, être réalisée « à coup sûr », comme si notre but était de détruire l'humanité et non de la sauver.

En termes stratégiques, la nécessité que la terreur soit totale et ne cède jamais rien à la sécurité, se traduit par la nécessité que les deux camps aient la certitude de pouvoir exercer des représailles — en étant sûr, d'abord que les forces de représailles ne seront pas balayées lors de l'attaque initiale et, ensuite, que la société de l'agresseur *peut* être détruite par la riposte. Et, puisque dans cette vision paradoxale les deux camps sont supposés souffrir des mêmes dommages — que l'initiative de l'offensive ait été prise par l'un ou par l'autre — chaque partie a en fait intérêt au maintien de la force de représailles adverse aussi bien qu'au maintien de la sienne. En effet, de tous les cas de figure pouvant se présenter, le plus dangereux est certainement celui où l'un des camps paraîtrait avoir la capacité de détruire tout l'arsenal nucléaire de son adversaire grâce à sa frappe en premier. Alors, non seulement le camp le plus fort serait théoriquement tenté de déclencher les hostilités mais — risque probablement encore plus grand — la nation la plus faible, craignant de perdre la totalité de ses forces, pourrait, lors d'une crise, se sentir contrainte de recourir elle-même à sa première frappe. Si, d'un côté ou de l'autre, il est possible d'assurer une certaine sécurité à la population ou de mettre hors d'état de nuire les forces de riposte ennemies, la tentation de déclencher les hostilités est créée et la « stabilité » — élément essentiel de l'équilibre nucléaire entre puissances — est perdue. Comme Thomas Schelling, économiste et éminent théoricien du nucléaire, l'écrivait en 1960 dans son livre *The Strategy of Conflict,* quand un élément d'instabilité s'est introduit dans l'un ou l'autre camp, les deux parties sont fondées à raisonner comme suit : « Pensant que j'allais le tuer en état de légitime défense, il était près de me tuer en état de légitime défense ; il a donc fallu que je le tue en état de légitime défense. » Dans ce système de la dissuasion, la « supériorité » militaire est par conséquent aussi dangereuse pour celui qui la détient que pour celui qu'elle menace censément. (Si l'on va au bout de cette logique, les Etats-Unis auraient dû pousser un soupir de soulagement quand l'Union soviétique parvint au même niveau qu'eux sur le plan de l'armement nucléaire : la stabilité, alors, était obtenue.) Toutes ces conclusions découlent de la doctrine de la dissuasion nucléaire ; cependant, elles heurtent si violemment de front la logique du raisonnement militaire traditionnel, tellement plus simple, plus familier, et moins déroutant émotionnellement — sans parler de l'instinct et du bon sens, qui se révoltent contre des notions telles que parvenir « à coup sûr » à notre propre anéantissement — qu'il n'est pas surprenant de constater que la doctrine de la dissuasion nucléaire se voit constamment contestée par les tenants de la doctrine traditionnelle, aussi peu en accord avec les faits que soit désormais cette dernière. Les acquis de la dissuasion tels qu'ils se présentent sont régulièrement remis en cause par une réapparition des vieux désirs de victoire, de supériorité militaire et de défense nationale au sens traditionnel du terme, alors même que ces objectifs, s'ils étaient atteints, non seulement n'ajouteraient rien à notre sécurité mais risqueraient même, à partir d'un certain point, de menacer le fragile équilibre que la doctrine de la dissuasion tente de maintenir.

Si le mérite de la politique de dissuasion est principalement de reconnaître ce qui constitue le fait fondamental du problème nucléaire — à savoir qu'un holocauste aboutirait à l'anéantissement des deux camps et peut-être aussi à celui de l'espèce humaine — son grand défaut tient aux combinaisons stratégiques qu'elle a édifiées en prenant ce fait pour base. En effet, si nous voulons garantir notre sécurité en nous menaçant nous-mêmes, alors cette menace doit être réelle ; mais, si cette menace est réelle, nous sommes conduits à projeter de faire, dans une circonstance ou dans une autre, ce que nous devons absolument éviter de faire, soit nous exterminer nous-mêmes. Tel est le cercle vicieux dont ne peut sortir la doctrine de la dissuasion nucléaire ; nous essayons d'échapper à l'autodestruction en menaçant de nous entre-tuer. Conformément à cette logique, on pourrait presque craindre que notre anéantissement ne survienne si jamais nous cessions de nous menacer d'un tel péril. La formule de Brodie peut être inversée : si le but poursuivi par l'accumulation des armes nucléaires est d'éviter l'extermination (que Brodie nomme à tort la « guerre »), alors, si nous voulons vivre, il nous faut nous raccrocher à ces armes. On peut retourner de la même façon l'affirmation de Churchill : si la sécurité est l'enfant de la terreur, la terreur est également l'enfant de la sécurité. Mais qui sait avec certitude lequel de ces deux enfants naîtra ? Et, si la survie et l'anéantissement sont jumeaux, ne doit-on pas flirter avec l'extermination ? Oui, mais alors nous pourrions bien y *aboutir*. En prenant l'habitude de compter sur la terreur, nous faisons plus que de tolérer sa présence dans notre monde : nous plaçons notre confiance en elle. Et, si ce n'est pas encore là « aimer la bombe », il ne s'agit pas moins de placer notre confiance en elle et de lui attribuer un rôle prépondérant au cœur même de nos affaires. Loin de nous débarrasser d'elle, cette doctrine fait de la bombe un élément de plus en plus important de notre vie.

La faille logique de la doctrine se situe précisément au centre de son principal argument stratégique — lequel selon la sécurité est assurée par le fait que le responsable d'une attaque nucléaire sera annihilé par la riposte de l'adversaire. La théorie repose en effet sur le postulat que la victime de la première offensive est déterminée à utiliser sa force de frappe pour procéder à des représailles ; or elle n'a plus alors la moindre raison sensée de réagir ainsi. Dans la stratégie militaire d'autrefois, l'effet dissuasif de la force était un sous-produit efficace de la capacité et de la détermination à engager et à gagner des guerres. La dissuasion était l'ombre projetée par la puissance ou, pour reprendre la métaphore de Clausewitz, le crédit découlant de la faculté de procéder au paiement cash que représente la victoire armée. La dissuasion prénucléaire n'était pas comme aujourd'hui prisonnière de sa logique ; chaque camp était alors résolu à engager les hostilités et à tenter d'obtenir la victoire, au cas où la dissuasion viendrait à échouer. Pour sa part, la dissuasion nucléaire vise en principe uniquement à prévenir le recours à la force et a renoncé a priori à confier aux armes le soin de régler les différends. La question qui se pose alors est la suivante : de quoi la dissuasion nucléaire est-elle l'ombre ? A quel paiement cash doit-elle son crédit ? Bien sûr, la réponse est théoriquement : aux représailles. Cependant, le but de la dissuasion nucléaire étant de décourager une frappe en premier de l'ennemi grâce à la menace de représailles massives, on peut se demander quelle raison il resterait de procéder à de telles représailles, une fois l'offensive ennemie réellement déclenchée. Le propos de la dissuasion nucléaire est de préparer la nation à un conflit armé dans le but non de le gagner mais d'empêcher qu'il n'éclate. Mais, s'il éclate néanmoins, que doit-on faire de ses forces militaires ?

Autrefois, avant l'ère atomique, il n'aurait pas été nécessaire d'y réfléchir à deux fois : on aurait tenté d'arracher la décision par les armes — d'obtenir la victoire. Or la dissuasion nucléaire repose sur le postulat que la victoire est impossible. Ainsi, la logique de la stratégie dissuasive est réduite à néant par l'événement même — la frappe en premier — qu'elle est censée interdire. L'action engagée, la doctrine tout entière devient caduque. En somme, la doctrine est fondée sur une monumentale erreur de logique : on ne peut pas espérer sérieusement dissuader une frappe en premier avec un coup nucléaire de représailles dont la *raison d'être* [1] disparaît au moment même où survient l'attaque initiale. Il en résulte que, selon cette théorie de la dissuasion, aucun des adversaires n'a véritablement de motif de renoncer à frapper le premier.

Quelque chose semble donc manquer à cette doctrine, qui justifie les représailles — quelque chose que ne dise pas la doctrine elle-même et qui ne fasse pas partie de ses prémisses — mais on ne voit guère de but qui n'appartienne aux principes militaires traditionnels : ce sera toujours plus ou moins la victoire. Les tenants de la victoire nucléaire — quoi que cela puisse signifier — ont parfois souligné les incohérences logiques sur lesquelles repose la dissuasion et avancé leur propre solution : une force susceptible de soutenir une guerre nucléaire. Ainsi, à la question de savoir ce qu'il faut faire après avoir essuyé la frappe en premier de l'adversaire, ils répondent : lutter et « gagner » une « guerre nucléaire ». Mais la victoire ne devient pas subitement possible parce qu'elle résout la contradiction qu'implique la doctrine de la destruction mutuelle à coup sûr. Les faits sont têtus : une attaque de quelques milliers de mégatonnes anéantirait plusieurs fois n'importe quel pays sur terre, quel que soit le raisonnement que choisissent les stratèges ; et, s'il avait lieu sur une vaste échelle, un conflit nucléaire menacerait l'humanité entière. En vérité, si la victoire était réellement possible, il aurait été inutile d'inventer une stratégie de la dissuasion, la stratégie militaire traditionnelle pouvant alors continuer de faire l'affaire. La « solution » paraît donc bien plus redoutable que l'erreur à laquelle elle entend remédier. Elle résout la contradiction de la

1. En français dans le texte. *(N.d.T.)*

doctrine de la dissuasion en niant la réalité nouvelle et terrifiante qui nécessita l'édification de cette doctrine et à laquelle chacun de nous se trouve désormais confronté en toute circonstance. En conséquence, cette « solution » pourrait nous pousser à commettre l'ultime folie de nous exterminer nous-mêmes sans même savoir ce que nous faisons. Pour remporter la « victoire », nous irions jusqu'au suicide collectif.

En dernière analyse, il n'y a pas de menace crédible sans emploi crédible — il n'y a pas de crédit sans paiement cash, pas d'ombre qui ne soit projetée par quelque chose. Mais, comme le recours à l'arme nucléaire est ce que nous voulons éviter par-dessus tout, que cela signifierait notre fin à tous, il nous est bien difficile de lui trouver une justification. Pour saisir pleinement cette contradiction, il nous suffit de tenter d'imaginer la situation dans laquelle se trouveraient les dirigeants d'un pays qui vient d'être anéanti par une offensive nucléaire. Le territoire national est en train de se transformer en un désert radioactif, mais les forces destinées aux représailles subsistent dans les silos, les bombardiers et les sous-marins. Ces dirigeants sans peuple, vivant dans des abris souterrains ou réfugiés dans des avions « d'apocalypse » ne pouvant atterrir, garderaient les commandes de la défense nationale mais n'auraient plus de nation à défendre. Quel motif sensé auraient-ils de décider des représailles ? La nation n'existant plus, cette raison ne pourrait pas en tout cas être la « sécurité nationale ». Ils ne pourraient pas davantage invoquer la nécessité de défendre d'autres peuples puisque ces représailles seraient justement susceptibles de porter un coup fatal à l'écosphère et de sonner le glas de l'espèce humaine. La question de savoir si les dirigeants riposteraient ou non en de telles circonstances reste donc posée.

Il ne faut pas s'attendre que cette conclusion soit émise tout haut par quiconque évolue dans les sphères du pouvoir, que ce soit en Union soviétique ou aux Etats-Unis. La dissuasion dépendant autant de la conviction de l'adversaire selon laquelle notre volonté de riposter est inébranlable, que de notre capacité technique d'exercer des représailles, reconnaître que ces représailles n'auraient aucun sens reviendrait d'une certaine façon à procéder verbalement à un désarmement unilatéral. La doctrine de la dissuasion nucléaire *dissuade* donc

228

d'engager tout débat dont elle serait l'objet et cette « dissuasion » incidente n'est sans doute pas étrangère aux limites très étroites à l'intérieur desquelles on a confiné la définition d'un raisonnement prétendument « réaliste » à propos de la stratégie nucléaire. Cependant, la contradiction résidant au cœur de la doctrine a conduit les théoriciens de la force de frappe à accomplir d'innombrables tours et détours intellectuels : les recommandations qui en résultent nous entraînent dans certaines portions du labyrinthe de la théorie stratégique qui se singularisent par leur inquiétante étrangeté, même parmi les diverses « options » stratégiques nucléaires. Face à ce problème de l'absence de motif justifiant les représailles, la solution la plus fréquemment suggérée est que les gouvernants essaient de cultiver une apparence de déraison : en effet, si quelqu'un est fou, il n'a besoin d'aucun motif pour décider les représailles ; il est susceptible d'agir ainsi du seul fait de sa démence. Par exemple Herman Kahn, le spécialiste de la stratégie nucléaire, avance que « le meilleur moyen de dissuader l'attaque » serait peut-être « *l'apparence* d'une détermination à la fois inébranlable et irrationnelle ». Kahn se demande tout d'abord s'il ne serait pas suffisant de simuler simplement cette attitude privée de sens, mais pour conclure ensuite qu'une feinte déraison ne peut convaincre et qu'il faut donc « *avoir vraiment l'intention de le faire* ». Autrement dit, ce qu'il nomme « la politique de l'irrationnel rationnel » engage froidement à choisir la folie. Kahn néglige en revanche de préciser comment les hommes d'Etat doivent s'y prendre. Une autre solution, assez proche de la précédente, consiste à faire en sorte de n'être plus maître des opérations, ou à en donner tout au moins l'impression. Comme la folie, l'absence de contrôle supprime le besoin d'un motif rationnel justifiant la riposte, cette fois en s'arrangeant pour que les représailles surviennent de façon « accidentelle ». A propos de la question de savoir « comment quelqu'un peut-il s'engager par avance à accomplir un acte qu'il préférerait en réalité éviter de commettre une fois placé dans la situation dite », Thomas Schelling suggère comme tactique soit de simplement prétendre que les décisions cruciales seront en partie le fait du « hasard » soit de faire vraiment en sorte qu'il en soit ainsi, ajoutant donc l'accident programmé au concept de la folie raisonnée d'Herman Kahn. En effet,

229

écrit-il, avec cette stratégie, « nous n'avons pas la possibilité de nous tenir bien fermement au bord du précipice abrupt, de regarder en bas, et de décider si oui ou non nous allons sauter ». Ce rebord est plutôt « une pente douce sur laquelle on peut se tenir mais non sans quelque risque de glissade ». En conséquence, cette théorie du précipice implique « que l'on se place sur la pente en un endroit où l'on puisse déraper sans être en mesure de se rattraper, même si on le désire ardemment, entraînant avec soi son adversaire dans la chute ». Que ces stupéfiants remèdes n'aient pas moins de conséquences sur notre monde quotidien que les absurdités doctrinales auxquelles elles entendent suppléer est attesté, entre autres choses, par une affirmation de l'ancien chef d'état-major du président Nixon, H. R. Haldeman qui écrit dans ses Mémoires que Nixon croyait en la théorie de « la folie présidentielle » selon laquelle les ennemis des Etats-Unis s'inclineraient devant la volonté du président s'ils pensaient que celui-ci avait perdu l'esprit et était prêt à déclencher une guerre nucléaire dans le seul but de préserver des intérêts nationaux d'importance limitée. Qu'il ait lu ou non Kahn et Schelling, Richard Nixon, on le voit, suivait leurs conseils à la lettre.

Le fait de recommander de telles tactiques soulève évidemment la question de savoir si, la survie de notre espèce étant en jeu, nous souhaitons que des dirigeants maîtres des choix nucléaires cultivent l'irrationalité et l'irresponsabilité, et si une pente glissante menant droit à l'abysse atomique est vraiment l'endroit où nous désirons nous trouver. Mais, si une semblable question peut se poser — question à laquelle il faut, je pense, répondre de toutes nos forces par un « non » — c'est bien parce que nous comptons sur la « terreur » pour assurer notre « sécurité » et sur la menace de l' « anéantissement » pour assurer notre « survie ». C'est en effet dans leur effort pour accentuer la terreur et rendre la catastrophe plus certaine, que stratèges et hommes d'Etat sont amenés à adopter d'aussi effroyables positions. Leur problème est d'apparaître « inexorablement » résolus à commettre des actes qui, en aucun cas, ne peuvent avoir le moindre sens ou être justifiés par un quelconque code moral ; l'irrationalité et l'irresponsabilité répondent parfaitement à ce besoin puisqu'elles représentent une façon de renoncer à la morale et à la raison. Faisant office de politique, elles donnent de la crédibilité à des actes qui — pour le bien de la stratégie sinon pour celui de l'humanité — sont immoraux autant que démentiels.

Ajoutons qu'il existe une autre solution extrême susceptible de remédier absolument au défaut que présente la doctrine de la dissuasion nucléaire. Cette solution, que décrit (mais sans la recommander) Herman Kahn, consisterait à fabriquer une véritable machine d'apocalypse qui ferait ni plus ni moins sauter la planète dès qu'un adversaire adopterait quelque comportement préalablement défini comme « inacceptable » par le détenteur de la machine. Kahn, qui estimait en 1960 que la construction d'un tel système pourrait coûter la modique somme de dix milliards de dollars, soulignait que cette machine éliminerait tout doute concernant le recours aux représailles en les rendant totalement automatiques. Les représailles demeureraient dépourvues de sens mais leur absurdité n'altérerait plus leur « crédibilité », cela ayant été programmé : il y aurait là la base d'une politique de dissuasion nucléaire pleinement efficace où les nations seraient dissuadées de lancer des attaques atomiques par la certitude qu'elles-mêmes périraient dans la catastrophe générale qui s'ensuivrait. Mais Kahn met très vite l'accent sur un inconvénient de cette machine d'apocalypse qui en rend immédiatement monstrueuse et intolérable la construction à quiconque y songe un instant : une fois mise en place, « il n'y a plus d'intervention humaine possible, plus de contrôle, plus de décision ultime ». Et, ajouterons-nous, derrière cette objection, en existe une autre, plus simple et plus fondamentale encore : la raison principale pour laquelle nous ne voulons pas de cette machine d'apocalypse est que nous ne voulons pas l'apocalypse — en aucune circonstance. Un tel cataclysme ne serait bien sûr pas plus acceptable parce qu'il relèverait de la « décision ultime » de quelqu'un. Sans compter, évidemment, que, sans qu'il soit besoin d'une offensive ennemie, la défaillance d'un ordinateur pourrait conduire la machine à prendre sa « décision ultime » toute seule.

La dissuasion, sur laquelle nous comptons tous désormais pour nous assurer une certaine sécurité, étant une stratégie psychologique visant à inspirer à l'adversaire une terreur suffisante pour qu'il ne nous attaque pas, on pourrait supposer que la découverte par l'un ou l'autre haut commandement de l'absurdité d'une telle politique entraînerait l'effondrement du système — ou, à tout le moins, l'abandon de la doctrine. Le fait que cela ne se soit pas produit semble indiquer que, même dans le domaine complexe de la stratégie nucléaire, il existe une différence entre théorie et pratique, entre raisonnement et réalité. Dans le monde réel, on peut répondre de plusieurs façons à la question du motif manquant susceptible de justifier le recours aux représailles. Le désir de vengeance, tout d'abord, risque fort de pousser aux représailles, même s'il ne s'agit pas là d'un acte rationnel. Ainsi, d'après la logique émotionnelle de la vengeance, les vivants font en sorte que soient réparés les torts causés à ceux qu'on a injustement massacrés et qui, étant morts, ne peuvent rétablir eux-mêmes l'équilibre de la justice. La vengeance n'inspire jamais rien de raisonnable ou de constructif — et moins encore dans le cas d'un conflit atomique — mais elle est humaine et un agresseur ne peut certainement pas écarter la possibilité qu'un désir de vengeance germe dans l'esprit des dirigeants d'un pays qui vient d'être rayé de la carte ; cet agresseur doit prendre en considération que, même en écartant l'hypothèse de l'irrationalité programmée, on ne peut guère attendre une réaction « rationnelle » face à une offensive nucléaire. La seconde, et peut-être la plus importante réponse à la question du motif manquant, est l'impossibilité totale dans laquelle nous nous trouvons de prévoir les événements, une fois franchi le pas nucléaire. Devant cette perspective, la survie de notre espèce étant en jeu, l'esprit humain vacille. Face à ce que McNamara a appelé « la grande inconnue », les dirigeants des puissances nucléaires n'ont pas d'autre choix que de supposer les enjeux à leur maximum. Il n'est certainement pas nécessaire à quiconque de s'efforcer de paraître irrationnel, comme le suggère Kahn, ou incapable de contrôler les événements, selon le conseil de Schelling : il n'y a plus place pour la raison ou pour le contrôle dans un monde en proie à un conflit atomique.

Notre expérience des crises récentes nous incite à croire que, quand les dirigeants des puissances atomiques sont contraints d'envisager de façon pressante le risque d'un holocauste, ils le font sous ce jour. C'est-à-dire qu'ils admettent que, si éclatait une guerre nucléaire limitée, ou même une guerre conventionnelle entre superpuissances, un holocauste en serait la conséquence probable. Dans *La Question nucléaire,* son histoire de la stratégie nucléaire publiée en 1979, Michael Mandelbaum remarque que quand les leaders soviétiques et américains s'affrontèrent à l'occasion de la crise cubaine, ils découvrirent que la perspective terrifiante de l'holocauste — qui, pendant ces jours de tension, émergea en partie de l'abstraction et devint pour les gens une réalité presque palpable — suffisait à les dissuader d'engager les hostilités, même à un niveau très bas. Confrontés à la bête, les deux camps se rendirent compte « qu'il n'y avait pas de moyen de mener à bien une guerre nucléaire ». Ainsi, « en s'efforçant de ne pas être acculés à engager une guerre nucléaire, ils prirent bien soin de ne point se lancer dans une guerre d'aucune sorte, de peur qu'elle ne dégénère en conflit atomique ». On put tirer de cette expérience un certain nombre de leçons. L'une est que, bien que personne ne se fût décidé à construire une machine d'apocalypse, tous durent se comporter comme s'il en existait une. Il leur fallut admettre que le moindre faux pas pourrait sonner le glas du monde. L'idée d'un moyen terme d'hostilités nucléaires « tactiques » et limitées, ou même d'hostilités conventionnelles, s'effaça sous l'effrayante pression de la crise. La porte menant à la « grande inconnue » semblait constamment près de s'ouvrir et tous les scénarios de « guerre limitée » ou autres avaient tendance à s'effondrer.

Dernier facteur de dissuasion, qui, quoique aléatoire, paraît rationnel, et ne se trouve mentionné dans aucune théorie, le fait que les leaders des puissances nucléaires soient des êtres humains. Si l'histoire est emplie d'épisodes violents et démentiels, aucun encore n'a approché en horreur et en folie ce que serait un holocauste nucléaire, et très peu ont été aussi loin que le pire des crimes que nous ayons connus jusqu'à présent — le génocide. Je crois que, sans nous laisser aller à un excès d'optimisme, nous pouvons supposer que les actuels dirigeants soviétiques et américains sont largement dissuadés de déclencher un holocauste nucléaire par la profonde aversion que leur inspire une perspective aussi épouvantable.

Les contradictions de la doctrine de la dissuasion nucléaire — la confiance mise en une seconde frappe qui n'aurait aucune raison d'être, le besoin de cultiver l'irrationalité et l'absence de contrôle pour remédier à ce défaut et à d'autres, le recours à la logique de la machine d'apocalypse combiné à l'incapacité de mener cette logique jusqu'à ses conclusions, et bien d'autres éléments qui pourraient être mentionnés — découlent tous de l'incohérence plus grave et plus fondamentale qui consiste à préparer l'anéantissement de l'humanité pour éviter une telle catastrophe. C'est à ce système contradictoire, dont dépend notre survie, que nous devons le monde à demi paralysé et à demi terrifié qui est le nôtre, un monde où les montagnes toujours plus hautes d'armes nucléaires sont censées assurer la sécurité de tous et où nous ne savons jamais si nous allons survivre ou bien retourner, l'instant suivant, à l'état d'atomes dispersés. Réfléchissant aux conséquences effrayantes de cette situation — conséquences qui, sans même parler d'holocauste, pèsent sur notre vie — nous sommes amenés à nous demander pourquoi il serait nécessaire de rechercher la sécurité dans la terreur, la survie dans l'anéantissement, à nous demander pourquoi nous ne choisirions pas la mesure de désarmement la plus radicale : nous sauver en bannissant les instruments de mort.

Poser ces questions revient à admettre que les formules de Churchill et Brodie, reprises avec une grande régularité, et très diversement, par les hommes d'Etat qui ont eu la responsabilité des arsenaux nucléaires de la planète (le président Kennedy, par exemple, déclara dans son discours inaugural : « Ce n'est que quand nous aurons la plus parfaite certitude sur l'efficacité de nos armes que nous pourrons avoir la plus parfaite certitude qu'elles ne seront jamais utilisées »), laissent de côté une part essentielle de la vérité : le but de la stratégie. En effet, contrairement à ce que prétendent si souvent les hommes d'Etat, les puissances nucléaires ne possèdent *pas* des armes atomiques dans l'unique but de ne pas les utiliser et de préserver la paix ; elles les accumulent également pour défendre leurs intérêts nationaux, leurs idéaux — en fait, pour perpétuer intégralement le système de la souveraineté. Seulement, aujourd'hui, au lieu de compter comme autrefois sur la guerre, elles espèrent parvenir à leurs fins grâce à la peur de l'anéantissement mutuel. Selon l'assertion fondée sur notre désir de survivre, il faut préparer l'extinction de l'espèce humaine pour mieux assurer sa protection ; le souhait de maintenir à tout prix le système de la souveraineté introduit une proposition beaucoup moins rassurante, beaucoup plus rarement exprimée et beaucoup moins défendable selon laquelle il faut préparer l'extinction pour mieux protéger les intérêts nationaux. Or non seulement une telle menace n'a aucun sens en elle-même, du fait que son exécution réduirait à néant les intérêts dont la défense aurait pu justifier le déclenchement des hostilités, mais elle sape également la politique de dissuasion en incitant les nations à faire peser le risque de l'holocauste, alors que la principale justification de cette politique est en principe d'éviter une semblable issue. En effet, alors que la volonté d'assurer la survie pousse les hommes d'Etat à affirmer régulièrement que l'holocauste ne saurait en aucun cas servir un dessein quelconque, et que le but d'une politique nucléaire ne peut être que d'empêcher une telle folie, la poursuite d'objectifs nationaux les amène à déclarer l'instant d'après qu'ils sont inébranlablement résolus à perpétrer précisément cet acte démentiel et injustifiable si jamais une nation étrangère venait à menacer l'un de leurs « intérêts vitaux ».

Ainsi le péril de l'extinction n'est-il pas le prix que paie le monde pour sa « sécurité » ou sa « survie » mais bien plutôt pour son obstination à vouloir être divisé en nations souveraines. Sans cette obstination, il ne serait nullement besoin de faire peser la menace de l'anéantissement pour échapper à l'anéantissement, et le monde pourrait éviter un tel destin en optant pour le désarmement, ainsi que Russell, Einstein et d'autres le recommandèrent dès le milieu des années 40. Il faudrait donc modifier l'aphorisme de Churchill et dire : « La souveraineté nationale sera l'enfant robuste de la terreur et aura l'anéantissement pour frère jumeau. » La formule peut sembler moins forte et moins séduisante que l'originale, mais elle reflète la vérité de nos actuelles conventions nucléaires. Ou, pour être plus exact, et pour rendre à ces conventions ce qui leur revient, cette affirmation devrait être : « La sécurité sera l'enfant robuste de la terreur et la survie aura l'anéantissement pour frère jumeau, *pourvu que les nations respectent leurs intérêts vitaux mutuels ; sans cela, c'en sera fini du monde.* » Mais peu importe la formulation. Le fait — rarement mentionné, s'il l'est jamais, que ce soit dans le langage froid et abstrait des théoriciens ou dans les discours vibrants des politiciens — est que les puissances nucléaires accordent plus de valeur à la souveraineté nationale qu'à la survie de l'espèce humaine et que, même si elles préféreraient évidemment éviter d'avoir à choisir, elles sont prêtes à mettre un terme à l'histoire de l'homme plutôt que de renoncer à la défense de leurs territoires.

Le fait d'avoir laissé le péril d'extinction remplacer la guerre en tant qu'ultime protecteur de nos intérêts nationaux est dans une certaine mesure masqué par celui que, jusqu'à présent, la menace nucléaire n'a généralement été employée qu'à des fins défensives, pour préserver le statu quo plutôt que pour le bouleverser. Par exemple, personne n'a tenté de conquérir tout simplement des territoires par la menace ou l'utilisation des armes atomiques. Le fait de compter sur la peur de l'extinction pour geler plus ou moins le monde dans son état actuel est en un certain sens accentué lors des périodes de crise, quand le statu quo est remis en question. Dans ces moments-là — à l'occasion de la crise de Berlin, de celle de Cuba, du minage du port de Haiphong par les Américains en 1972, de l'invasion de l'Afghanistan par les Soviétiques en 1979, etc. — le monde a soudain un aperçu de ce à quoi les superpuissances sont prêtes dans le but de défendre leurs intérêts. Puis, les tensions se relâchant, il nous est permis d'oublier ces horribles réalités du monde nucléaire et de nous bercer à nouveau de l'illusion que nous détenons des bombes atomiques dans l'unique intention d'en interdire l'emploi.

Comme je l'ai déjà noté, la crise afghane illustre fort bien les pressions contradictoires que subissent les hommes d'Etat lors de toute crise nucléaire. Lorsque au début du mois de décembre 1979, l'Union soviétique entreprit d'amener grâce à une opération aéroportée des milliers d'hommes en Afghanistan, avant de se rendre complice quelques semaines plus tard du meurtre du président Amin (un extrémiste qui n'avait plus les faveurs de Moscou) et d'installer à sa place un homme à elle, Babrak Karmal, la réaction américaine fut immédiate et vigoureuse mais il n'y eut ni action violente ni même menace d'un tel recours. Le président Carter réduisit considérablement les livraisons de céréales et d'un certain nombre d'autres produits à l'Union soviétique, demanda au Comité olympique des Etats-Unis de ne pas participer aux Jeux de Moscou en été 80 (requête qui fut acceptée) et annonça qu'il avait prié le Sénat de repousser l'examen des accords SALT II, que lui et Brejnev avaient déjà ratifiés. L'absence de toute action militaire, ou même de la moindre menace dans ce sens, indiquait bien que, quoique le gouvernement américain fût gravement préoccupé par l'invasion de l'Afghanistan, il ne considérait pas qu'elle mît en péril les « intérêts vitaux » des Etats-Unis. On n'aurait pu en dire autant, cependant, de l'éventuelle invasion du proche voisin de l'Afghanistan qu'est l'Iran, l'un des fournisseurs importants en pétrole de l'Occident, ou d'une intervention en Arabie Séoudite, qui possède les plus grandes réserves pétrolières de la planète. L'indépendance de ces pays était en effet considérée comme faisant partie des intérêts vitaux des Etats-Unis, car l'économie du Japon et des nations de l'Alliance atlantique dépendaient désormais du pétrole du Moyen-Orient ; et c'était la crainte que les Soviétiques puissent avoir ensuite des visées sur ces pays qui donna à la crise une dimension nucléaire. Force était de constater que les Etats-Unis ne se préoccupaient pas tant de l'Afghanistan et de son peuple que de l'approvisionnement en pétrole des puissances occidentales. Et, pour parer au péril qui s'annonçait, les Etats-Unis eurent bel et bien recours à la menace militaire, laquelle fut exprimée par le président Carter dans son message sur l'Etat de l'Union de janvier, lorsqu'il déclara : « Toute tentative d'une quelconque puissance étrangère pour s'assurer le contrôle de la région du golfe Persique sera considérée comme une agression contre les intérêts vitaux des Etats-Unis d'Amérique », ajoutant « une telle agression sera combattue par tous les moyens nécessaires, y compris la force militaire ». Peu de temps après, toute ambiguïté à propos de la signification exacte de cette menace fut dissipée par la publication dans les colonnes du *Times* d'une information concernant une « étude » du ministère de la Défense (probablement une fuite de l'administration) indiquant qu'en cas d'invasion du nord de l'Iran par les Soviétiques, le gouvernement américain envisagerait de faire usage de sa force de frappe. Pourtant, tout comme chacun connaissait la supériorité des forces conventionnelles soviétiques dans le gofle Persique, chacun savait que l'U.R.S.S. possédait des armes nucléaires et était parfaitement apte à procéder à des représailles si les Etats-Unis ouvraient les hostilités. Personne ne pouvait supposer que les Soviétiques n'entreraient en Iran que pour renoncer et rentrer chez eux après que leurs troupes auraient essuyé les premières bombes atomiques américaines. On estimait plutôt que les Soviétiques soit s'abstiendraient de se lancer dans une telle invasion soit auraient un plan tout prêt pour riposter à une attaque nucléaire américaine. De surcroît, il était clair pour tous les observateurs qu'aucun des deux camps ne pouvait espérer « gagner » une « guerre » nucléaire au Moyen-Orient. Aucun résultat ne serait obtenu avant que tous les missiles aient été tirés — contre des cibles situées non seulement au Moyen-Orient mais un peu partout dans le monde — et ce résultat, bien entendu, serait l'anéantissement mutuel. Ces faits élémentaires étant parfaitement connus de part et d'autre, et ayant certainement été pris en considération d'innombrables fois dans des études stratégiques, les deux camps ne pouvaient ignorer que le président Carter, lorsqu'il menaçait de recourir à « tous les moyens nécessaires » pour défendre le golfe Persique, parlait bel et bien de la sanction suprême : le risque d'entraîner la planète dans un affrontement nucléaire total. Je ne discuterai pas ici le point de savoir si Carter avait ou non raison de penser que l'Union soviétique envisageait d'envahir les pays du golfe Persique, et qu'il fallait donc la dissuader d'agir ainsi. Je désirais simplement faire observer que, dans le système politique global actuel, le leader d'une puissance nucléaire qui estime les intérêts vitaux de son pays menacés par une autre puissance atomique se retrouve face à une alternative à laquelle aucun homme d'Etat de l'époque prénucléaire ne fut jamais confronté : accepter l'agression — politique qui, si elle devait être suivie jusqu'au bout, pourrait laisser la nation à la merci de son adversaire — ou bien menacer, comme le fit Carter, de déclencher l'holocauste, au risque de causer la perte de l'humanité, et cela bien sûr dans l'espoir que cette seule menace suffira à dissuader l'ennemi de lancer son offensive.

Il ne nous reste plus qu'à nous demander ce que Carter aurait fait si les Soviétiques avaient ignoré sa mise en garde et envahi l'Iran ou l'Arabie Séoudite, tout comme nous pouvons nous demander ce que feraient les dirigeants soviétiques ou américains si quelque entreprise « inacceptable » contre les

« intérêts vitaux » de leurs pays se produisait réellement — si, par exemple, les Russes envahissaient l'Allemagne de l'Ouest, ou si les forces de l'OTAN entraient en Allemagne de l'Est. C'est la question que le monde dut se poser lors de la crise des missiles cubains, et qu'il doit à nouveau se poser chaque fois que les intérêts des superpuissances se heurtent quelque part sur la planète. (Et cette question se pose désormais également à propos des différends sino-soviétiques — comme ce fut le cas récemment, lorsque les Chinois engagèrent une guerre frontalière contre les Vietnamiens soutenus par les Russes. La ligne qui marque le bord du précipice passe maintenant entre l'Union soviétique et la Chine aussi bien qu'entre l'Union soviétique et les Etats-Unis.) S'agissant du rôle des représailles dans la théorie de la dissuasion, nous nous trouvons aux prises avec le fossé séparant la *menace,* supposément rationnelle, d'employer les armes nucléaires, et le *fait* totalement irrationnel, d'avoir recours à l'arsenal atomique, si les menaces se révélaient insuffisantes. En effet, s'il peut sembler à peu près sensé de dissuader l'ennemi de faire quelque chose en agitant la menace de l'holocauste, rien, en aucun cas, ne peut justifier qu'on *déclenche* l'holocauste, faute d'avoir réussi à dissuader l'adversaire ; aucun dessein humain ne mérite qu'on lui sacrifie l'humanité tout entière. Pourtant, le succès de la doctrine de la dissuasion repose sur la crédibilité de la menace selon laquelle on accomplira cet acte injustifiable. Est-ce que Carter — chrétien convaincu — aurait risqué le sort de la race humaine simplement pour protéger les champs de pétrole du Moyen-Orient ? Songea-t-il, lorsqu'il émit sa menace, à ses responsabilités vis-à-vis de l'humanité tout entière et des innombrables générations futures d'êtres humains ? Aurait-il entraîné le monde en direction de la « grande inconnue » ? Et Brejnev songea-t-il à ses responsabilités quand il ébranla la paix du monde en envoyant ses troupes de l'autre côté de la frontière soviétique pour soumettre l'un des peuples souverains de la planète ? Est-ce que Brejnev, qui a affirmé que déclencher un conflit nucléaire reviendrait à un « suicide », adopterait ce comportement suicidaire au cas où le camp occidental lui semblerait sur le point de s'assurer le contrôle de l'Europe de l'Est ? Deng Xiaoping prendrait-il un tel risque pour défendre une partie de la Mongolie-Intérieure ? Khrouchtchev mesurat-il ce que représentent la terre et l'espèce humaine quand il fit installer à Cuba des missiles susceptibles d'être équipés de têtes nucléaires ? Kennedy était-il conscient de l'importance de l'enjeu quand il décréta le blocus de Cuba pour ensuite — si l'on en croit son frère — attendre de découvrir si ces événements « qu'il ne contrôlait plus » condamneraient ou non le monde à l'holocauste atomique ? Voilà donc les questions qui, dans notre univers nucléaire, restent perpétuellement suspendues au-dessus de nos têtes : des réponses dépend que la minute à venir soit ou non la dernière du monde.

Quand une grande puissance adopte une théorie stratégique, cela devient une doctrine ; quand deux grandes puissances rivales l'adoptent, cela devient un système ; quand ces adversaires se conforment plus ou moins aux règles du système, participent même à des négociations visant à le renforcer (je pense aux accords SALT), et sont disposés à voir s'y intégrer de nouvelles nations au fur et à mesure que celles-ci s'assurent un niveau technique suffisant, on peut dire de ce système qu'il est solidement établi. Tel est aujourd'hui le cas du système de la dissuasion. Comme nous l'avons vu, il s'agit essentiellement d'un système d'Etats-nations souverains sur lequel règne une machine d'apocalypse limitée grâce à laquelle nous espérons retirer les bénéfices de la dissuasion qu'engendre la menace de la tragédie, sans nous condamner nettement à ce destin si jamais la dissuasion échouait, ce qui, comme nous le savons, peut fort bien arriver, surtout avec le nombre croisssant des puissances nucléaires dans le monde. Le système repose sur l'idée que, si dans l'esprit d'une quelconque puissance nucléaire, une autre puissance nucléaire enfreint gravement les règles, alors toutes les puissances risquent l'anéantissement. Du fait qu'un holocauste aurait les mêmes conséquences pour l'agresseur, l'auteur des représailles et les pays neutres, la distinction entre forces atomiques hostiles ou alliées a perdu une grande partie de sa signification : les effets de la politique ont fondu tous les arsenaux nucléaires du monde en un seul grand arsenal dont chaque puissance attend qu'il assure sa « sécurité ». De surcroît, même les nations ne possédant qu'un armement conventionnel ont la possibilité de faire sauter la planète, tout simplement en poussant les superpuissances à s'affronter entre elles. La façon la plus simple de décrire ce système est de l'imaginer comme une machine d'apocalypse appartenant en copropriété à l'ensemble des puissances atomiques. C'est comme si un certain nombre de personnes, détenant chacune une part de richesse, laquelle est convoitée par les autres qui, de plus, estiment avoir des droits sur elle, se trouvaient groupées dans une pièce autour d'une unique bombe suffisamment puissante pour tuer tout le monde si elle venait à exploser. Chaque personne a à sa disposition un bouton grâce auquel elle peut faire partir la bombe. De temps à autre, un nouvel arrivant entre dans la pièce, muni lui aussi d'un détonateur. Ces gens ne cessent de s'affirmer les uns aux autres que le but du système est de décourager quiconque d'entreprendre une agression, de laisser chacun jouir en paix des richesses qu'il possède, et que pousser le bouton serait de la part du responsable un acte démentiel et suicidaire. Cependant, quand éclate un différend à propos de la légitime propriété de telles ou telles richesses, ces mêmes gens déclarent vigoureusement que la jouissance de leurs biens compte davantage pour eux que la vie de qui que ce soit, la leur y compris, et font état de leur volonté « inébranlable » et « inexorable » de faire sauter la bombe au cas où leurs désirs ne prévaudraient pas. Ajoutons à cette description que certaines des personnes présentes dans la pièce ne sont pas tout à fait convaincues que le système marche de la façon dont on leur a dit qu'il fonctionnait et estiment que, s'ils faisaient exploser eux-mêmes la bombe, il y aurait une chance pour qu'ils soient épargnés et les autres, les autres seulement, soient tués.

Sur le plan théorique, le système de la dissuasion apparaît comme un hybride monstrueux situé à mi-chemin entre ce que les philosophes politiques appellent un « état naturel », dans lequel les individus vivent ensemble sans cependant être rassemblés autour d'une autorité centrale, et le prétendu « état civique », dans lequel existe une telle autorité. Quand on passe de l'un à l'autre de ces états, chaque personne renonce à la violence individuelle au profit de l'autorité centrale qui, dès lors, et en vertu des lois, met les ressources collectives à la disposition de la communauté. Dans le système de la dissuasion, les individus ont joint leurs forces pour n'en constituer qu'une seule — la machine qui condamnera tout le monde à l'anéantissement si quelqu'un enfreint les règles — mais ont été incapables d'en confier la responsabilité à une autorité centrale. Autrement dit, ils ont centralisé les vecteurs de la violence tout en laissant dispersés les pouvoirs de décision — déléguant en quelque sorte à chaque membre de la communauté un droit de veto sur la survie de l'espèce. Il n'est pas excessif d'affirmer que, si une quelconque société s'organisait ainsi, soit de façon à donner à chaque citoyen le pouvoir de tuer tous les autres, on la considérerait comme frappée de démence. (Ce système est bien pire encore que l'anarchie où l'individu ne peut faire plus de mal que ne le lui permettent ses propres moyens.) Cependant, lorsqu'il s'applique à la planète tout entière, lorsqu'il s'agit de la protection du monde, nous considérons soudain ce système comme un chef-d'œuvre de prudence et d'intelligence politique.

Le dilemme de la nation qui se rend compte qu'en voulant conserver l'exercice de sa souveraineté elle risque d'hypothéquer l'avenir du genre humain est un piège auquel il sera impossible d'échapper tant que les pays posséderont des arsenaux d'armes nucléaires. La doctrine de la dissuasion cherche à rationaliser cet état de choses mais n'y parvient pas, du fait qu'au moment crucial elle demande aux nations de sacrifier l'humanité à leurs propres intérêts — crime au-delà de toute expression et de surcroît absurdité. En fin de compte, la doctrine de la dissuasion *contraint* pour ainsi dire le monde à vivre perpétuellement tout au bord du précipice, car toute nation qui reculerait d'un pas ou deux mettrait ses intérêts, puis son indépendance même, à la merci des forces militaires de ses adversaires. Et quoique, pour diverses raisons, un pays rival puisse ne pas tenter de tirer parti de son avantage (les Etats-Unis, par exemple, ne forcèrent pas le leur, juste après la Seconde Guerre mondiale, alors qu'ils détenaient un monopole sur la bombe atomique), aucune nation n'a jamais choisi de se mettre délibérément dans une telle situation d'infériorité. Le seul moyen d'échapper au piège semble donc de modifier le système et d'ôter aux armes nucléaires la responsabilité de la défense des nations. Mais, à moins d'imaginer que, dans un élan collectif de quiétisme, les nations et les gens en général ne se révèlent soudain disposés à choisir l'inaction, renonçant ainsi à leurs intérêts et à leurs idéaux, opérer cette séparation n'est envisageable que si l'on découvre un nouveau moyen — un moyen non violent — de prendre les décisions et d'en garantir l'application.

Au cours des décennies qui ont suivi l'invention de la bombe atomique, la doctrine de la dissuasion nucléaire a remporté la sincère adhésion de nombreuses personnes de bonne volonté — adhésion d'autant plus vive qu'elles se retrouvaient fréquemment face aux tenants de la doctrine militaire traditionnelle qui, même aujourd'hui, confrontés au péril de l'extinction, continuent de défendre des concepts tels que « la supériorité militaire ». Si l'on accepte l'existence de la machine d'apocalypse, la théorie de la dissuasion, aussi imparfaite soit-elle, peut sembler présenter un certain nombre d'avantages — le principal étant d'assurer une certaine « stabilité ». En conséquence, la lutte permanente de ses partisans contre la folie furieuse que constituerait une « guerre nucléaire » est tout à fait honorable. Mais il faut aussi admettre ce qu'est la vérité fondamentale concernant cette doctrine et son rôle dans un ordre politique — et, ajouterons-nous, biologique — plus large. En effet, l'affirmation sur laquelle repose la doctrine — que l'on ne déploie des armes nucléaires que pour prévenir leur emploi — est tout simplement fausse. En réalité, cette doctrine n'a pour objet que de défendre la souveraineté nationale ; si ce dessein n'existait pas, on pourrait rapidement désarmer les arsenaux nucléaires. La doctrine a donc été l'écran intellectuel derrière lequel fut construite la machine d'apocalypse. Et son principe trompeur selon lequel nous ne pouvons échapper au péril atomique qu'en construisant des armes nucléaires a conféré à la machine d'apocalypse une apparence de raison, un vernis de respectabilité — pour ne pas dire un air bienveillant — qu'on n'aurait jamais dû lui prêter. Construire cette machine fut en effet l'erreur la plus grave qui se puisse imaginer — sans conteste la plus colossale qu'aient jamais commise les hommes — à moins, bien sûr, de mettre la machine en marche. Aujourd'hui, ayant rationalisé la construction de la machine, la dissuasion unit notre destin à ce système infernal et, au mieux, si nous avons de la chance, nous promet de prolonger légèrement notre présence sur terre avant qu'inévitablement une erreur humaine ou mécanique n'entraîne notre anéantissement.

Cependant, de toute évidence, la politique de dissuasion n'est pas par elle-même la source principale de nos difficultés. Comme nous avons eu l'occasion de le voir, il s'agit plutôt d'un élément visant à rafistoler le système incommensurablement mieux enraciné de la souveraineté nationale. Les gens ne veulent pas de la dissuasion pour ce qu'elle représente ; en fait, ils savent à peine ce que c'est et ont tendance à éviter le sujet en général. Ce à quoi ils tiennent, c'est à cette souveraineté nationale que la dissuasion promet de préserver. La souveraineté nationale se trouve au centre même des problèmes politiques auxquels nous confronte le péril de l'extinction. La souveraineté est cette « réalité » dont les « réalistes » nous conseillent d'admettre le caractère inévitable, qualifiant toute autre solution d' « irréaliste » ou d' « utopique ». Si nous voulons débattre en toute bonne foi des questions que soulève l'arme nucléaire, alors, tout comme ceux qui prônent la politique de dissuasion (sans parler de doctrine militaire traditionnelle) doivent reconnaître honnêtement que leur système envisage l'anéantissement du genre humain au nom de la défense de la souveraineté nationale, ceux qui, comme moi, militent en faveur d'un désarmement nucléaire et conventionnel total doivent reconnaître que ce qu'ils recommandent est incompatible avec la souveraineté nationale ; prétendre le contraire reviendrait à vouloir esquiver la question politique qui se trouve au cœur du problème nucléaire. Les termes du marché que le monde a désormais passé avec lui-même doivent être clairs. Il y a d'un côté la vie des hommes et la création terrestre et, de l'autre, une forme particulière d'organisation de la vie des hommes : le système des Etats-nations souverains et indépendants. Jusqu'à présent, nous avons choisi de maintenir cette organisation politique, au risque d'hypothéquer toute vie humaine. Le « réalisme », nous dit-on, exige que nous préservions le système de la souveraineté. Mais ce réalisme politique n'est pas le réalisme biologique ; c'est du nihilisme biologique — et, de ce fait, bien entendu, c'est également du nihilisme politique. En réalité, c'est du nihilisme dans tous les sens du terme. On nous affirme que le destin de l'homme — ou peut-être même une « loi de la nature humaine » — exige que, conformément sans doute à quelque « impératif territorial » ou à quelque sombre et inéluctable vérité nichée au fond de nos âmes, nous maintenions la souveraineté des nations et réglions nos différends par la violence. Si tel est vraiment notre destin, alors notre destin est aussi de disparaître. Mais devons-nous choisir le nihilisme ? Faut-il que nous disparaissions ? L'auto-destruction est-elle une loi inhérente à notre nature ? Sommes-nous donc impuissants ? Je ne le crois pas. A vrai dire, si nous prenons en considération les réalités fondamentales du fait nucléaire — que l'arsenal actuel est suffisant pour entraîner l'extinction de l'espèce humaine en cas de conflit total ; que l'anéantissement de notre race signifierait la fin de tout dessein humain ; qu'une fois l'humanité exterminée, il n'y aurait pas de seconde chance et que le jeu serait clos à jamais ; qu'en conséquence il faut envisager politiquement et moralement cette possibilité comme s'il s'agissait d'une certitude ; et que soit accidentellement, soit intentionnellement un holocauste peut survenir à n'importe quel instant — eh bien, quelles que puissent être nos options politiques sur les autres problèmes, nous sommes presque inévitablement amenés à nous battre pour délivrer le monde des armes atomiques. Tout comme nous avons choisi de constituer un arsenal nucléaire, nous pouvons décider de le démanteler. Tout comme nous avons choisi de vivre dans un système d'Etats souverains, nous pouvons décider de vivre dans un autre système. Nous nous lancerions alors bien sûr dans l'inconnu mais, s'il est vrai qu'une telle décision serait par bien des côtés effrayante, et même réelle-ment périlleuse, il n'est en aucun cas impossible de la prendre. Notre système actuel, et les institutions qui le complètent, sont les scories de l'histoire. Ils sont devenus hostiles à la vie et doivent être balayés. Ils sont une corde passée au cou de l'humanité, corde qui menace d'étrangler l'avenir de l'homme, mais dont nous pouvons trancher le nœud et nous libérer. Prétendre le contraire reviendrait à vouloir nous tracer un destin fictif modelé sur nos propres faiblesses, sur nos propres décisions sujettes à modification. Oui, effectivement, nos connaissances scientifiques nous condamnent à vivre jusqu'à la fin des temps en sachant comment nous détruire nous-mêmes. Mais nous ne sommes pas pour autant condamnés à nous détruire. Nous pouvons encore choisir la vie.

Dans ce livre, je n'ai pas cherché à définir ce que pourrait être la solution politique du problème nucléaire — qu'il s'agisse du réexamen approfondi des bases de la pensée politique auquel il faudra procéder si l'on veut rendre les institutions politiques du monde compatibles avec la réalité globale à l'intérieur de laquelle elles fonctionnent, ou qu'il s'agisse de franchir effectivement les étapes grâce auxquelles l'humanité, agissant pour la première fois de son histoire en tant qu'entité unique, pourra réorganiser sa vie politique. J'ai laissé à d'autres ces tâches urgentes et redoutables que nous impose l'histoire et qui constituent la mission politique de notre temps. J'ai préféré évoquer ici les aspects physiques, humains et pratiques du fait nucléaire auquel le monde tout entier se retrouve aujourd'hui confronté. Ce problème est comparable à une cage qui se serait tranquillement élevée autour de la terre, emprisonnant chacun à l'intérieur, et dont les barreaux seraient constitués par les aspects cruciaux de la question que sont sa durabilité et sa portée globale tant humaine que politique. Cela dit, si une description de ce problème — le plus terrible auquel l'humanité a jamais eu à faire face — ne peut à elle seule nous enseigner les moyens de notre salut, elle peut, me semble-t-il, nous donner une idée de l'ampleur et du caractère de la tâche à laquelle il nous faut nous atteler. Et elle peut nous pousser à agir.

Pour nous résumer à propos de la guerre : en abattant les barrières qui empêchaient l'homme de manier les forces de la nature, l'invention de la bombe atomique a sonné le glas de la guerre, dont l'issue, et donc l'utilité, dépendaient de l'épuisement d'une des forces en présence. Par-dessus tout, la guerre dépendait de la faiblesse des pouvoirs humains ; quand les pouvoirs humains vinrent à excéder ce que peuvent endurer l'homme et les autres créations terrestres — quand l'homme, en tant que maître de la nature, devint plus puissant que l'homme en tant que fraction vulnérable et mortelle de la nature — c'en fut fini de la guerre. La guerre étant le moyen par lequel s'exprimait la violence politique, l'élimination de la guerre par les armes nucléaires a entraîné un divorce entre la violence et la politique. J'estime que ce divorce — fondé sur les progrès irréversibles de la connaissance scientifique — est non seulement définitif mais qu'il doit s'étendre par la suite à la sphère des affaires politiques tout entière, et que la tâche à laquelle notre race se trouve confrontée est de façonner une politique mondiale qui ne repose pas sur la violence. Cette tâche peut être scindée en deux parties — deux buts. Le premier : sauver le monde de l'anéantissement en éliminant les armes atomiques de la surface de la terre. Récemment, à l'occasion de son départ à la retraite, l'amiral Hyman Rickover, qui a passé une grande partie de sa vie à superviser la conception et la construction de sous-marins atomiques porteurs de têtes nucléaires pour l'United States Navy, a affirmé devant une assemblée de parlementaires qu'à son avis l'humanité allait finir par se détruire au moyen d'armes nucléaires. Il ajouta qu'il n'était « pas fier » de sa contribution à la force de frappe et qu'il aurait aimé « couler » ces navires auxquels il avait consacré tant d'années. Et, précisément, le devoir de chacun de nous est désormais de couler les navires, de clouer au sol tous les avions, de combler tous les silos lance-missiles et de désarmer toutes les têtes nucléaires. Le second but, dont la réalisation nous offrirait la plus grande chance de parvenir au premier, est de découvrir un moyen politique grâce auquel le monde pourrait aboutir aux décisions qui ne surgissaient auparavant que des conflits armés. Ces deux desseins, qui correspondent à la volonté déjà affirmée de préserver la vie sous toutes ses formes, sont intimement liés. Si, d'une part, une solution politique n'accompagne pas le désarmement, les nations seront tentées de s'emparer à nouveau des instruments de la violence à chaque fois qu'un différend les opposera entre elles, ce qui aura pour effet de faire réapparaître le spectre de l'anéantissement. Si, d'autre part, un désarmement total n'accompagne pas la solution politique, les décisions politiques auront fort peu de chances de s'imposer puisqu'elles pourront être remises en question par la force. Et si, comme c'est présentement le cas, il n'y a ni solution politique ni désarmement, le monde demeurera perpétuellement au bord du précipice, et risquera de sombrer à chaque litige entre puissances nucléaires.

Il est possible d'éclairer la signification du premier but — le désarmement — que nous pouvons sans paradoxe considérer comme un but « stratégique », en étendant à ses conclusions logiques le raisonnement qui sous-tend la doctrine de la dissuasion. Aujourd'hui, le monde compte sur les armes nucléaires à la fois pour prévenir le recours aux armes nucléaires et pour contrôler le comportement des nations ; mais franchissons un pas — un très grand pas — et supposons un instant que le monde s'est doté des moyens politiques de prendre des décisions sur le plan international, et n'a donc plus aucun besoin d'armes, qu'elles soient ou non atomiques. Faudrait-il, pour aboutir à un tel résultat, que la doctrine de la dissuasion et les craintes sur lesquelles elle est fondée s'évaporent comme sous l'effet de la bonne volonté générale ? Certainement pas. Tout au contraire, il faudrait que la peur de l'extinction augmente et opère à un niveau plus profond : jusqu'à ce qu'elle soit suffisamment intense pour inspirer un réaménagement complet de la politique mondiale. A la vérité, l'affirmation de Churchill selon laquelle la sécurité est l'enfant robuste de la terreur ne deviendra exacte que quand le monde aura renoncé à la violence. (Actuellement, comme nous l'avons dit, ce n'est pas la sécurité mais la souveraineté qui est l'enfant robuste de la terreur.) Telle que se présente aujourd'hui la doctrine de la dissuasion, la sécurité, pourrait-on dire, n'est que l'enfant frêle et anémique de la terreur ; et la raison en est précisément que la terreur n'est pas encore assez forte pour engendrer un rejeton robuste. Car nous continuons à la nier, à l'ignorer ; nous ne savons pas la laisser pénétrer jusqu'au cœur de notre vie et guider nos actes. Si nous étions conscients de ce qu'est véritablement ce péril — une menace imminente contre l'humanité tout entière — nous en ferions le principe organisateur de notre vie collective : la fondation sur laquelle reposerait le monde. La peur ne dicterait plus des décisions particulières comme de savoir si l'Union soviétique peut ou non disposer des missiles à Cuba ; il s'agirait plutôt d'une force dynamique poussant à l'instauration d'un nouveau système auquel reviendrait le pouvoir de prendre les décisions. Et, puisqu'on lui devrait la fondation du système, la peur veillerait sur lui à jamais, garantissant que les hommes ne sombrent pas de nouveau dans l'anarchie et la folie.

Cette évolution devrait être logiquement le but ultime de la doctrine de la dissuasion nucléaire. Dans le monde prénucléaire, la menace de guerre, renforcée par de fréquents recours à la force des armes, avait un effet dissuasif sur les éventuels agresseurs. Aujourd'hui, le péril représenté par l'extinction — et qui, pour des raisons évidentes, n'est pas renforcé par le recours aux armes nucléaires mais par leur existence et par la menace de leur utilisation — sert d'ultime moyen de dissuasion. Ainsi, dans le système actuel, on a déjà ôté à ces armes la moitié de leur rôle militaire traditionnel. Ce sont des armes « psychologiques », qui ne sont pas censées être employées mais maintenir un état d'esprit permanent — la terreur — chez l'adversaire. Elles ont pour cible l'esprit des hommes et, si le système fonctionne, ont pour destin de rouiller dans leurs silos. D'ailleurs, nos généraux sont d'ores et déjà des combattants de la psychologie — passés maîtres dans l'art du Kriegspiel et de la stratégie sur ordinateur mais non, par bonheur, dans celui de conduire une bataille. Dans cet univers cérébral, la stratégie affronte la stratégie, le scénario s'oppose au scénario, rivalisant d'ingéniosité pour qu'aucun d'eux n'entre jamais dans la réalité. Mais il nous faut aller jusqu'au bout : faire des armes *totalement* cérébrales — non pas des engins attendant la mise à feu dans leurs silos mais un produit purement intellectuel. Nous devons détruire les arsenaux. Ce n'est qu'en agissant ainsi que nous pourrons supprimer la contradiction qui se trouve au centre de la doctrine de la dissuasion : et ainsi utiliser la peur de l'arme nucléaire dans l'unique but de prévenir l'extinction, et non pas dans celui de défendre également des intérêts strictement nationaux. Dans un monde désarmé, savoir que le réarmement signifierait l'extinction potentielle deviendrait la dissuasion idéale. Alors, tous les êtres humains s'uniraient en une alliance défensive pour lutter contre la réapparition de leur ennemi commun, l'arme nucléaire. Mais, du fait que cet ennemi ne saurait sortir que de nos rangs, dissuadant et dissuadé ne feraient qu'un. Dans un monde qui aurait résolu le problème nucléaire, le principe stratégique fondamental s'énoncerait donc ainsi : *savoir c'est dissuader*. Le péril nucléaire est né du savoir et doit en rester prisonnier. Le savoir serait en l'occurrence la connaissance scientifique inaliénable qui nous permet de construire l'arme et nous condamne à vivre définitivement dans un monde nucléaire. Quelque mesure que nous adoptions, cette connaissance demeurera à jamais dans l'existence du monde la présence minimale et irréductible du péril atomique. Elle correspondrait par ailleurs à une compréhension totale sur un plan tant affectif, intellectuel, et spirituel que viscéral de ce que signifie l'extinction — et, surtout, de ce que

249

signifient pour les vivants les générations à naître. L'extinction équivalant à la fin de l'humanité, elle ne représentera jamais pour nous autre chose qu'une idée ; nous ne « connaîtrons » jamais l'extinction. C'est précisément *cette* conscience — l'horreur que nous inspire la suppression des générations futures, qui pèse sur nos existences et qui constitue la pleine réalité de l'extinction telle qu'il nous sera jamais donné de la vivre — qui doit devenir dissuasive.

Par le désarmement, nous n'éliminerions pas toute menace d'anéantissement de la race humaine — cela, nous ne le pourrons jamais — mais nous ferions au moins tout ce qui est en notre pouvoir pour l'écarter. Recourir à l'aberration qui consiste à menacer de perpétrer l'extinction pour mieux lui échapper ne serait plus nécessaire. Le noyau des atomes contiendrait toujours la même immense énergie, et nous saurions toujours comment nous anéantir en libérant cette énergie dans des réactions en chaîne, mais il ne serait plus question de mettre cette science en pratique. Nous ne nous ferions plus les complices de l'éventuel massacre, nous ne consacrerions plus des milliards de dollars à la machine infernale, nous ne méditerions plus la suppression des générations à venir, nous ne nous pencherions plus au-dessus de l'effroyable précipice.

L'école de pensée « réaliste » de la politique, sur laquelle s'appuie le système de dissuasion actuel, enseigne que les hommes poursuivent d'une façon générale leurs propres intérêts et qu'ils obéissent à la loi de la peur. L'école de pensée « idéaliste » insiste sur l'aptitude qu'a l'homme à faire preuve d'altruisme, et repose sur ce que Gandhi nommait la loi de l'amour. (Alors que ce sont les prémisses qui séparent le raisonnement militaire traditionnel du raisonnement stratégique nucléaire, la différence entre les écoles de pensée « réaliste » et « idéaliste » réside, elle, dans des conceptions opposées de la nature.) De tout temps, les « réalistes » se sont distingués par leur foi en la nécessité de la violence ; cependant, si, dans le monde nucléaire, on s'acharne à appliquer la loi de la peur, on en vient à ne plus compter sur la violence mais à la bannir tout à fait. Cela n'a rien à voir avec un quelconque idéalisme, mais correspond à l'application rigoureuse de la logique « militaire » traditionnelle à l'époque actuelle. En effet, la seule façon d'élaborer une véritable défense nationale est aujourd'hui, pour tous les pays, de renoncer à la violence. Pourtant, si nous étions partis de la loi de l'amour de Gandhi, nous en serions arrivés au même point : pour ceux qui prêchaient le pacifisme dans un monde prénucléaire, le péril de l'extinction ne fait évidemment qu'ajouter une nouvelle raison — et quelle raison ! — de rejeter la violence. De plus, il existe au moins un côté par lequel la loi de la peur se révèle inadaptée pour combattre le danger d'extinction : elle est fondée sur l'amour de soi. A travers la dissuasion — principe impliquant que si quelqu'un recherche ses propres intérêts aux dépens de ceux des autres, il s'ensuivra un désastre général dans lequel il sera lui-même entraîné — on se sert de l'égoïsme pour assurer la protection de tous. Cependant, comme nous l'avons vu, on ne peut prétendre faire de l'égoïsme — ce sentiment étroit mais néanmoins si intense — le moyen de protéger, ou même de prendre en compte, les générations futures. La doctrine de la dissuasion est un pacte qui ne concerne que des êtres vivants — elle ignore nos descendants impuissants et muets (si nous pouvons lancer contre eux une première frappe, eux n'ont aucun moyen de riposter) — alors que le destin des générations à venir se situe au cœur de l'extinction ; car c'est bien de leur suppression qu'il s'agit quand nous parlons d'extinction. Leur vie est en jeu mais il n'est pas question de leur demander leur avis. L'amour, lui, peut les atteindre — leur donne la possibilité de venir au monde. L'amour, cette énergie spirituelle que le cœur humain peut opposer à l'énergie physique libérée par le cœur de la matière, est en mesure de créer, de chérir et de sauvegarder ce que l'extinction réduirait à néant. Mais, du moins sur un plan pratique, il n'est en fait nul besoin de choisir entre la loi de la peur et la loi de l'amour, car elles aboutissent au même point. Détruire le monde ne serait pas plus réaliste qu'idéaliste.

Je me suis avancé très loin en imaginant un instant que le monde puisse jamais trouver un moyen politique de prendre des décisions sur le plan international — en effet, une fois cette solution découverte, le désarmement ne serait plus qu'un problème purement technique ne présentant pas de difficultés particulières. Il est pourtant fondamental de reconnaître que cette tâche est au départ politique et que seule une solution politique peut ouvrir la voie à un désarmement total garantissant la sécurité de l'espèce. Cela pour souligner le fait qu'il n'y aura pas de véritable désarmement sans évolution politique. Vouloir, comme le déclara le président Carter dans son discours d'inauguration, débarrasser le monde des armes nucléaires, c'est se mesurer à un obstacle immense. Se libérant d'un fardeau, le péril de l'extinction, le monde doit en supporter un autre : assumer la pleine responsabilité de régler les différends humains de façon pacifique. En outre, il nous faut admettre que le désarmement nucléaire ne peut intervenir tant que l'on conservera les arsenaux conventionnels ; aussi longtemps que les nations se défendront au moyen d'armes quelles qu'elles soient, elles resteront souveraines et, aussi longtemps qu'elles le demeureront pleinement, elles auront toute liberté de reconstruire des armes nucléaires. Si l'on imagine que des guerres de type conventionnel éclatent et que certaines nations se voient sur le point d'être battues, la réapparition de l'arme nucléaire, seule susceptible de retourner la situation, devient alors plus que probable. Quelle nation, ayant confié son destin à la puissance des armes, se laisserait conquérir par un ennemi alors qu'elle pourrait avoir à sa disposition le moyen de le faire battre en retraite (et ce peut-être même sans l'utiliser) ? Quelle sécurité pourrait-il exister dans un monde où les nations se menacent les unes les autres et conservent le droit souverain de construire toutes les armes qu'elles souhaitent ? C'est une vision tout à fait improbable que celle d'une vie internationale où les militaires en seraient restés au stade d'un monde prénucléaire tandis que les scientifiques seraient entrés dans l'ère atomique. Si nous envisageons sérieusement un désarmement nucléaire — le minimum technique indispensable pour assurer véritablement notre sécurité — il nous faut accepter également l'idée d'un désarmement conventionnel, ce qui implique le désarmement non seulement des puissances nucléaires mais aussi de toutes les autres, car les pays actuellement nucléarisés ne se résoudraient sans doute pas à renoncer à leurs arsenaux conventionnels si les autres nations conservaient les leurs. Mais concevoir un désarmement à la fois conventionnel et nucléaire revient à révolutionner toute la politique planétaire. Les objectifs de cette révolution politique nous sont dictés par ceux de la révolution nucléaire. Nous devons déposer les armes, abandonner la souveraineté, et mettre au point un système politique pour le règlement pacifique des différends internationaux.

Il nous revient de découvrir un moyen d'action politique qui permettra aux êtres humains de poursuivre jusqu'à la fin des temps les buts qu'ils se seront assignés. Il nous appartient de remplacer le mécanisme même grâce auquel sont prises les décisions politiques, quelles qu'elles soient. Cette tâche revient en fait ni plus ni moins à réinventer la politique : à réinventer le monde. Cependant, l'extinction n'attendra pas que nous ayons réinventé le monde. Si nous sommes le fruit d'une lente évolution, notre disparition pourrait être fulgurante, consommée en quelque sorte avant que nous n'en ayons eu conscience. A la rapidité, il nous faut répondre par la rapidité. Tout ce que nous sommes et tout ce que nous faisons étant menacé, le péril étant imminent, chacun de nous a le devoir d'agir et, pour ce faire, chaque moment est le bon moment, à commencer par l'instant présent. Car rien ne met mieux en relief notre appartenance commune à l'humanité que le péril d'extinction ; en fait, sur un plan tant pratique que politique, il établit cette appartenance commune. Le but de l'action, cependant, n'est pas de remplacer la vie par la politique. Il ne s'agit pas de faire de la vie une perpétuelle contestation ; l'essentiel, c'est la vie elle-même.

Quelle que soit la forme qu'affecterait un monde conçu pour assurer notre survie, le premier pas à franchir, maintenant, de façon urgente et sans qu'il soit besoin d'une longue réflexion, serait que chacun exprime clairement et sans ambiguïté son désir que l'espèce se perpétue. Echappant par nature à l'expérience humaine, l'extinction est invisible mais, en la combattant, nous pouvons de manière indirecte la rendre visible. Comme personne n'assistera jamais à l'extinction, nous devons en porter témoignage avant qu'elle se produise. Et c'est dans notre vie quotidienne que cette révolte doit intervenir. Chacun de nous peut d'ores et déjà opérer un retournement — abandonner pendant quelque temps ses préoccupations habituelles pour se concentrer sur la protection des fondations de la vie, d'où naissent nos préoccupations habituelles et à l'intérieur de laquelle elles trouvent leur justification. Cette interruption dans notre existence quotidienne ne serait que préventive, car à travers cette suspension temporaire de la routine, notre but serait d'éviter l'éternelle suspension que constituerait l'extinction. Et, dans un premier temps, ce retournement pourrait se manifester aussi simplement que par un coup de téléphone à un ami ou le fait d'assister à une réunion.

Cependant, il faudra, dès le départ, garder à l'esprit quelles mesures radicales il nous incombera finalement de prendre pour assurer notre survie. Sans cela, si nous imaginions que cette première prise de conscience puisse suffire à nous sauver, nous risquerions d'être déçus. A mon sens, les mesures radicales en question sont celles que j'ai déjà eu l'occasion de mentionner : le désarmement global, à la fois nucléaire et conventionnel, et l'invention d'un moyen politique grâce auquel le monde puisse régler pacifiquement les problèmes qui, tout au long de l'histoire, ont été réglés par la guerre. Ainsi, voici clairement définies les premières étapes comme les dernières. Quand un car dévale une route de montagne en direction du ravin, ses passagers ne réunissent pas un colloque pour déterminer la nature du danger ; ils enjoignent au chauffeur de serrer les freins. En conséquence, le minimum indispensable est que l'on procède à un gel de la prolifération des armes nucléaires, auquel se plieraient aussi bien les nations déjà pourvues de la bombe que celles qui ne le sont pas encore. Mieux encore serait de réduire l'armement nucléaire — en réduisant par exemple de moitié les arsenaux des grandes puissances, comme le suggérait récemment George Kennan. Simultanément, il serait possible de prendre un certain nombre de mesures d'ordre politique. Par exemple, les puissances nucléaires pourraient entreprendre des négociations pour écarter le risque qu'un holocauste soit déclenché par erreur ; il serait possible de parvenir à des accords techniques et politiques en vue de réduire la probabilité d'erreurs mécaniques ou d'interprétation des intentions ou des actes de l'ennemi en temps de crise, ce qui permettrait de renforcer la sécurité du monde tout en attaquant le problème à un niveau plus fondamental. L'intérêt commun des deux grands — et, bien sûr, de toutes les autres puissances — est en effet par-dessus tout d'éviter l'extinction. Et si l'on considère que l'existence d'un intérêt commun représente la meilleure base possible pour des négociations, celles-ci auraient une chance d'aboutir. Néanmoins, la conduite de négociations visant à réduire le péril nucléaire ne constituerait en aucun cas une raison d'abandonner ce que l'on avait cru bon d'entreprendre, même si cela ne correspond pas aux vues du nouvel interlocuteur. Ainsi, pour donner un exemple actuel, les Etats-Unis n'ont nul besoin ni aucune raison de ne pas réagir vigoureusement contre la répression téléguidée par Moscou que subissent en ce moment les Polonais, même s'ils ont entamé avec l'Union soviétique des négociations sur le désarmement. Le monde ne s'arrêtera pas parce que les Etats-Unis auront interrompu leurs livraisons de blé à l'Union soviétique. D'un autre côté, suspendre ces négociations dans le but de soutenir les Polonais, tout autant concernés par l'extinction que quiconque en cas d'holocauste, serait suicidaire. Vouloir « punir » les autres reviendrait alors à se punir soi-même. On peut négocier sans danger tous les objectifs limités et à court terme, à la seule condition de ne jamais perdre de vue le but final. Mais, pour parvenir à un résultat, chaque citoyen doit veiller à ce que des décisions soient prises.

Une action concertée en un effort politique commun franchissant les frontières nationales aurait pour but de maintenir grandes ouvertes les portes de la vie aux générations futures, et pour méthode de permettre à chaque personne vivante de passer ces portes. Mais n'oublions pas que, même si tous les habitants de la terre devaient participer à cet effort, cela ne représenterait qu'une infime minorité au regard des générations passées et futures ; la prudence et la modestie seraient donc de mise. Cependant, la sauvegarde de toutes les générations est une mission qui ne donne pas tous les droits sur les êtres en vie. Cette mission n'autoriserait pas que l'on déforme ou viole les règles de conduite exigées par une vie politique décente car, une fois commencée au nom de la survie, une telle entreprise de démolition ne pourrait aboutir qu'à la fin de toutes les règles. D'un point de vue tant intellectuel que philosophique, le principe de tolérance devrait être porté à l'extrême. Il faudrait essayer de s'ouvrir à de nouvelles pensées, de nouveaux sentiments, de la même façon que nous serions ouverts aux générations futures qui concevront ces pensées et éprouveront ces sentiments, envisager alors toutes les convictions et les idéologies en se disant que si, sans l'humanité, aucune n'existerait, avec l'humanité, toutes ont le droit d'exister. En effet, tandis que les événements susceptibles de déclencher un holocauste seraient probablement d'ordre politique, ses conséquences dépasseraient toute politique ou visée politique ; elles anéantiraient les espoirs et les projets des capitalistes comme des socialistes, des hommes de gauche comme de droite, des conservateurs comme des révolutionnaires. L'effort pour la survie n'étant porté au départ que par le soutien spontané de tous les habitants de la terre, il devra tenir compte en retour de la volonté de chacun, c'est-à-dire de sa liberté. La volonté populaire indispensable à une telle entreprise pourra ensuite assumer un rôle de contrôle sur le pouvoir de l'institution politique mise en place pour remplacer la guerre.

Etant donné que le but de ce gigantesque effort serait un monde non violent, la méthode employée devra elle aussi être non violente. La phrase de Gandhi concernant l'esprit de l'acte non violent en général s'applique tout particulièrement à ce qui nous préoccupe : « Le dictionnaire de l'acte non violent exclut toute notion d' " ennemi extérieur ". » Quand il ne sera plus question que du monde tout entier, les différends deviendront par définition « intérieurs », et devront être réglés sur la base du respect mutuel. Si notre but est de sauver l'humanité, il nous faut respecter l'entité de chacun. Qui donc en effet serait alors l'ennemi ? Certainement pas les dirigeants politiques du monde, qui, s'ils menacent aujourd'hui de faire sauter la terre avec l'arme nucléaire, n'agissent ainsi qu'avec notre permission, pour ne pas dire sur notre ordre. Du moins cela est-il vrai en ce qui concerne les démocraties. Nous ne savons pas ce que désirent réellement les peuples des Etats totalitaires, y compris celui de l'Union soviétique. Leur gouvernement ne leur donne pas droit à la parole. En ces circonstances, il revient à l'opinion publique des pays libres de parler au nom de l'opinion publique de tous les pays et de faire pression, de toutes leurs forces, sur l'ensemble des gouvernements.

Actuellement, pour la plupart, nous ne faisons rien. Nous regardons ailleurs. Nous ne bougeons pas. Nous ne disons rien. Nous nous réfugions dans l'espoir que l'holocauste ne se produira jamais et nous concentrons sur nos problèmes individuels. Nous nions la vérité qui est pourtant visible partout. Indifférents à l'avenir de notre espèce, nous devenons de plus en plus indifférents aux autres. Nous partons à la dérive. Nous nous engourdissons. Nous sombrons dans un sommeil qui nous mènera à la fin du monde. Mais il suffirait que nous sortions de notre léthargie, que nous nous réveillions, pour que la situation change. Si l'inertie engendre le désespoir — un désespoir si profond qu'il ne se reconnaît même pas — le réveil et l'action nous redonneraient l'espoir, et la vie redeviendrait plus saine : non seulement la vie dans son ensemble, mais aussi la vie quotidienne, la vie individuelle. Nous pourrions alors abandonner le rôle de victime et celui de bourreau. Nous ne serions plus désormais les destructeurs de l'humanité, mais plutôt les portes permettant aux générations futures d'entrer dans le monde. La passion et la volonté dont nous avons besoin pour nous sauver nous-mêmes afflueraient à nouveau dans nos vies. Les murs de l'indifférence, de l'inertie et de la froideur qui nous isolent actuellement les uns des autres, ainsi que de toutes les générations passées et à venir, fondraient comme neige au soleil. E. M. Forster nous adjure : « Unissez-vous simplement ! » Unissons-nous. Auden, lui, nous répète : « Nous devons nous aimer ou mourir. » Aimons-nous — dans l'instant et au-delà des frontières de la mort et de la naissance. Le Christ nous a dit : « Je ne suis pas venu pour juger, mais pour sauver le monde. » Nous non plus ne jugeons pas mais sauvons le monde. En rétablissant le lien mutilé qui nous unit à la vie, nous rétablirions notre existence même. Au lieu d'interrompre le cours du temps et de mettre un terme au futur des hommes, nous favoriserions la naissance de nos descendants. En échange, ils nous feraient le cadeau inestimable de redonner un sens et une consistance à notre existence.

Deux voies s'ouvrent à nous. L'une conduit à la mort, l'autre, à la vie. Si nous choisissons la première — si nous refusons obstinément de reconnaître la proximité de l'extinction et continuons d'intensifier les préparatifs qui nous y mènent directement — nous nous faisons alors les alliés de la mort et notre attachement à la vie s'affaiblira avec chacun de nos actes : notre vision, aveugle au précipice qui s'ouvre à nos pieds, s'obscurcira et se troublera ; notre volonté, découragée par l'idée qu'il est impossible de construire quoi que ce soit de durable sur des fondations précaires, s'épuisera ; et nous sombrerons dans la stupeur, comme si nous nous détachions graduellement de l'existence pour mieux nous préparer à l'anéantissement. D'un autre côté, si nous combattons la mort et concentrons tous nos efforts sur la survie — si nous nous éveillons au péril et agissons de façon à l'écarter, si nous nous faisons les alliés de la vie — alors, le brouillard anesthésiant se lèvera ; cessant de refuser de voir l'évidence, notre vision s'éclaircira ; disposant à nouveau de solides fondations, notre volonté retrouvera toute sa force ; et nous reprendrons pleinement possession de la vie. Un jour — et il est difficile de croire qu'il ne viendra pas bientôt — nous choisirons. Ce jour-là, soit nous sombrerons définitivement dans le coma et mettrons un terme à tout l'univers, soit, comme je l'espère et le crois, nous nous éveillerons à la réalité du péril encouru, une réalité vaste comme la vie elle-même, et, telle une personne qui, après avoir avalé un poison mortel, sort de l'hébétude au dernier moment et vomit le poison, nous renverserons tous les obstacles, écarterons nos excuses pusillanimes et nous mettrons en devoir de libérer la terre de l'arme nucléaire.

La composition de ce livre
a été effectuée par Bussière à Saint-Amand,
l'impression et le brochage ont été effectués
sur presse CAMERON
dans les ateliers de la S.E.P.C. à Saint-Amand-Montrond (Cher)
pour les Éditions Albin Michel

Achevé d'imprimer en septembre 1982
N° d'édition 7676. N° d'impression 1863-1155
Dépôt légal : octobre 1982

Imprimé en France